The Narrative Turn of Contemporary Museum Exhibition

當代博物館展覽的敘事轉向

張婉真｜著
Chang Wan-Chen

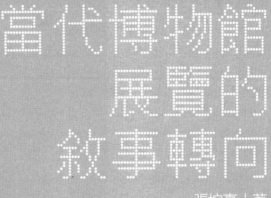

國立臺北藝術大學
Taipei National University of The Arts

遠流出版公司

本書經「國立臺北藝術大學學術出版委員會」學術審查通過出版

目錄 Contents

謝辭

　　本書係以筆者這幾年所進行的國科會計畫的研究成果為基礎，復加以在國內外各博物館奔波調查過程中不斷添加醞釀的研究發現與問題意識之思索，終於完成於 2013 年的冬天。因此本書得以付梓，筆者首先感謝行政院國家科學委員會過去四年對於筆者研究專題計畫的支持，以及過程中多位匿名審查委員對於筆者計畫內容以及根據計畫所發表的學術文章所提出的寶貴建議與指正，這些建議大大地豐富且擴充了筆者撰寫本書時的想法與方向。

　　筆者也要對於過去幾年協助筆者進行研究的國內外機構表達最誠摯的感謝，這當中包括了國內的國立臺灣文學館、國立臺灣博物館、國立自然科學博物館、國立臺灣科學教育館、國立臺灣歷史博物館、宜蘭縣立蘭陽博物館、北師美術館以及法國國立吉美亞洲藝術博物館與國立人類博物館等館所，如果沒有他們提供筆者在現場進行資料蒐集與觀眾研究的必要協助，本書的個案研究將不可能完成。筆者更要特別感謝程延年博士、呂理政館長、廖仁義教授、陳秋伶組長、邱秀蘭組長、林正芳研究員、Marie-Catherine Rey 研究員在過程中給予筆者的回饋意見，使得筆者對於各個研究案例的看法得以獲得補充、驗證或修正，也督促筆者不斷進行敘事理論與其實踐上的辯證思考。

　　在這幾年的研究過程中，筆者在國立臺灣藝術大學藝術管理與文化政策研究所以及國立臺北藝術大學博物館研究所的同事與學生一直是鼓勵筆者積極行動的力量來源。尤其感謝這幾年協助我的學生助理們，陪伴我完成多間館所的訪談與觀眾研究，也替我分擔諸多苦勞與憂心。

　　最後，筆者要感謝我親愛的家人。我年邁的雙親一直掛念女兒工作順利與否，希

望本書的出版能令兩老寬心；外子成清是永遠支持我的臂膀，既能不斷承受我在寫作不順的惡劣心情，也總能在我徬徨困惑時給予最明晰的建言，並分擔著家事與教養寧寧的辛勞；當然，我也不會忘記感謝我最心愛的寶貝女兒寧寧，不單是因為她的貼心與可愛永遠溫暖著我，也更因為她的快樂與對媽媽無限的愛就是我最大的驅動力量。出書在即，筆者也要感謝未來的讀者諸君，並盼各界的不吝指正。

2014 年春
張婉真於臺北

緒論：敘事做為一種文化理解方式

　　近來學界以不同方式及透過不同的研究途徑，顯示做為當代文化訊息的傳譯與溝通場域的博物館，已開始重視「敘事」（英文 "the narrative"，法文 "le récit"）在傳遞訊息上可以扮演的積極角色，並積極將「說故事」（the storytelling）的概念納入其展示策略與活動規劃之中。這樣的趨勢毋寧是呼應著人文學與社會科學中一個更為廣泛的運動。Wallace Martin（1986：7）對於敘事理論在當代文化研究裡捲土重來的現象提出以下的解釋：

> 歷史哲學家已經指出，敘述並非僅僅是用以代替可靠統計材料的泛泛印象，而是自有其道理的理解過去的方法。（...）做為為理解生活而必不可少的諸種解釋方式，模仿（mimesis）與敘述已經從其原來的僅為「小說」（fiction）的不同方面這一邊緣地位上一躍而占據了一些其他學科的中心。（伍曉明譯，2005：1）

　　一般人聽到「說故事」一詞，或許腦海中會先浮現小朋友在睡前央求媽媽說個床邊故事，然後得以安睡的畫面。事實上，自 1990 年代中期開始，「說故事」的概念開始廣泛運用於不同學科以及不同領域。從新聞報導、廣告宣傳、企業經營與形象塑造、心理治療、乃至電玩遊戲設計，無不積極加入「說故事」的策略、鑽研箇中的技巧，以求發揮說故事的積極效益。這樣的現象早已超過往將「敘事研究」視為文學理論分支之一的框架，而是當代將「敘事」視為一種理解文化方式的表徵。美國社會學家 Francesca Polletta 在其 2006 年分析「敘事」如何運用在政治與社會運動領域裡的著作《宛若熱病：異議與政治裡說故事的運用》（*It Was Like a Fever: Storytelling in Protest and Politics*）中指出：

> 許多意料之外的領域都在說故事。（...）每年，數以萬計的人們加入國家敘事網絡

（National Storytelling Network）或是參與美國國內舉辦的 200 多個說故事活動中的一個。隨便望去，每家書店都賣出為數驚人的有關說故事技巧的書。說故事被視為追求精神層面的途徑、獎學金的申請策略、解決紛爭的方式或是一種減重計畫。（Polletta, 2006：1）

Christian Salmon（2007：8-9）認為美國歷史的建構本身便混合著真實與誤解、現實與虛構，難怪有美國特別喜愛「說故事」這一套的言下之意。然而，說故事的風潮並非局限於美國，而是一種更為普遍的跨學科現象。

　　本書書名提到了「敘事轉向」（narrative turn），因此有必要說明此一名詞的意涵。敘事理論的發展歷程已經長久。在 1960 年代曾受到諸多文學理論家的重視，但之後卻又沉寂。惟敘事理論並未真正被忽略，反而在過去三、四十年間以新的姿態捲土重來，並席捲各個領域，這個現象稱之為「敘事轉向」（Bruner, 1991；Kreiswirth, 1992；2000；2005；Brockmeier & Harré, 2001；Currie, 1998；Richardson, 2000）。「敘事轉向」不僅意味「說故事」這一件事已成為一種不同學科領域皆日益重視的研究觀點，且其本身也被視為獨立對象而受到研究。Martin Keriswirth（1992：631）認為 1980 年代是敘事學的奇蹟年代，也是「敘事轉向」發展的里程碑。自 1980 年起，眾多學刊聚焦敘事的主題，其中《批評探求》（*Critical Inquiry*）在 1980 年出版的特集「關於敘事」（*On Narrative*）首次將研究範圍從之前主流的文學／語言領域之外，加入了哲學、人類學、心理分析以及歷史學等領域的學者的文章[1]。而在研究議題方面，除了小說與虛構敘事之外，也包括與人類活動與意義建構相關的心理分析對話、社會事件、與特定時間內的現象學等等；討論的方式也多來自非結構主義以及後結構主義的視野（Keriswirth, 1992：631-632）。而自 1985 年起，日益眾多的研究將敘事的問題放置於彼此不同的觀念與思考的架構。1986 年出刊的《詩學》（*Poetics*）學刊所做的「敘事分析」（Narrative Analysis）專題亦包括來自人文科學與敘事科學的不同領域，而在之中敘事理論被大幅度地連結至傳播理論、認知理論、記憶與人工智能乃至

---

[1] 為《批評探求》的第 7 期，之後並成為一本專書，該書係由 W. J. T. Mitchell 主編（Mitchell, 1981）。

文化製品等[2]。Brian Richardson（2000：168）認為「現在，敘事無所不在」。James Phelan（2005：210）的用詞更為強烈，他認為我們應提防「敘事帝國主義」（narrative imperialism）。洛杉磯時報編輯 Lynn Smith 在 2001 年如此說明敘事的現象已然超越學科領域的邊界：

> 我們可能會將說故事的傳統推演至原始人類的壁畫，（...）但發軔自 1960 年代起的後現代文學，敘事的概念已經從學院蔓延至更為廣大的文化並普及於其他領域：歷史學家、法學家、物理學家、經濟學家及心理學家都發現了故事之於建構現實的力量。而說故事在協助理解司法、地理、疾病或戰爭的本領已經足以和邏輯思考匹敵。（Salmon, 2007：10-11）

如何解釋此一現象？Roland Barthes（1966：7）在其做為結構主義敘事學奠基的著名文章〈敘事結構分析導論〉（Introduction à l'analyse structurale des récits）中，便開宗明義地表明：

> 世界上的故事無窮無盡。首先，存在有驚人眾多的樣式分布於不同的內容之中，似乎任何材料都適合人類用來表達故事。支撐故事的可以是口頭的或書寫的分節語言，固定的或流動的形象、姿態、以及包含所有這些內容的有組織的混合體。故事可以出現於以下作品形式中：神話、傳說、寓言、童話、小說、悲劇、喜劇、史詩、歷史、啞劇、繪畫（Carpaccio 的 *Sainte Ursule*）、教堂窗繪、電影、連環漫畫、社會新聞節目以及談話。此外，故事以此幾乎無限多的形式出現於一切時代、一切地區、一切社會。故事與人類社會歷史同其久遠。沒有任何民族是沒有或從來沒有故事的。一切階級、一切人類集團都有自己的故事，而且這些故事往往為不同文化甚至是對立文化中的不同人士所共同欣賞：故事並不在意文學的好與壞，故事跨越國度、歷史、文化而到處存在，正像生活本身一樣。（李幼蒸譯，2008：102-103）

人類確實如同 Barthes 所言渴望故事、熱愛故事，而我們是否因此能夠以本能論來解

---

[2] 為《詩學》第 15 卷第 1-2 期。

釋「敘事無所不在」呢？就某種程度或許可以。如果我們通過無數的故事來應對這個紛繁的世界，就很難想像敘事不是我們本能的一部分。英國文學批評家 Barbara Hardy（1968：5）說：「我們以敘事的方式做夢、回憶、期待、希望、絕望、相信、懷疑、計畫、修改、批評、建構、閒聊、學習、憎恨和熱愛」。從所有小朋友都愛聽故事的事實可以了解，比起其他形式，人們更善於理解敘事。敘事可用以傳達清晰的訊息，而接受者（聽眾、讀者或觀眾）也對敘事青睞有加。對人們而言，敘事是學習及認識世界的一種既重要又有效的手段。

然而，本能論雖然能解釋為何人們熱切擁抱敘事，卻不能解釋為何在最近數十年敘事特別受到重視。另一個對後者的現象提出的解釋可定調為認知論：亦即說明敘事所擁有的引導人們學習的潛力。Jerome Bruner（1986：13）指出，人類運用兩種思考方式認識世界：邏輯與敘事。他是如此描述敘事的想像：

> （敘事）引出好的故事、扣人心弦的戲劇、可信（但不一定「真實」）的歷史敘述。它處理人類或擬人的生活進程的意圖、行動、興衰與因果。它致力將沒有時間感的奇蹟轉化為特殊的經驗，並將經驗置放於其時間與空間之中。

對於一些學者而言，敘事的蔚為風潮可視為宣稱先驗式真理存在（transcendental truth-claims）的反動，也呼應著後結構主義與後現代主義的當時氣候（Kreiswirth, 1992：634）。這意味，批判的注意力不再專注於論述的內容，而在於它是如何在特定的脈絡下、為了特定的目的、為特定的對象所組織與塑造的。此外，既然敘事分析的對象已經拓展至幾乎任何一種媒介（如政治宣傳、電影、舞蹈以及博物館展示），它本身也不再僅是語言的分析，而是一種文化活動。從這樣一種觀點，敘事以其將事物「故事化」的特質，已成為對抗笛卡爾式的理性原則的有力形式，而故事是如何被框架又是如何被看待，便與故身本身一樣有意義。

2006 年，芬蘭赫爾辛基大學（University of Helsinki）主編的學刊 *Collegium* 以「旅行的敘事概念」（The Travelling Concept of Narrative）為主題，探究了敘事的概念為

何似乎易於從一個學域流轉至另一個的問題。有學者認為敘事自其萌生時刻起，便是一種獨特的理論性概念，且不生成於任何學科的傳統研究之核心（Herman, 2005；Ryan, 2005）。Matti Hyvärinen（2006：3）援引小說理論的例子，說明小說的研究也並未引發對於敘事的普遍興趣。他指出：

> 1920 年代的俄國形式主義者與 1960 年代的法國結構敘事主義者，皆忙於比較從民間故事、口語傳說到高級文學等不同的材料。這種不同形式文本的比較需要一種更為抽象的概念及理論。換言之，這種新的觀念從一開始便具有一種比較性的、抽象的以及流動的特質。即便這個觀念一開始從結構敘事主義的修辭學角度發展且理論化，在滲入文化研究之後，它反而更為主觀、多樣且得以說明身分、生命與行動的社會建構視野。

　　然而，如果我們深究當代「敘事無所不在」現象之後極其複雜的流動路徑，便可發現之中存在一些需要釐清的問題。其中之一便在奠基於文學理論的敘事學與文化研究下所說的敘事轉向之間的差異。其二則是我們也必須思考敘事學與敘事轉向的差異形成是如何接受了不同學科傳統的影響。而此兩個問題皆與敘事理論之於博物館展覽的應用有密切關係。

　　關於第一個問題，耶路薩冷希伯來大學（Hebrew University of Jerusalem）教授 Shlomith Rimmon-Kenan（2006）指出做為敘事最低限的要件為：存在著雙重時間性（double temporality）以及一個敘事主體（narrative agency）。如本書在之後章節所將論述的，這樣的要件與最初結構主義者如 Claude Bremond（1966）等所設定的條件相比，是非常寬鬆的。本書因此也會著重於兩者的區別，以避免在使用「敘事」的名詞時，產生多重指涉的誤解。然而，對於敘事的最低限要求也意味著說故事的人與聽故事的人之間仍然存在的默契，否則就不成為故事了。關於第二個問題，一些領域的經驗皆足以向我們顯示敘事概念的引入，如何結合既有的傳統發展出各種不同的關注點。譬如 Rimmon-Kenan（2006：11）指出，在心理分析的領域，心理學家的敘事定義便與文學理論者大為不同；因此她雖然質疑假設（assumption）本身不能被視為一

個故事，但也承認在心理分析的領域裡，對於何謂敘事有比較寬鬆的見解。

隨著敘事的概念引入人文與社會科學，敘事與人們的實際生活產生愈發密切的連結。敘事不再只是文學家創作的內容，而可以是你我的生活與生命。很明顯地，我們的生活充滿各種向他人或向自我述說的故事；甚者，我們對於生命的追求也被塑造為有起點、發展過程與結尾的一連串事件的故事。我們藉此達成對於一件已發生事情的理解或對於一件未發生事情的想像。Barbara Hardy（1968：5）將敘事視為一種「將生活轉化為藝術的主要心智活動」。她最在意的便是，「虛構敘事如何分享那些在我們睡覺與行走的生活中，扮演主要角色的內隱或外顯的故事述說」。Strawson（2004, 15 October）指出，生活與敘事的連結有兩種假設：有時是實證式的陳述（empirical statement），有時是標準論點（normative thesis）的建立，而有時兩種兼用。實證式的陳述意味人們的某種個人或共同生活經驗；而標準論點在於將人類的生活或生命統整在一個具有敘事架構的視野之下。前者的代表例為 Jerome Bruner。1987 年的〈生命如同敘事〉（Life as Narrative）一文便是探討敘事如何結合生活並決定我們的身分（identity）。後者的代表則可舉 Paul Ricoeur（1992：158），他曾指出，「如果沒有從生活整體去檢視，並如果不是以敘事的形態去發展，一個事件的主體如何能夠真正地發展他或她的道德性」。本書以「敘事轉向」標示當代博物館展覽的原因，正在於做為一種文化理解方式的敘事概念，比起以往更加為博物館的展覽所運用。許多博物館所談的故事，都涉及敘事與人們的真正生活經驗。以 David Clark 在 2003 年的一篇以猶太博物館的歷史發展的文章為例，文中提到敘事概念的引入呼應著 1970 年代起對於反應多元聲音的重視。當不同的族群都有其自我的故事且彼此衝突時，「敘事」一詞也意味一種競爭關係的存在，亦即敘事本身不是中立的敘述，而是一種自然化其意識型態與立場的企圖。這也是為何現今眾多牽涉歷史與文化詮釋的博物館，引入敘事概念的重要原因之一。

然而，敘事理論的原點——結構主義——依然有其被檢視與觀照的價值。從法國結構主義開始發展的敘事學是第一個以嚴格形式檢視故事之所以為故事並在其中尋

求共同因素以建構一個分析結構的研究企圖。自結構主義的盛期，「敘事」一詞便被用以指涉至少兩個不同的概念：其一是俄國形式主義者所稱的 "fabula" 也就是依照其發生順序所構成的「故事」；其二則是 "sjuzet"，也就是這些故事中的事件在文本中被安排的方式。Claude Bremond 的 "La logique des possible narratifs" （1966），Algirdas Julien Greimas 的 "Narrative grammar：Units and levels" （1971）與 Thomas G. Pavel 的 "Some remarks on narrative grammars" （1973）多聚焦在 "fabula"（法文有時稱為 "histoire" （Todorov, 1966），或 "récit" （Barthes, 1966）；英文稱之為 "story"）。另一方面，Gérard Genette 的研究則偏重 "sujet" （Genette：1972）。Mieke Bal（1977）則以「敘事文本」指稱經由文本層結構安排組織後的事件之整體。

從 "fabula" 的原意觀之，敘事本應是獨立於各種媒體之外的，也就是說，敘事應是一種已然存在且可被不同的媒體所塑造。而這裡所說的媒體，既可以是語言的、文字的、也可以是視覺性的、空間的或任一其他性質的媒體，也自然包括博物館的展覽。而如同前述，不同媒體的特性也對於敘事的運用起決定性的影響作用。另一方面，"sjuzet" 的原意係指一種藝術的構成，亦即不僅僅是一種安排組織，且此種組織是高明的、經過巧思的。有如 Hayden White（1980）將歷史敘述的層次分為「年鑑」、「大事紀」以及「歷史敘事」並認為最後者得以成立的要件包括具有「核心主題」、「明確標出起點、中途與結尾」、「情節的突然轉變」（peripeteia）、「一個可辨識的敘述聲音」、「連貫性」（coherence）、「結局」以及「道德化現實的傾向」等。White（1980：20）認為人們喜愛敘事，因為在其背後，「現實披戴著一種意義的面具，而我們只能想像、不能親身經驗那種意義的完整性與豐富性。」而 Peter Brooks（1996：17）在一篇討論敘事在法律上的運用時也提到：「律師在法庭上的工作似乎是將通常破碎且令人迷惑的『故事』（fabula）轉化為一種無縫隙且令人信服的『情節』（sjuzet）」。

展覽有其獨特的媒體特性，而這樣的媒體如何得以安排組織敘事是本書考察的重點。博物館學界對博物館如何組織其收藏與物件，以做為認識世界的方式已有諸多的

討論。譬如 Eilean Hooper-Greenhill（2000：124）認為物件在博物館內的意義產生係「經由複雜且多層次的博物館化過程，在其中博物館的目標、收藏的政策、分類的方法、陳列的風格、人工的組合以及文本的框架都聚集一堂發言」。一個物件經由篩選的過程，脫離原本的情境而被放置於博物館，其原本的意義也將受到新的文本的影響而轉變。有 Crew & Sims（1991：171）所說的：

> 當歷史詮釋引導展覽時，文物並不喪失其原本的重要性或力量，但是它們卻會失去其首要的位置。與其是它們塑造展覽，不如說是展覽主題塑造其運用。他們的來歷變得不如其結合在一起的力量重要。

展覽敘事在博物館的應用因此成為可以分析物件與其配置如何產生意義的方法。

　　「敘事轉向」的發展，或者說「敘事」概念的廣泛運用於不同的學科與媒介，固然有其優勢，但也有令人質疑之處。在優勢方面，首先不同媒體之間的共通性被彰顯出來了，並且得以藉由之間的比較，看出或許存在於人類心智下的共通徵候。其次，在將一個概念從一個學科轉嫁到另一學科的過程中，可令我們重新思考這個概念、詞語、或方法的意涵。第三，由於敘事的概念與用法經常受到後結構主義者或是建構主義者的支持，在一定程度上，便成為對於潛藏在諸多學科下的實證主義立論的一種挑戰。有如 Rimmon-Kenan（2006：15）說的，「（敘事）提供這些學科的不是一種做為發現與描述『外在』事實的科學概念，而是一種解釋學的活動（hermeneutic activities）」。從而許多我們習慣稱之的「資料」（data）不再被視為既定的事實，而是被塑造或被建構出的事件。如此，也發展出不只一種塑造或建構的方式的概念。用 Hayden White（1992：39）的話說，世上總存在著眾多「相互競爭的敘事」。也因此，敘事的概念便經常涉及「虛構」的意涵。對於複數敘事的強調，便可視為是對於過往在詮釋上經常提及的「真理」、「現實」與「合法性」等詞語的反動。特別是「權力」的概念取代了「合法性」的概念，並被使用於說明選擇與決策的因素。也正是因為與權力相關，我們可以再提出敘事的第四個優勢：在特定的政治社會脈絡下，敘事被視為一種賦予在霸權壓抑或噤聲下的弱勢或處於不利地位的族群發聲的方式。這種

敘事的隱含意義特別常見於女性主義、後現代主題、後殖民主義與法律與人權相關議題的處理方面。然而，我們也應留意，如同女權法律學者 Catharine MacKinnon（1996：235）所提示的，在這種脈絡下使用的「敘事」是種雙面刃。雖然敘事可以賦予那些被主權邊緣化或孤立的個人或團體發聲的機會，但他們的故事也可能在被剝奪政治力量的情況下被解釋為「僅是故事而已」。其說明「即使敘述內容植根於對於階級的批評，說故事本身有其危險。其中之一便是認同它的邊緣地位（...）。與其控訴權力的錯誤，不如說一個故事。無足冒犯」。

　　除了在特定脈絡的使用需要特別的注意之外，敘事轉向的發展因為涉及過多的學科領域，也因此引發學界的質疑。其中最主要的在於其最本質要素的界定。學者 Martin Kreiswirth（2000, 2005）不只一次地提到：「的確，這麼多在不同領域被標籤為敘事的說話方式，都可以被視為是同一件事嗎？」換句話說，我們確實應該擔心使用相同的詞彙會誤導我們，以為我們所說或所處理的是同樣的事情或問題。也因此，如何探求敘事最本質的要素便極為關鍵。如同前文所述：在敘事的運用上，不僅何為敘事的界定是重要的，敘事在特定的學科或媒體上的運用，有何特殊的轉變或轉化的探討也是必要的。

　　但相較於其他的學域，敘事的概念與理論在博物館的應用發展相當晚才開始，直至 1990 年代方才出現相關的學術性文章。荷蘭文化研究者 Mieke Bal 在 1996 年的一篇文章〈博物館的論述〉（The Discourse of the Museum）中分析了博物館學趨向文化研究的因素，Bal（1996a：201）認為：

> 在過去二十年左右，人文科學的研究者對於其限制更有自覺：學科領域的任意性、人文科學所立基的美學、以及他們如何與社會議題分離並認為後者屬於社會科學。的確，這三項自我批評的點可以用以說明為何博物館是一個吸引人的研究對象：它需要跨學科分析、美學討論是其核心議題、而且它本身是一個社會機制。

正是在一種自我反省與批判的立場，博物館向更廣大的研究領域開放。敘事理論也在

這樣的風向下，被引入博物館的研究領域，包括 Bal 本人亦列身早期的作者。

　　這當中，不同的作者以不同的方式討論敘事，以至於前述對於在敘事的相同標籤下談論不同的事的擔憂也出現了。為此，筆者擬借助 Quentin Skinner（1988；1989）對於分析一個詞語「意義轉變」的三個層次來探討這個問題。Skinner（1988：121）認為，要說明一個詞語的意義轉變，首先必須清楚認識其「特徵」（criteria），亦即此一詞語具有哪些使用的標準，「得以使其從相似與相對的詞語中被標識出來，且能使其在我們對於社會描述與評價的語言中有其明確的地位」。關於這一點，敘事學從其結構主義到後結構主義理論的發展，可提供我們一個對於何謂「敘事」相當明確的分析框架。但是，如何將敘事的概念拓展至「展覽敘事」則需要做進一步的考慮。這也是 Skinner 所提出的第二個層次，亦即其「相互關係」（reference）。在此，Skinner（1988：122）指的是必須對此一詞語「可以適切應用並指涉特定行動或事物狀態的場合」有清楚的認識。他認為一個詞語的「相互關係」是為了理解其「特徵」是否應用得當的結果。因為，「要掌握一個詞語的特徵便是要理解其意義、其在語言的角色以及其正確用法」（Skinner, 1988：122）。Skinner（1988：122）在文中以「有勇氣的」（courageous）一詞為例，說明了有時一個詞語的「特徵」，會因為與其使用脈絡之間的相互關係而產生轉變，而這樣的轉變在某些脈絡下也可以被接受。

　　從 Skinner 所提的「相互關係」的概念，我們可以看到敘事理論被引入至博物館領域也產生了如何適用的討論。這方面的研究包括了如何將博物館或其展覽視為本文，以及如何分析其中與語法等問題。有如 Bal（1996a：208）認為在博物館研究中導入敘事學視野，有助於我們理解博物館修辭的有效性。這是一種將敘事視為論述類型（discursive type）的用法。Bal 早在 1992 年發表的〈說、展現、炫耀〉（Telling, showing, showing off）文章裡，首次運用敘事理論中的敘事聲音、敘述聚焦與敘述時間等概念，分析美國自然史博物館（American Museum of Natural History）的展覽與展廳，便是一例。她在前述的〈博物館的論述〉一文中，再度分析夏威夷火奴魯魯的 Bishop museum 的展覽的敘述聲音與焦點，並認為這樣的分析方法可以用以閱讀博物

館以及其展覽，而非僅是博物館展出的物件。Bal（1996a：208）認為：

> 敘事的視野提供了其他方法無法閱讀的意義。更重要的是，這樣的分析一方面可完整說明策展者置入的論述策略；另一方面，也說明了這些策略暗示予觀眾下的意義生產之有效過程。而這樣的閱讀本身便成為其訴求的意義的一部分。

在這種將敘事視為一種論述類型的看法下，筆者主要關注如何將一系列相關的事件，在博物館中串連為與人們或其生活有關的論述。因此這樣的看法也是將敘事視為一種言說行為（speech act）。James Phelan（2005：18）指出，「敘事本身可以完全被視為一種修辭行為：某人在某個場合為了某個目的對他人說發生的某件事」。如此展覽敘事也意味言說者與其對象之間的交流與溝通。

Skinner（1988：122）認為如果要評估一個詞語的使用，除了其特徵與相互關係之外，還有第三個層次必須加以考慮，也就是這個詞語得以被適切表達的態度（attitude）。此點意味在交流過程中，雙方都能對於此一詞語抱持共通的道德感，以避免在溝通過程發生的歧義。此點可呼應前述人們對於「說故事」這件事所抱持的一種「用以認識世界」的普遍態度。也是在這樣的立場，許多作者回歸將敘事視為一種認知模式（cognitive schema），關注敘事如何做為一種有效的博物館學習手段。有如 Jerome Bruner（1991）所指出的，敘事是人們從幼兒時期起便最熟悉的學習方式。此點與博物館所強調的教育功能非常吻合。法國博物館學者 Daniel Jacobi 在 1988 年的一篇談論科學博物館的學習的文章中，強調了敘事做為一種普及科學知識的有效手法。Jean Davallon（1999）也發現博物館愈來愈常使用說故事的方式，來做為組織展覽的原則。而其箇中因素，Eric Triquet（2012：14-16）歸之於人們理解事物的根本模式，他並認為敘事在協助人們的認知上有三個主要的功能：提問、解釋及再現。提問，是因為敘事可以帶領我們進入質問我們與世界的關係的過程。解釋，是因為敘事得以馴服斷裂並將事情說成具有說服力的故事。而再現，是因為敘事得以令我們發揮想像力，使我們勾勒出一種情境，並且無涉忠實描繪事實。

　　同樣在敘事做為人們的認知模式的前提下，博物館界開始鼓吹敘事的必要。（Bedford, 2001）敘事被視為是學習、認識世界的一種重要且有效手段，可以將訊息融入，並令接受者認同接納。為了達到說服觀眾並能引發觀眾的共鳴與投入，越來越多的展覽用心將想要展出的內容以更容易為觀眾理解吸收的方式呈現。在科學展覽方面，如何將科學知識以敘事的手法普及於大眾也引起學者的關注（Jacobi, 1999）。Pracontal（1982）曾研究科學事實如何以一種「戲劇性的邏輯」呈現於媒體；Bernard Schiele（1986）則汲取 Barthes（1966）的理論模式研究電視的科學節目如何將科學知識整理為一集集的講科學故事的影片；Daniel Jacobi（1999）也借用法國結構主義理論的模式分析一份發表於《科學與生命》（*Science et Vie*）期刊的有關象群如何以聲音相互溝通的研究。Leslie Bedford（2001）則明確指出，說故事是「博物館的真正工作」。

　　由此可看出，即便應用在博物館的研究，敘事依然可以包括不同的取徑。也就是說，敘事的概念依然是浮動的。敘事可以存在於文本、可以存在於交流過程、也可以存在於文本的接受。然而，在博物館敘事的討論中，如何思考敘事的運用，以及這樣的運用是否又如何導致其特徵的轉變是極其關鍵的問題。

　　將敘事理論運用於分析展覽文本的研究取徑，是一種有意識將敘事理論當作一種文化理解的方式、一種對於文化的透視。有如 Mieke Bal 所認為的，它「應該在理解這一行動中顯示出文本與閱讀、主體與對象、作品與分析之間的相互關係。」（譚君強譯，2003：266）易言之，「它能夠在任何文化表達中，在沒有任何特惠的媒介、模式或運用的情況下，區分不同的敘事所在地；區分出其相對的重要性，與敘事（部分與片段）對於對象的留存以及對於讀者、聽眾與觀眾的不同效果」（譚君強譯，2003：266）。研究者以為，從這樣的觀點出發，文化製品、事件或其活動的範圍皆可以詳盡地被加以分析。

　　本書關注當代博物館展覽日益採用敘事手法這樣一個現象背後的文化成因，並試

圖分析此現象如何對應博物館在當代社會所扮演的文化傳譯積極角色。本書對於展覽所進行的思考主要在於解讀展覽的實踐、分析展覽中話語的資料、探究展覽表達的方式，並且關注意義如何產生。更具體地說，本書擬回應以下研究問題：

一、何為敘事？何為展覽敘事？其特徵為何？

二、展覽如何敘事？如何分析其故事（history/story）、話語（récit/narrative）與敘述行為（narration）？

三、敘事在博物館展覽中的運用是否因為其與脈絡而受到限制？是否因此而需要調整本書對展覽敘事的界定？

四、展覽敘事與現實之間存在著何種關係？敘事的虛構性是否設定一種再現現實的框架，還是更明晰地反映現實？

五、展覽敘事如何有利於與觀眾的溝通與交流？觀眾如何參觀展覽並學習？他們如何看待展覽的虛構性與真實性？他們因此獲得何種參觀經驗？

　　本書主要採取文獻評述（literature review）與實際個案研究的研究方法，文獻評述用以奠定理論基礎並用以做為設定分析要素的依據，個案研究綜合文本分析、觀察法與深度訪談等研究方法，以具體檢視本書所提出的研究問題以及用以歸納研究成果。在文獻評述方面，本書企圖統整符號學、敘事理論、文本理論、展覽溝通理論與讀者反應理論、後現代主義等多元的學界研究成果，以做為本研究主要的理論建構依據。其中所列舉的展覽個案，有的來自於文獻，有的則來自筆者親自地赴該展覽場域進行質性研究所得到的研究成果。關於筆者親自參訪研究的展覽，筆者多半採文本分析、直接觀察與深度訪談等研究方法。在此所謂的文本包括所選取個案之展廳內的物件、文字與布置之整體，也包括博物館官方網站上對於展覽的介紹、乃及於筆者對於個案進行的觀察與訪談結果。筆者的展覽文本因此並不局限於文字本身，而是指綜合

視覺與多重感官的體驗試圖與觀眾互動的言語性話語。

然而，在此須先說明的是，本書主要討論博物館內的展覽，非博物館場域的營利機構（商店、市場、畫廊）或開放空間（公園、街道）等所舉辦的展覽，則不在本書的討論範疇內。筆者如此設定的原因在於，展覽本有不同的舉辦動機、性質與目的，以博物館內的展覽為範圍，比較能在取樣上得到一致性。如此，筆者便需要從博物館的類型說明本書選取個案的標準。

有關博物館的類型如何區分，其實並沒有絕對的準則。一般咸認為各地的博物館不論在主題、規模大小、層級、地理位置、甚至型態，都有極大的差異（Gob, 2004）。博物館的多樣性是造成博物館在研究與管理上都相當棘手的主因。如果一定要區分，本書則傾向從主題上說明選取標準。美國博物館學者 Gary Edson & David Dean 在 *The Handbook for Museums*（1996：8）一書中以三個大主軸分類博物館，這三個主軸分別為藝術、歷史與科學。其中歷史類的博物館概括了文化遺產相關、軍事主題、交通、工業與家具等類型。可以看出他們的分類比較是從博物館的收藏內容出發。法國博物館學者 Georges Henri Rivière（1989：90-140）則區分為藝術類、人類科學、自然科學與科學科技大類。其中他所謂的人類科學包括的內容有歷史、史前史、考古學、人類學、民俗學與教育等，是從學科劃分出發的分類。本書基本上採立意取樣，擬整體考察各種類型的博物館所舉辦的展覽，在取樣上亦不限定國內外，但依照筆者最近幾年的研究發展，將主要以國內與法國的博物館展覽為主要研究之個案。

「展覽」一詞可指展示行為的結果，也可以指展示內容與展示地點的整體。Jean Davallon（1986）認為展覽此一詞語同時指將事物呈現予觀眾的行為、展示的物件（展品）與發生展示行動的地點。當代將展覽同時應用於將不同性質及型態的展品放置於一個空間裡以向觀眾展示、這些展品本身以及發生此一展現的地點。展覽若被視為容納展示的空間或展示地點，一般而言並非因為其建築而是其地點。因此展覽雖做為博物館的主要特色，但也可以包括更為廣大的範疇，因為它也可以由一個營利機構所舉

辦（如市場、商店或畫廊）。它可以在一個封閉地點舉辦也可以在戶外舉辦（如公園或街道），甚至在現址（in situ）舉辦，亦即無須移動物件（如自然、考古或歷史遺址）。在此視野下，展覽空間可不僅由其內容與容器所定義，也可以由其使用者所定義－觀眾、使用者與大眾－，也就是進入此一特別的空間並與其他的展覽觀眾一同參與整體經驗者。展覽空間因此就像一個社會互動的特殊場所，之中的行為被視為是可以評量的。這也正是觀眾研究與民眾調查的發展所見證的。惟在本研究中，筆者仍以展出內容、展出地點與觀眾皆可清楚認同的博物館展覽為研究對象。

　　做為展示行動的結果，展覽是博物館最主要的功能之一。王嵩山（2003：71）認為，展示是一種公開的、企圖達到某種目的（或意向）的、意識性的行為；展示的意義牽涉某種群體在某種特定脈絡中之目的理性的運作。而根據國際博物館協會的定義，博物館「蒐藏、保存、研究、展示並傳遞人類物質與非物質的遺產。」[3] 依此觀點，展覽成為博物館主要特色之一，因為博物館是感官學習的最佳場所，特別是透過將具體物件呈現在視線之下（視覺化）以使對象（一件繪畫、一件聖物）以其自身的面貌呈現，其目的在於啟發觀念或心智建構。如果博物館可以定義為一個博物館化與視覺化的地點，展覽便是「透過物件或場景的布置以及將其視為符號，視覺化解釋不在現場的事件」（Schärer, 2003）。櫥窗或隔牆等用以區隔真實世界與博物館的想像世界的手法，不只是客觀的標記物，也確保了距離並向我們指出我們是處在另一個製造出的想像世界。當展覽被延伸至所有展出的物件，包括所謂的「博物館物」（musealia）－也就是真實物件（the real things）－、替代物（模型、複製品及照片等）、附屬的展示材料（如櫥窗、活動隔牆等展示工具與文字、影片、多媒體等說明工具）乃至指引系統。從此一角度觀之，展覽有如一種特別的、以「真實物件」為核心，並輔以其他得以更加掌握後者意義的人工物品的溝通系統（McLuhan et al., 1969； Cameron, 1968）。在此一脈絡中，展覽中的每一個元素（博物館物件、替代品或說明文字）皆可定義為一個展品（exhibit），也就是一個展覽元素。如此的脈絡不可能複製現實，

---

[3] 參見國際博物館協會官方網站定義：http://icom.museum/the-vision/museum-definition（瀏覽日期：2013 年 9 月 2 日）。

現實也不可能移轉至博物館中（一個博物館內的「真實物件」已經是現實的替代品），但博物館可以藉由展覽與現實溝通。展覽內的展品有如符號一般運作，而展覽則有如溝通的過程。

博物館的展覽一般也從其展出的頻率分為常設展與特展。常設展經常運用一間博物館本身的典藏品，也可視為該博物館的自我定位，有其代表性意義。常設展的展期一般較長，也較利於長期研究。相對地，特展往往處理一些具有議題性、時效性的主題，或是展出與外界交流下的物件，反映的是一間博物館追求與時俱進的態度，可說明其社會參與的指標，亦極具研究價值。然而特展展期一般較短，往往以一季為單位，不利長期地追蹤研究。本書所討論的案例，包括這兩種類型的展覽，常設展可用以進行長期的觀察，而特展則得以做為特定主題，或是較具實驗性展示手法的研究對象。為利讀者檢索，本書所討論的國內外展覽如附錄一。

全書共分為五章，第一章是展覽的元敘事理論，旨在說明何為敘事？何又為展覽敘事？本章企圖建構展覽做為一種文本，並分析其是否可視為一種敘事的標準？從不同的文本類型出發，本章也要探討展覽是否具有不同的文本類型？而這些不同的文本類型，究竟呈現何種特質？敘事文本的利弊得失又為何？第二章則主要說明「展覽如何說故事？」並將考察做為敘事文本的展覽，如何傳達訊息與建構意義。為此，本章借助法國結構主義的敘事理論，提出分析展覽內容形式與表達形式的理論架構，以分析展覽構成成分如何蘊含自有訊息並得以說明這些訊息傳達的運作乃至於之間的相互作用的研究方法。本章試圖將展覽看做一個系統，並闡明系統中各部分之間的關係。雖然本章的分析主要以一至二個展覽為個案，但也試圖提供一個拆解展覽究竟要說些什麼以及如何說的架構，以做為應用於其他展覽的建議。然而這並不意味重建深層結構是一種求同的研究，對於共同模式下的不同展覽的變異的比較研究同樣是一個值得開拓的領域。

本書第三章旨在考慮展覽運用敘事的限制與變貌。展覽有其特殊的條件，這些條

件包括其受制於一定的空間、運用多種物件與媒體以及觀眾處於一種移動狀態的觀賞等。展覽本身的類型也極端地多元。這些多元的條件是否限制了敘事的應用？本章將說明一個展覽要做為敘事文本最大的難處，首先在於主題上統一的問題。這也顯示，儘管我們可以運用結構主義的敘事分析模式拆解一個展覽，並不意味展覽一定能夠以傳統——特別是文學理論下的——敘事學概念去解釋。此點便需回溯到本書在第一章所提出的當代出現在各個領域裡所謂「敘事轉向」的發展問題。我們確實可以質問，在博物館展覽的領域中所談的「敘事」與其他領域所談的敘事，是否有其言說上的限制與運用特色？這些限制或者說運用上的特色如何反映展覽本身的特質？

　　接續本書對於不同類型的展覽的分析或可發現，以展覽品——尤其是所謂的藝術品——為中心的展覽，趨向說明（explanation）或描述（description）文本，且引領觀眾進入虛構性強烈的創作領域，但更多的展覽——如科學、歷史、社會議題等主題——則更傾向採取敘事（narrative）文本的策略，以便將展覽的內容串連為一定的序列，以達到說服觀眾、令觀眾理解並接受展覽訊息的目的。在此所提的後者類型，也都是以指向現實世界（real world）為依歸。因為有如其他的文本，理解展覽的語言就等於認同語言所指向的世界。第四章因此將考察展覽敘事如何呈現其與現實或生活的關聯性。敘事的手法傾向挑戰「真實」、「事實」、「現實」與「客觀性」等概念，並主張「相互競爭的敘事」、「詮釋」、「建構」、「虛構」與「主觀性」。這樣的趨向對於博物館顯示了何種挑戰？展覽在透過不同的故事詮釋現實或人們的生活時，是否牽涉任何的倫理問題？特別是在處理爭議性主題時應如何看待？

　　展覽也可視為一種對於文本的「接受模式」（mode de reception）的建立。但它與藝術品不同之處可能在於，它不是反射性的，而是傳遞性的。也就是說，展覽不僅展示一些什麼東西，也同時指引觀者去觀看它所展示的那些東西。因此，將展覽視為一種文本的立場促使我們進一步質問使展覽得以嚴密運作溝通功能的因素為何？本書第五章將融合讀者反應理論、後經典敘事理論、博物館經驗與體驗學習等理論，探究展覽文本如何被閱讀且觀眾在閱讀展覽的過程如何產出並建構意義。並且，也將延續

前一章對於替代品與複製品的提問，探討觀眾對於展覽大幅運用替代品的接受程度，以思考真實性對於獲得博物館經驗的重要性與意義。

　　本書的成立是建立在不同領域的研究成果與筆者近幾年來在博物館場域所進行的觀察與質性研究的整合基礎之上。在吸收與轉化各家流派的學說與表現個人觀點的過程中，必然會有一定的緊張與困難，但筆者並不刻意追求獨創觀點，而是希望能在一個合理的研究過程中，努力尋求研究問題的答案。筆者也不認為讀者必然得接受筆者的全套論點，但如果本書能對讀者有所啟發，並能以任何一種方式促進相關領域的研究的話，已足堪欣慰。

第一章、展覽的元敘事理論

> 語言是由人類活動不同領域的參與者以個人具體的言說方式（口述或書寫）所實踐的。這些言說不僅透過其（主題）內容與語言學風格──亦即，語言詞彙的、措詞的與文法的來源的選擇──，更重要的是透過其組成結構，反映了各個領域特別的條件與目標。（Bakhtin, 1986：60）

壹、何為敘事？

一、嚴格定義下的敘事要素

「敘事」（英文 "the narrative"，法文 "le récit"）一詞的定義遠比其字面上看來的複雜。它首先是一種已經為人詳加研究的修辭模式（rhetoric mode）。從 Aristote（1980）的《詩學》（*La Poétique*）到 Abbé Bérardier de Bataut（1776）的《敘事隨筆》（*Essai sur le récit*），再到 20 世紀現代敘事學的蓬勃發展（如 Vladimir Propp 於 1928 年出版的《故事型態學》〔*Morphologie du conte*〕〔Propp, 1970〕或是 Paul Ricoeur〔1986〕的《時間與敘事》〔*Temps et récits*〕），諸多的研究與討論不可避免地聚焦在此種敘事模式的特徵，並界定敘事得以成立的要件。為了儘快捕捉「敘事」成立的核心元素，我們首先可參照 Jean-Michal Adam 的看法，從 Claude Bremond 先後提出的兩個定義出發（Adam, 2011：102-114）。其中較短的出現在 Bremond 於 1973 年的《敘事的邏輯》（*Logique du récit*）裡：「在此訊息中，任一（不論可動的或不可動的）主體被置於一定的時間 t 然後被置於時間 t+n。到時間 t+n 時發生了主體產生改變的謂語。」（Adam, 2011：102；Bremond, 1973：99-100）在此便出現三個重要且

各自不同的構成元素：主體、（主體發生改變所經歷的）時間以及（主體從原本的狀態發展到最後結果的）謂語。

Bremond 的這個說法與 Umberto Eco 在《故事裡的讀者》（*Lector in fabula*）[4]（1985：142）中對於敘事的定義有異曲同工之妙：

> 需要的是決定一個行為者（至於是不是人不重要）、一個開始的狀態、一系列在時間中因為一些原因發生的變化（不需特別說明）以進行到最後的結果（即便其為短暫的或是過渡性的）。

Bremond（1966：62）提出的第二個定義出現在較早的同名文章中：

> 所有的敘事都是包括一系列與人類興趣相關的同一行動下的一致性事件的論述。沒有連續便沒有敘事；而是描述（如果論述的對象與空間有所連結）或是情感的抒發（如果對象藉由隱喻或借喻表達）等等。沒有經由同一行動下的一致性所整合，也沒有敘事；而只是紀年、將一連串沒有關連的事實加以說明。最後，不是與人類的興趣相關，也沒有敘事；因為只有跟人的想法（所談的事情既不是行為者也不是擬人化角色所製造或承受的）有關，事件才有意義也才能依循一個時間的結構組織。

Gérard Genette（2007：13）則認為敘事有兩層含義。第一層是最顯著也最核心的，亦即「敘事陳述，一個負責傳達一個或一系列事件關係的口語或書面的論述」。第二層含義普遍被學者所使用，係指「做為論述主題的真實的或虛構的事件之連續，以及它們之間連接、對立或反覆等的多樣關係」（同上註）。

從前列定義我們可以分析出敘事的構成要素至少應包括「一個或一系列的事件」、「對於論述主題的事件之關係的配置──亦即其再現」等。當我們談及事件的

---

[4] 此書的局部英譯本名為《讀者的角色》（*The Role of the Reader*），與原本的書名意思有些不同。"Fabula" 意為虛構故事，筆者在此因參考法文版，用法文書名的直接翻譯。英文版參見 Eco, 1979.

發展時，便意味談論「一連串的行動」、「一個或多個施動者與被動者」、「一個環境」以及「一個時間順序」。而當我們談及「事件關係的配置」時，我們便可能論及「公開或隱蔽的敘述者」、「一篇帶有或多或少特徵的敘事陳述」、「一個或多或少做為再現出發點的視點」以及「一個敘事的受述者」（王文融譯，2012：3-4）。Adam 則從事件的發展的角度，提出六個敘事主要的構成要素。Adam（1994：92-110；2011：102）認為六個要素的齊備，方能成就敘事。

（一）接續發生的事件

Bremond（1966）認為，敘事必須至少包含一系列發生的事件，也意味敘事經歷一定時間。Ricoeur（1986：12）也強調時間性的重要，他認為：「以不同形式藉由敘述被標識、分析、澄清的人類經驗的共通性，便是其時間的特性。所有我們所敘述的都在一定時間發生，也都需要時間，隨著時間流轉而發展；而所有隨時間發展的都可以被敘述」。

然而，此一時間性的要素並非決定性的。有眾多其他種類的文本（如處方或紀年）也有時間性，但卻不能成為敘事。Adam（2011：102）認為箇中差異在於，要成為敘事，時間性必須具有一種張力，一種將故事不住地帶向結尾發展的動力。Bremond（1966：76）也指出：「敘述者要將一連串依照時間順序發展的事件加以整理並賦予其意義，除了將它們連結為一個朝結尾發展的單一行為之外，別無他法」。這點也是 Adam 所提出的第五要素：線性發展。

（二）主題上的統一（至少有一個主角－行為者）

Bremond 的第二個定義透過反例更明確說明他對於主體、時間與謂語的概念。在此特別的部分應該在於他所說的與人類興趣（d'intérêt humain）有關這一點：至少一位主角的存在，不論其為個人或是團體，且其做為統一行動的主體。此一概念早已被 Aristote 討論過。《詩學》第八章提到：

情節之統一非如有人所認為的以一個人（之一生）為題材。一個人遭遇到無窮多

> 的事情，有的事情實不能約減為一個統一體；同理，一個人有很多的動作，不可
> 能變為一個動作。（…）蓋事實為：在其他的模擬藝術中，每一模擬多只含一物，
> 詩中之故事既模擬一個動作，則必須表現為一個動作，一個完全和整個的動作，
> 其間的一些事件係緊密地關聯者，任何一事如改變或取消，則整個支離與脫節。
> （姚一葦譯註，1982：83）

Aristote 的說法值得注意的是，即使是同一主角也不一定保證敘事成立，而是必須與
其他的要素相配合。

　　另一方面，與人類興趣相關這一點也意味我們很難將非人或不具任何人類情感的
物件或事物當做敘事中的主角。Bremond（1973：111）舉了下述的句子為例：「在細
胞質的核心附近，決定面周圍圍繞著絲狀體並誕生星狀體；決定面與星狀體分裂為二
且每一被其各自的星狀體圍繞的面會被細胞的極點之一所取代（…）」。這句話所談
的是生物學研究，看起來也有主體、時間與謂語的存在，但缺乏與人們的相關性。如
果缺乏人性，Eco 極簡的定義可運用於幾乎所有的烹飪食譜：一個行為者（顯著的或
隱含的）、一個原始的狀態（生的或散落的）、一個在時間中發展所產生的改變（且
為嚴格定義下的同一行為者）、因為因果關係而產生的改變（行為者的行為）、且還
有一個最後的結果（熟的或放在一起的）（Adam, 1994：87）。這也就是說，我們很
難也不認為有必要讓一個細胞質或是一顆雞蛋，擁有人類的情感與反應，除非以特殊
的方式說服接受者（讀者或觀眾）。

（三）經歷轉變的謂語

　　《詩學》第七章的後段提到：

> 故事的長度一貫以做為一個整體的便於了解為限，美是構成其長度之理由。大致
> 的標準為：「其長度應可容納英雄經歷一連串蓋然或必然之改變，自不幸到幸福，
> 或自幸福到不幸。」可做為一個故事的長度的足夠限制。（姚一葦譯註，1982：
> 80）

Aristote 非常強調秩序與完整性。在完整的敘事之下，故事發展到最後必然有主角的狀態的改變。然而 Aristote 認為要呈現一位英雄由幸福到不幸，或由不幸到幸福的轉變，必須清楚說明其開始、中間與結束，且不能結束於任意的時間點。此點與現代戲劇的概念不同。現在的戲劇創作觀念上有所謂的「生活的片斷」，藝術家自生活中取樣，且可以自由任意的擷取。（姚一葦譯註，1982：81）這樣便與 Aristote 的概念相違背，而暴露出敘事的開始、結尾究竟為何的問題。

「敘事」在此是被敘述的事件，是一種被概括的構成物。Rimmon-Kenan（1983：6）認為：「故事是更大的構成物中的一根軸線－按時間組織的軸線」。而這樣的構成物擁有一定的自足性並「能被理解為可以從一種媒介轉換為另一種媒介，從一種語言轉換為另一種語言」。（Rimmon-Kenan, 1983：8）

（四）過程裡行動的完整

此點可說是上述第三點的另一種說法。所謂行動的完整可再度回到 Aristote 的界定。《詩學》第七章提到：

> 悲劇為對一個動作之模擬，此一動作其本身係屬完整，(...) 所謂完整乃指有開始、中間與結束。開始為其本身毋須跟隨任何事件之後，而有些事件卻自然地跟隨它之後；結束為或出於自身之必然，或出於常理，跟隨於某些事件之後，而無事件跟隨於它之後；中間則必跟隨於一事件之後，而另一事件復跟隨於它之後；是故一個結構優良之情節不能在任意的一點上開始或結束；其開始或結束必須依照上述方式。（姚一葦譯註，1982：79）

此種對於行動的統一或完整的強調，一直是西方古典美學所重視的概念。Ricoeur（1986：13）在定義一個文本（text）如何成為敘事時，也參照了 Aristote 的概念：「所謂情節安排包括如何選擇要敘述的事件與行動並將其安排其一個『完整且一致』。有開始、中間與結束的故事」。

（五）情節的構造應該建立於因果關係

僅有時間性與謂語的轉變並不足以成立敘事。Jean-Paul Sartre（1947：147）在其《異鄉人的說明》（*Explication de L'Étranger*）中，解釋他認為卡謬的小說不是敘事的原因，「敘事解釋並同時將其所說的予以組織，它以因果次序取代時間發展」。

關於因果關係，Aristote 將情節分為單純與複雜兩種。他所謂的單純係指「當動作的發展成為一個延續的整體，英雄的命運的改變沒有急轉與發現」（姚一葦譯註，1982：93）；而所謂複雜的「則包含急轉或發現，或兩者兼具」（同上註）。Aristote 特別說明，「急轉或發現必須來自情節的結構本身，必由於前面的事件的蓋然或必然的結果」（同上註）。他強調，「以此為因」（propter hoc）與「在此之後」（post hoc）是大不相同的，因為時序相承雖然是因果關聯的一個必要條件，但不是充足條件。

Aristote 也詳細說明何謂「急轉」與「發現」。他認為，「急轉在戲劇之中為自事件的一種狀態轉變到它的反面」（姚一葦譯註，1982：96），也就是一種「對比」。姚一葦（1982：97）是如此解釋的：

> 此種對比係通過動作而顯示，即一個事件的過去、現在和未來，或者說一個事件之準備、期待和完成的幾個步驟，如果預期應當發生之事而結果並未發生，或者預期不會或不應發生之事結果竟然發生，使這一動作或事件作急遽之轉變，而形成對比。（...）凡自對比中產生的意念，吾人稱之為嘲弄（irony）。

至於「發現」，Aristote 係指，「對於劇中人被註定了的幸運或不幸，由無知變成知，從而產生愛或憎。」（姚一葦譯註，1982：96）他並解釋，「發現伴隨著急轉會引起哀憐或恐懼，（...）同時它又能招致幸或不幸之結果」（同上註）。而這點又帶入了 Aristote 所謂的第三種複雜情節，亦即「受難」。「受難」可以界定為「一種破壞或痛苦性質之動作」（姚一葦譯註，1982：97）。這些構成方式都是希臘悲劇效果的主要產生因素，也成為日後西方文學看待因果關係的核心概念。

對於古典的小說家而言，可以被理解的動機導致了一個行動，之後又以相同的原則產生另一個，從而形成接續不斷的行動與事件。

（六）一個（內隱或外顯的）最終的評價

一個敘事需要一種啟示。當觀眾進入一個敘事時，他也同時期待在結束時得到一個故事的教訓。Louis O. Mink（1970：555）認為，「即使所有的事情都說了，最後總是還缺一個評價的行為以理解為何要將所有的事情視為一個系列」。此點雖不能單一決定敘事成立，但確實是個關鍵因素，因為我們總是希望知道一個故事的背後具有何種意義。同理，Edgar A. Poe（1951）在其《一首詩的孕育》（*La Genèse d'un poème*）中提到，在寫作前首先最需要思考的便是「希望達到的效果」。

前述六項為嚴格的古典敘事文學傳統下的敘事特徵。然而，我們終究希望關切的乃是展覽此一敘事文本（narrative text）。Mieke Bal 認為如果能掌握敘事特徵，便可「做為一個出發點，使我們進入下一階段：那就是描述每一種敘述文本的構成方式」（譚君強譯，2003：1）。Bal 認為在完成此種描述之後，我們「就具有每一種關於敘述體系的描述」（同上註）。而在後者的基礎上，「我們可以檢驗當敘述系統被具體化為敘述文本時可能發生的變化」（同上註）。而 Bal 也認為這樣的概念可以描述「無限量的敘述文本」（同上註）。這也意味如果我們將敘事學視為一種「關於敘述、敘述文本、形象、事象、事件以及『講述故事』的文化產品的理論」（同上註），這樣的理論係一種關於特定文本的系統性概述，而此系統理論與概述便有如一種工具，可被用以描述不同的敘事文本。

Bremond（1964：4）在研究 Propp 的俄國民間故事型態學時便已指出：

一個故事的題材可以做為一齣芭蕾舞的劇本，一篇小說的題材可以被搬上舞台或銀幕，一部電影可以講給沒看過它的人聽。人們讀到的是詞語，看到的是形象，解譯的是姿勢，但是理解的卻是故事，並且可能是同一個故事。

亦即，將故事的概念抽象化得以在理論上認定同一故事可以各種變體與不同手段表現出來。Rimmon-Kenan（1983：7）指出，故事可能來自不同的文體、不同的語言或者是不同的媒介。本書希望探討的，正是敘事文本的特定型態－展覽如何可以運用敘事的核心概念。Bal 是如此定義敘事文本：「敘述文本是敘述代言人用一種特定的媒介，諸如語言、形象、聲音、建築藝術、或其混合的媒介敘述（『講』）故事的文本」（譚君強譯，2003：3）。然而，在此我們要問的是，不同的敘事文本是否存在著對於敘事定義的不同見解。因此，我們將首先考察一個不同於文學但已擁有扎實理論基礎的敘事文本－電影－對於敘事定義的看法，並藉以討論本書的主角－展覽－的敘事文本與其可能的定義上的修正。

二、電影敘事與展覽敘事

在電影敘事研究領域有卓越成果的 Christian Metz（1968）對於如何辨識「敘事」提出了五個標準。Metz 的看法有助我們從「事件配置的方式」之角度思考敘事的定義並思考展覽敘事的可能特徵：

（一）一個敘事有一個開頭和一個結尾

前述 Aristote 認為「敘事」與生活無關，是一種自成一格的完整整體。然而 Metz 卻也承襲 Aristote 與 Albert Laffay 的觀點。Laffay（1964）認為世界無始無終，相反地，敘事是按照嚴密的決定論安排的。Metz 認為，即使一部影片可以擷取和講述一個人的數小時生活，這一段時間的過程依然要假設一個起點與一個結尾，很難與我們的生活秩序相吻合。

展覽的情況也是一樣。展覽敘事必然有頭有尾，使其構成一個實際存在的話語，並與現實世界相互對立。

（二）敘事是一個雙重的時間段落

André Gaudreault & François Jost 指出，「任何敘事都強調兩個時間性：一方面是

被講述事件的時間性，另一方面是屬於敘述行為本身的時間性」（劉云舟譯，2007：19）。亦即區分「事件所經歷的順序時間」和「閱覽能指段落所用的時間」。後者「對於一個文學敘事是閱讀所用的時間，對於一個電影敘事是觀看所用的時間」（同上註）。而在這樣的視角下，「敘事的功能之一是在一個時間中處理另一個時間，（...）敘事有別於描寫（它在一個時間中處理一個空間），也有別於畫面（它在一個空間中處理另一個空間）」（同上註）。Francis Vanoye 也認為，「任何敘事都意味著在時間中組織被敘述（被展現）的事件，意味著有一個時序」（王文融譯，2012：177）。Vanoye 建議區分為：虛構的時間或敘事的時間、敘事對於虛構時間的組織、敘述的時間、以及使這時間或「現實的」時間性（同上註）。這樣的區分也適用於展覽的情況。《文學拿破崙——巴爾札克特展》一展（文後以《文學拿破崙》稱之）以 Balzac 的一生為敘事時間，雖也延伸至文學家過世後所受到的評價與讚譽，但是仍算有一個明確的敘事時間；而國立臺灣歷史博物館的常設展《斯土斯民：臺灣的故事》（文後以《臺灣的故事》稱之）則從臺灣的新石器時代一路介紹到當代並以對於未來的期許為尾聲，敘事時間的始與終皆非明確絕對。但是展覽組織敘事時間的方法則可以非常多樣，包括線性敘事（《臺灣的故事》基本上屬之）、時間的省略與時序的斷裂等（《文學拿破崙》屬之）。在敘述的時間方面，文學與電影中可能有虛構的敘述時間，但是在展覽中，比較少見刻意製造虛構的敘述時間的做法，除非明確地創造一位敘述者的角色。反而對觀眾而言，參觀展覽所需的時間更為重要。受限於「博物館疲憊」（museum fatigue），人們參觀展覽有其時間上的限制（Gilman, 1916），此點也構成展覽敘述時間的客觀制約。如果觀眾在參觀時有運用導覽，導覽的人員或機器便扮演現場敘述者的角色（見本書第二章）。

Gaudreault & Jost 進一步歸納 Metz 的觀念指出：

a. 廣義上的敘事，做為我們所說的文本，可以包含描寫，描寫不是「敘述」，因為它們沒有滿足雙重時間性的標準。描寫這種很特殊的身分，可以被解釋為它們既占有敘事時間（「它們的能指被時間化」），又只對空間才有價值。所以敘事中既存在敘述，也存在描寫。

　　b. 這種能指的時間化將敘述和描寫在一個共同的範疇裡結合起來，又使它們與畫面相對立，畫面是瞬間的，是人們固定下來的一個「時刻」。（劉云舟譯，2007：20）

　　Gaudreault & Jost 的這段分析，藉由敘述與描寫兩種話語模式（modes of discourse）的相對，闡明敘事的特徵。這樣的作法，令我們聯想到 Genette（1966：156）在其著名的〈敘事的邊界〉（Frontières du récit）一文中對於敘述與描寫的說明。他認為敘述與描寫都屬於文學表現（représentation littéraire），但前者表現行動與事件，後者表現人物或物件。一句話如「白色的房子有著深綠色的屋頂」是描寫；「男人走近桌子並拿起刀子」是敘述。Genette（1966：157）以為描寫的敘述功能主要有二：第一為裝飾性的。延伸與仔細詳盡的描述可做為敘述的休息與暫歇；過於誇張的描述可能會破壞敘述的平衡。第二為解釋性與象徵性的，譬如 Balzac 對於小說人物的面相描述往往也是其心理的披露，描述因此同時是符號與因果。Francis Vanoye 進一步說明描寫有五種功能：第一為審美或修飾功能，也是描寫做為古典修辭的主要性格。第二為證明功能，用以顯示文本內所描述的事物的真實性（authenticity），賦予其具體的厚度與真實的存在。第三為內聚功能，也就是集中用以證實已見之事或預報後續的行動，此點與 Genette 所指的解釋性與象徵性功能相近（王文融譯，2012：104-113）。

　　Vanoye 的第四種是延緩功能，也就是在文本中先提出問題並延遲回答，可提高讀者（或觀眾）的好奇心與懸念，增加閱讀的樂趣（王文融譯，2012：117-119）。敘述與描寫兩者相較，前者著重行動與事件，因此強調敘事的時間面向；後者因為針對人物與物件的共時性，傾向中止時間的運轉而延展了敘事的空間。前者是行動性的，後者是沉思且相對「詩意」的。前者為 Barthes（1966：15）所謂的核心功能（fonctions cardinales/noyaux），後者為所謂的催化功能（fonctions catalyses）。Vanoye 的第五種功能為意識型態功能，意味描寫做為一種選擇，「具有在所考察的敘事天地內部組織價值體系的性質。被描寫本身便賦予客體一個價值」（王文融譯，2012：119）。這

也意味不受描寫便難以被賦予價值。

　　Genette（1966：156）認為敘述而不描寫比描寫而不敘述困難，因為物件可以沒有動作而存在，但動作無法沒有物件。文學的敘述中可以有大量的描寫，但很難有屈從於描寫的敘述。不過展覽擅於描寫、解釋勝於敘述。例如，在《文學拿破崙》中，Balzac 使用過的拐杖，是展覽的重點展品之一（圖 1.1）。在展場與圖錄的說明中，除了描述拐杖的外型之外，也強調使用者花費重金特別訂製的用心。也因此側重了Balzac 希望凸顯自己不凡而訂製拐杖這樣的小敘事。

圖 1.1　特定人物使用的物件易於結合人物的生活、心理之描述，比較有發展敘事的空間。在此展覽特別強調了拐杖有幫助作家隱形以便於觀察人性的傳說，也因此以「神話」為小標題。

　　然而，Genette 認為描寫不見得是話語的模式而是敘述的一種面向。描寫並不足以勾勒敘事的邊界。

（三）任何敘述都是一種話語

　　Metz 用話語這個概念表示敘事與現實世界相對立。現實是無人敘述的，而敘述則是一種話語，必然反映出一個陳述主體，以及一個敘述的機制。這樣的機制意味不僅有一位敘述者，也有受述者。從言語行為的觀點出發，一些研究指出了語言性質的關鍵性，認為展覽之所以成立，依然在於存在著訊息發送方的意圖，以及觀眾有所期待與具有回應的能力等要件。Dominique Maingueneau（1999：17）認為：

> 當語言不再被認為是說話者表達其思想或傳遞其訊息的工具，而是一種藉由使他人理解其實際意圖改變情境的活動時，確切決定話語者不再是說話者，而是說話者與受話者兩方。

　　英國語言學家 John Langshaw Austin（2002）將言語行為抽象化為三個行為，分別為「說話行為」（locutionary act）、「施事行為」（illocutionary act）與「取效行為」（perlocutionary act）。根據顧曰國（2002：26）的說明，「說話行為」指說出合乎話語習慣的、有意義的話語；「施事行為」指在特定的語境中賦予有意義的話語一種「言語行為力量」（illocutionary force），即語力；「取效行為」指說話行為或施事行為在聽者身上所產生的某種效果。Ducrot & Shaeffer（1995：646）認為 Austin 的「施事行為」是一種在話語中完成的行為，而不是話語的結果。Austin 理論的目的在於確定使言語在不同場合有意義的種種成規，亦即陳述一個命題終究只是言語的一種運用。我們絕大部分的言談話語都包含著告知、說服、請求、表達態度、提醒或警告等活動。因而言語行為在溝通過程扮演至關重要的角色，展覽亦然。通過語言，我們方能觀察我們周遭的事物，並且如果沒有語言，我們就看不見。這就好像一般常見地，觀眾在展覽中不解展覽的內容，並非因為他沒有看到或讀到，而是因為他無法對看到或讀到的內容產生反應。

　　Genette（1966：159）在探討敘事的邊界時參照法國語言學家 Emile Benveniste 於 1966 年的《一般語言學問題》（*Problèmes de linguistique générale*）第九章所提出「歷史」與「話語」的對照。「歷史」意指缺乏得以參照一個陳述的陳述，沒有說話的主體，

事件就像是在過去所發生的，與說話者說話的時間無關。國立臺灣博物館土銀分館的常設展《生命的史詩——與演化共舞》（以下簡稱《生命的史詩》）的說明文字便屬之（圖 1.2），其特徵是使用第三人稱（「魚兒」、「節肢動物」）、過去時態（「上岸了」、「成了」）、指涉過去他處的詞語。「話語」則意指明顯的（口頭或書寫的）陳述，有一位明確的說話者與接收者（對話者或聽者）。陳述似乎明確位於說話者的情境中，國立臺灣文學館 2013 年的特展《食衣住行文學特展》的說明則屬之，其特徵是使用第一與第二人稱（如「我們」、「您」）、現在式、指涉現在當下的副詞語（Genette, 1966：159-160）（圖 1.3）。

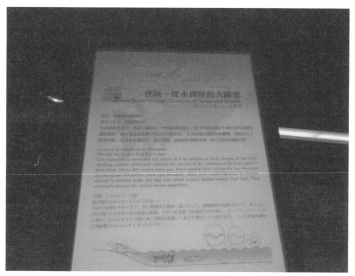

圖 1.2　國立臺灣博物館土銀分館的常設展《生命的史詩》的說明文字。

　　然而，故事與話語卻從來不是明確對立，而是相互滲透的。即使一段毫無交代說話關係的「歷史」，我們仍可感覺到說話者的存在或許並不遠，有如《生命的史詩》的文字（圖 1.2），或許因為使用「兒」的尾音，又或者突然指涉「諾曼第登陸」，令我們得以揣測說話者的想法與思路。然而，一般展覽的說明多採用話語的模式，透

圖 1.3　國立臺灣文學館《食衣住行文學特展》的說明文字。

過「我們」的使用標示敘述者與觀眾同在。

（四）敘事的感知使被講述的事件「非現實化」

如果「現實」（reality）是無人述說的，它更不會自己說故事。因此，當我們意識到這是一個故事時，我們便同時知道它不是現實（劉云舟譯，2007：21）。即便臺史博館的《臺灣的故事》述說臺灣土地的人事物，觀眾依然不會將展覽與現實混淆。從博物館學的角度觀之，博物館的物件或由博物館物做為構成主力的展覽並不等同於現實。即使博物館的物件具有真實性（authenticity），博物館展覽的論述是否為對於世界的真實反映？或者關於現實的一切再現同樣是人為的？依然是個有待商榷的問題（見本書第四章）。即使處理取材於真實的故事，但 Metz 認為，它們不像現實那樣，處於這裡和現在（劉云舟譯，2007：21）。由此可知，展覽敘事確實存在，並且在其「觀眾」的認可下，它產生一個「敘事性的印象」。而一如其他形式的敘事，展覽與現實是相對的。根據這種對立，展覽既為一個文本，也是一個話語。

（五）一個敘事是一系列事件的整體

Metz 將敘事放在其整體中考察，將其視為完整的話語，其中「事件」是基本單元。在此 Metz 受到結構主義分析的啟發，認為電影畫面更加符合一句陳述，而非單個詞語。同樣地，展覽的一個「畫面」（一個可以成為我們觀看的「景」）也類似一個陳述，是展覽進行敘述行為時所表現出的「話語」（見本書第二章）。Metz 認為，敘事是「一個完成的話語，來自於將一個時間性的事件段落非現實化」（劉云舟譯，2007：22），而這樣的見解亦適用於展覽。

貳、展覽文本的成立

文本（text）一詞來自拉丁文 "texere"，原意為「編織、加入、打摺、編辮」，並延伸有「建造、製造、修建、組成」之意（Greetham, 1999：26）。Robert Scholes（1992：142-143）亦指出，後者是來自希臘文 "tikto"，意為「帶入、懷有、形成、生產」。「文本」因此同時具有字面上的意義與比喻性的意義：前者指的是編織物，後者指的是透過技術與想像的過程生產出的一藝術—製品。然而，其字面上的意義與比喻性的意義也是相互牽連的。一個物質的產品必然來自於抽象或想像的概念，而想像或非物質的概念也難以不受物質性存在之啟發。Barthes 在《S/Z》中亦曾將文本比喻為瓦倫西亞花邊的製作，「每個線頭，每個符碼，都是種聲音；這些已經編織或正在編製的聲音，形成了寫作：獨自時，聲音無活計，不轉換什麼：它只是表現；一旦插手去集中並撚合靜止的線頭，便有了活計，有了轉換」（屠友祥譯，2000：171-172）。Barthes 的文字，同時為文本的具體型態與內在涵義做了最佳的闡釋。

既然一個編織物不論在物質面或精神面，都交織著不同層次的繩線，那我們應如何去分辨其邊界呢？我們如何辨識紋樣結束、設計完成之處？Mieke Bal 在《敘述學：敘述理論導論》（Narratology: Introduction to the Theory of Narrative）中對文本的界定為「由語言符號組成的一個有限的、有結構的整體」；然而 Bal 也說明：

符號的這一有限整體並不意味著文本自身是有限的，因為其意義、效果、功能與
背景並不是有限的。它僅僅表明這裡有第一個詞和最後一個詞，或第一個電影和
最後一個電影中的形象，或繪畫中的構架被加以確認。即便存在著這樣一個界線
（…），它們也不是極為嚴密、滴水不漏的。（譚君強譯，2003：3）

Bal 在 1997 年的說法代表文本理論研究對於文本概念所具有的開放性的既定看法。在
一篇討論文本空間的文章裡，Jenaro Talens & Juan M. Company（1984：26-27）談及
1968 年版本的《語言學術語辭典》（*Dictionary of Philological Terms*）中對於文本的
定義：「一個指任何一個可分析符號之集合的術語：一段會話、一行詩、一部小說、
語言整體等等」。他們認為儘管這樣的定義雖可說是截自當時對於各種提議的綜合，
但仍有其問題與可能性。因而他們為了使文本的概念更容易操作，提出以下的註解：

一、文本概念不應僅限於詞語的語言（不論其是否為藝術的）。

二、文本的功能應該包括「非詞語的」語言（不論其是否為藝術的）以及那些我
　　們可稱之為「副語言」（paralanguages）的領域（如身體言說、慾望言說、
　　日常生活等）。

在此，「語言」被定義為一種將可傳遞訊息的符號加以組織的系統（Talens &
Company, 1984）。這樣的定義延續了 Iouri Lotman 的看法，後者在其著名的《藝術文
本結構》（*La structure du texte artistique*）中，認為文本的成立需有三個要件：其一，
由「符號」組成；其二，「符號」具有階層結構；其三，「符號」產出於（得以標示
出邊界的）一個起首與一個結尾之間（Lotman, 1973：91-97）。

Joseph Grigely 認為要為文本訂出一個明確的邊界，就像用手指在水中畫圓圈一
般，終究是以同心圓之姿向外圍擴散（Grigely, 1994）。也就是說，如果一個文本處
於一個社會、政治或經濟的環境之中，且帶有確定的形態，其受到決定的因素始於何
處又終於何處？Grigely 與 Talens & Company 皆將這種文本所處的環境稱之為「文本

空間」。文本空間應如何界定其邊界也是極為困難的。一個經常被用以描述界定邊界的隱喻為「框架」。「框架」不僅意味畫界，比起「語境」（context），更強調限定性。對於第一個對於框架提出分析論文的 Irving Goffman（1974）而言，框架最主要的目的在於辨識構成組織經驗的元素，確認觀者的感知（perception）。這就有如，儘管畫被包含在畫框內，但是觀者觀畫時必然也會看到畫框外的說明文字、鄰近的畫作、天花板的雕刻或是鋪在地板上的地磚。因此，不論框架劃定的文本是詩歌或畫作，在物質性的框架外，依然存在大量與框內文本有關的事物，框架存在於文本空間之內。

Talens & Company 將文本空間區分為以下三種：第一種是有組織且固定的，譬如文學作品在首頁與最後一頁之間具有特定的語言學組織，又如繪畫在既定的畫布上依循特定的編碼（code）組織線條與色彩。第二種是一種開放性的文本空間，可以容許不同的組織方式。譬如戲劇與音樂提供了一種可以在不同時空給予不同組織方式的提案。這個概念非常接近 Eco 所提出的「開放作品」（open work），儘管 Eco 的開放作品更強調必須以接受者自身的審美活動去完成的作品（劉儒庭譯，2005）。最後，第三種文本空間不具任何組織或定型，缺乏任何邊界或限制。在這個範疇下包括了自然（每個人有不同的觀看角度）、會話（可在無窮盡的關係中加以分析）、戀愛關係（可以視為一種儀式的不斷重複）等。而文本可被視為在特定文本空間內經由特定努力後所轉變的結果（Talens & Company, 1984：32）。

從上列的類型觀之，博物館應屬於第二種文本空間，而博物館展覽可以視為其文本。在此所謂的文本——如戲劇、藝術品、電影或廣告的情況一般—必然不同於傳統將文本視為能指性單位（unités signifiantes）之組成的定義，而比較是從語義學（Semantics）以及語用學（Pragmatics）的角度出發，將展覽同時視為意義結構與影響溝通行為的脈絡。也就是說，展覽文本並不局限於文字本身，而是指綜合視覺與多重感官的體驗試圖與觀眾互動的言語性話語。它並不是一個封閉的自足系統，而是一個物質化、空間化的話語，有如 Ducrot & Shaeffer（1995：631）所說的「情境話語」（situation de discours）：

所謂的情境話語係指一個（書寫或口語）陳述產生的整體情勢。它必然包括物理性與社會性的周遭、交談者所有的意象、認同、彼此對對方的想法、以及對於對方如何設想自己的看法，還要包括陳述發生之前所有的事件（特別是交談者之前曾有的關係以及交雜於陳述之間的談話交流）。

展覽因而也是一種帶有意圖說服、解釋、說明特定主題與概念的媒介。不論其話語的性質為何（藝術、自然科學或人文科學），策展者必然要使用策略，使觀眾投入情感與認知。因而一如其他型態的媒介，展覽也要多方運用腳本、視覺與聽覺的效果、各式物件與書寫文字的搭配，同時也不斷自之前的其他展覽汲取經驗。而由於展品與觀眾皆置身於展覽內部，意味著展覽與其語境（contexte）的關係，亦即展覽內部與展覽外部的相對關係。展覽的外部一方面可指展覽物件與其原本現實的關係，亦即展覽的物件有其原本的生命與功能，這些外部的意涵亦隨同展覽的產生而被帶入展覽之中。另一方面展覽外部也可視為是展覽做為一個整體與過往展覽的關係，也就是展覽做為一個文化生產體系的一環。最後，展覽外部還可視為展覽空間本身與其外部的關係。有的展覽空間封閉，有的則大幅與外界相互穿透。不論為上述的哪一種，展覽因此定義、規範且建構有別於外在現實的另外一個語言環境，它營造一個區隔展覽文本與其語境的機制，但又維繫著兩者之間得以聯絡的管道。

Edward Said（1975：191）在討論文本的起始時指出，作者對於其文本權威的本質、他如何開始又如何發展其作品、一個文本所居的時間與空間以及如何使一個文本看起來像是一個完整的文學整體等問題，是非常重要的。不僅如此，我們尚有必要進一步分析展覽做為文本時，其不同層次之間的關係。當中所牽涉的並不僅止於展覽內外各種文字，而是所有存在於展覽場域的整體。如果說展覽的內容（或所指）的實體係歷史、想像、神話或人類的事件，內容的形式是敘述、情感、思想或主題的結構；其表達（或能指）的實體則是空間內實質可見的所有視覺元素，如文字、物件、多媒體、

隔牆櫃子乃至燈光等。而各種可能的動線、物件的位置安排、懸掛作品的方式、燈光音效的效果等則是表達的形式（王文融譯，2012：43）。面對如此複雜的敘述層次，Jérôme Glicenstein（2009）建議將 Gérard Genette 對於文本內外之間的關係提出的分析架構，運用於展覽的語境。

Glicenstein 所指涉的是 Genette 在 1981 年提出的「跨文本關係」（les relations transtextuelles）或「跨文本性」（transtextuality）的觀念。Genette 在 *Palimpsestes* 一書中將「跨文本性」自文本最內層次到最外層次共分為五種關係類型（Genette, 1997）。首先，最內層次的關係是所謂的「互文性」（intertextuality）。「互文性」這個由 Julia Kristeva 在 1960 年代末期提出的重要觀念，在歷經多位學者的演繹後，在 Genette 手上有著極為重要的發展。Genette 是如此定義「互文性」的：「對我而言，無疑是一個比較狹隘的說法，我將其定義為一個兩個或多個文本共同存在關係；也就是說，一個文本實際且典型地存在於另一文本之內。」（Genette, 1997：1-2）他並進一步將多個文本共同存在的關係區別為所謂的「引述」（quoting）、「抄襲」（plagiarism）以及「典故」（allusion）。所謂的「引述」是一種最為明顯也最為忠實的使用，可能為直接引用或間接引用；「抄襲」是一種忠實但卻未明說的引用；而「典故」是最不明顯也不忠實的使用，並且讀者如果未具備一定能力將無法察覺。（Genette, 1997：2）Gilcenstein 認為展覽的「互文性」可指涉「將一個展覽重建於另一個展覽內部」（Gilcenstein, 2009：106）。以 2013 年舉辦的《第 11 屆台新藝術獎》為例，此項近年來每年舉辦的展覽是一個展出台新藝術獎入選的表演藝術與視覺藝術展覽作品的展覽。該展在展場中介紹之前已經在其他場地舉辦過的表演節目或是展覽，但每項節目或展覽都必須重新調整再展出的方式，《台新藝術獎》因此充滿對於過往節目或展覽的「引述」（圖 1.4）。

圖 1.4　《台新藝術獎》以展覽為展品，「直接引用」過往舉辦過的表演節目
或展覽。圖為第 11 屆台新藝術獎展出入圍展覽《院》之展場一景。

　　其次，在「互文性」之外層的是 Genette 所謂的「准文本」（paratext）。Genette
於 1987 年出版的《閾限》（*Seuils*）一書的一開始便如此說明「准文本」：

> 文學作品全然或主要由一個文本構成（...）。但這個文本極少以純粹地、缺乏如作
> 者姓名、標題、序言、插圖等一定詞語與否的產物烘托或陪伴（...），這些產物圍
> 繞並延伸文本，更明確地說是為了「呈現」它，「呈現」在此既以其平常意義，
> 也以其最強烈的意義：在今天至少以一本書的形式，使文本存於現在，以確認它
> 在世界上的存在、它的「接受」與消費。（Genette, 1987：7）

「准文本」較不顯著且與文本保持較遠的距離，包括文本標題、次標題、章節標題、序、
跋、通知、前言、註釋、銘文、插圖、內容提要、封面、書套以及其他各種作者自己寫
的或他人寫的文字。這些文字提供文本一定的環境或者是解說，是讀者所無法忽視的
（Genette, 1997：2-3）。Gilcenstein 認為「准文本」在展覽中更為常見，「是標題、說明卡、
提要、圖錄以及伴隨展覽的附帶文件」（Gilcenstein, 2009：106-107）（圖 1.5, 1.6）。

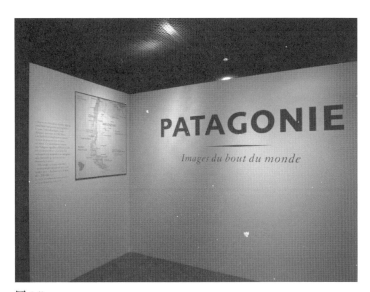

圖 1.5

圖 1.6　2012 年法國布朗利岸博物館（Musée du Quai Branly）舉辦的 Patagonie 展覽之標題與展覽之「版權頁」。對於觀眾而言，展覽的標題與「版權頁」標示著一個展覽的參觀開端與結尾。展覽「准文本」的風格也影響觀眾對於展覽的期待與觀感。

　　對於展覽而言，「准文本」的概念有助於理解展覽特殊語境的成立，同時這個語境必須同時為作者與讀者所共同理解。Genette（1987：7）在說明「准文本」的概念時，不斷提到讀者的存在。他說，「對我們而言，因為准文本，一個文本得以成為一本書，並得以如此提供予其讀者，以及更為一般地，提供予其大眾」Eco（1985：114-116）。認為一個文本無法以自足的方式被理解，而是需要被導向一定的方向。亦即藉由「准文本」的元素，展覽的觀者被導向參觀一個展覽，他被引導置於一個適合觀看展覽的、與展覽產生連結的關係；使觀眾辨識他正處於一個展覽的環境並且得以區別不同層次的構成元素、這些元素之間的作用、乃至展覽建議他採取的建立關係模式（觀看、想像、閱讀、理解或欣賞）。缺少了「准文本」，展覽便無法被辨識為一個展覽。

　　「准文本」概念的成立也表示讀者已然構成敘事交流不可或缺的另一端點，其閱讀過程以及對於敘事作品意義的影響也成為後經典敘事研究所著重的課題。在敘事學與各種已經存在的研究論述相互交流過程中，來自後結構主義與接受美學的影響對於讀者角色的界定尤其起了重大的作用。如 Roland Barthes 的《S/Z》和 Wolfgang Iser 的《閱讀行為：審美響應理論》（*The Act of Reading: A Theory of Aesthetic Response*）是影響力極大的兩部作品。Barthes 的《S/Z》是一部從結構主義向後結構主義過渡的重要著作。在當中他對 Balzac 的短篇小說《薩哈辛》（*Sarrazine*）進行了解剖式的評注。他將小說依次分解為 561 個詞彙單位，並用五種代碼對這些具有能指性質的詞彙單位逐一分析，充分闡釋這些詞彙單位的多義性，從而使得 Balzac 的小說變成多重意義的組合（屠友祥譯，2000）。Iser 的《閱讀行為：審美響應理論》一書則是接受美學最富建設的理論成果。他認為文學作品必須在文本與讀者的雙向交互作用下才得以實現，文本的意義必須存在於閱讀活動中。接受美學對於文本符號的指涉關係及歧義性的分析、對文本空白與矛盾的發掘、對閱讀的生產性質的強調，皆促使了敘事學從封閉走向開放，從作者走向讀者的研究發展（Iser, 1978）。亦即，讀者以自己的思想、意圖與視野閱讀作品，不僅可能發現作者所沒有發現的內容，也可能以自己的評價取代前人的評價，以自己的詮釋對文本進行新的定義，從而文本意義不斷地產出，

有如 Harold Bloom（1975：3）所言是「被延遲的」（belated）且「多元地決定的」（overdetermined）。讀者參與敘事意義的決定，顯示了敘事學向溝通模式（communicational models）的轉移。

　　第三種關係是所謂的「元文本性」（metatextuality），亦即與「評論」（commentary）之間的關係。「元文本性」將一個文本與另一個不一定明確指認出的文本連結在一起，是一種最典型的批評關係（Genette, 1997：4）。Glicenstein（2009：107）認為展覽的「元文本性」存在於展覽之外的參考，譬如一個相同主題的展覽、批評與評論。第四種為「超文本性」（hypertextuality），亦即將文本 B（Genette 稱之為「超文本」（hypertext））與前一個文本 A（Genette 稱之為「前文本」（hypotext））聯繫起來的「嫁接」（grafted）關係（Genette, 1997：5）。建立於「嫁接」關係的「超文本」與建立於「評論」關係的「元文本」不同，前者意味一個文本衍生自一個前文本，而此種衍生可以是敘述性也可以是智識性的；然而後者「談論」（speak）前一個文本。Glicenstein 認為「超文本」罕見於展覽的情況。如果一定要舉例的話，如展覽 B 中出現曾經在之前的展覽 A 展出的作品且這些作品將之前參展的資訊帶入展覽 B 的情況可以列之（Glicenstein, 2009：107）。舉例而言，北師美術館在 2013 年舉辦的《米開朗基羅的當代對話》中一件 Sam Taylor-Johnson 的 35 釐米影片作品〈哀慟〉（Piéta）明顯衍生自米開朗基羅的〈聖母慟子像〉，是為「超文本」關係（圖 1.7）；而對於該展與其評論之間則為「元文本」的關係。

　　最後一種文本層次是所謂的「原文本」（architext），是最為抽象也最為內隱的關係，係指「每一份文本所得以產出的一般性或超越性種類－論述的類型、發言的方式、文類－的整體」（Genette, 1997：1）。Glicenstein（2009：107）認為「原文本」可以對應於「一個展覽的類型（個展、聯展、主題展、雙年展等）或是次類型（針對特殊的、歷史的、科學的主題的記錄展）」。此點涉及博物館實務界與學界對於展覽分類的評價觀念與實際做法。以《米開朗基羅的當代對話》為例，此展可能被歸類為特展、大學美術館的展覽、藝術類的展覽等不一的類型，亦即我們看待一項展覽的認知框架。

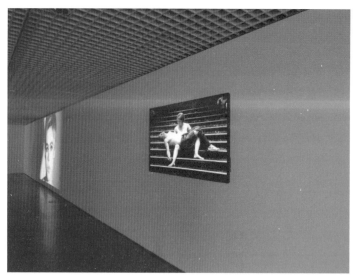

圖 1.7　《米開朗基羅的當代對話》展出 Sam Taylor-Johnson 的作品〈哀慟〉。

　　文本的開放性意味重新思考意義建構的必要性。Jonathan Culler 認為,「一部作品的意義是它能把哪些東西融進作品之中(...),並不是作者在某個時刻腦子裡所想的東西,也不單單是文本內在的屬性,或者讀者的經驗」(李平譯,1998:70)。Talens & Company(1984:33)認為在前述第一類與第二類的文本空間的情況下,文本意義的產生要視現實的主體如何運用他或她的經驗與視點以進行文本的「挪用」(appropriation)。這種著重於讀者在與文本接觸時所具有的確切知識便是 Culler 所謂的「文學能力」(literary competence)(李平譯,1998:67)。儘管從讀者反應理論的角度,要解釋一個文本幾乎等於講述一個關於詮釋的過程,但觀眾的「期望視域」(horizon of expectation)也在其中扮演關鍵角色,亦即觀眾對於新的認識必須具備參照的體系,不然新的認識與體驗將無法顯示意義(張廷琛等,1989:35)。

參、展覽敘事的特性──兼論非敘事的展覽

　　承前述，展覽的內容或所指可以與其他的媒介無異，而其特殊之處其實是在於其能指。展覽中用以令我們感知敘事存在的物質條件包括視覺可見的「景」、音樂或口白等聲響、甚至包括氣味等。換句話說，展覽將所要述說的內容，用特定的畫面表現。至於觀眾，則被邀請以自行決定的速度在展場中步移。觀眾有很多種移動的方式，他可以慢慢移動細細品鑒，也可以選擇快步走向出口，不再理會展覽。但參觀展覽一事終究必須透過觀眾在展覽空間的位移而確認。像這樣閱讀時間與節奏由觀眾掌控的特點與書面敘事的閱讀類似，但差別可能在於，書面閱讀可以任意地停頓、跳躍、擱置或回溯，但展覽受制於空間，便不允許如此大的自由。有的展覽動線經過規範，觀眾只能依循一定的路線從入口走向出口，如此便不易回溯前端的展示[5]。這樣的閱讀時間與條件是影響展覽敘事的首要條件。

　　其次，展覽的敘事模式也是一個重要的問題。長久來的敘事研究對此問題已經發展一系列理論的表述，並由此發展的一些相互對立的概念如模仿（mimèsis）與敘事（diègèsis）、展示（showing）與講述（telling）、表現（representation）與敘述（narration）（劉云舟譯，2007：70-71）。敘事模式涉及敘述者向我們講述或表達故事的方式。根據傳統的看法，任何敘事都存在敘述者。然而，在大多數博物館的展覽，我們很難確知其敘述者的身分與存在。《文學拿破崙》在國立臺灣博物館的展場入口一景（圖1.8）。在面對入口的左右兩側，各有一個畫框。畫框漆成與牆面同樣的大紅色，因此既與牆面融為一體，又因為畫框本身的浮雕造型而依然易於辨識。左側畫框說明 Balzac 一句著名的話語之緣由：「彼以劍開疆闢土，吾將以筆完成壯舉。」畫框內的說明解釋這句話係 Balzac 在其卡西尼街的府邸內配合所擺設的拿破崙雕像的題字，也因而解釋展覽名稱的由來。該畫框上方則再度以摘句方式呈現相同的話語。另

---

[5] 有的博物館仿效主題樂園採用 "ride shows" 的手法，令參觀展覽的民眾坐在車內，依循既定規範好的時間與路線參觀展覽。這樣的情況觀眾雖無法自行決定閱讀的時間與節奏，但也無從回溯或忽視展覽的內容。這樣的展示手法特別被運用於搭配情境展示以達到充分說服觀眾的目的，相關討論請參見本書第四章。

一面的右側畫框內,則寫著「展出的話」,說明展覽舉辦的原因與規模。而在右側畫框與入口的正上方,則張貼著展覽的正式名稱。觀眾在尚未正式踏入展場前,便可見到一尊氣宇不凡的 Balzac 雕像佇立在入口的正前方。

圖 1.8　《文學拿破崙》國立臺灣博物館展場入口一景。

　　這樣的一個展覽入口的組成元素與一般我們所熟悉的博物館展覽並無很大的差異,不外是展覽名稱、展覽舉辦的緣由說明、用以烘托氛圍的名言佳句以及得以吸引觀眾目光的重點展品。這樣一個場景也可以協助我們想像展覽的敘述者。畫框裡面的話語是 Balzac 說的,但卻是以間接的方式說出。畫框在此既是展場設計的一環,但也意外地確切說明此一話語的框架。但是 Balzac 的雕像以唯一可辨識的人像,在與展覽名稱相互呼應的同時,又易令觀眾產生有如在親身與自己述說的印象。

　　"Mimèsis"意為「演示、模仿、表現、擬態」,有現場性,有如在舞台上化身為故事中的角色向觀眾表演。與其相對地,"diègèsis"意為「敘述、陳述(一個故事)」,由一個顯性或隱形的敘述者在旁間接地道出人物的行為與內心。Plato 在《理

想國》（*Republic*）第三卷中指出，悲劇與喜劇是全然模仿的，而酒神的讚美歌是敘述的，史詩則是兩者的結合（劉云舟譯，2007：75）。前者的詩人運用聲音或姿勢化身為他人，而在敘述時，詩人以他自己的身分說話。然而敘述與模仿是否對立？Genette（1966：153）表示：「在古典傳統的源頭上，對敘事與模仿的對立具有看起來矛盾的兩種觀點，或者是敘事為模仿的反命題，或者視敘事為模仿的模式之一」。在此 Genette 所謂的反命題，指的實際上是 Plato 在《理想國》第三卷所謂的「純敘事」（haplè diègèsis）－亦即無模仿的敘事，而非敘事，因為 "mimèsis" 即為借助模仿的敘事。Aristote 也認為敘事是模仿的模式之一（姚一葦譯註，1982：31-33）。

　　早期的敘事理論係以文學虛構作品為研究對象而發展，但如 Metz, Gaudreault 等人對於電影敘事的研究所顯示的，敘事可以適用於講故事的視覺手段，因此展覽沒有理由在先天上被排除，除非它不符合敘事的定義與要件。從敘述與模仿的對照角度，展覽屬於組合型態。因為展覽透過視覺性以一幕幕的「景」或「畫面」呈現內容的方式，使得參與展覽的觀眾必然在「現場」觀看到展品、各種展示的布景裝置。換句話說，展覽提供的內容與觀眾的接受活動具有現象學意義上的同時性：兩者參與同一種現在式。但同時，在展覽敘事展開的過程中，展品並非說話的主體。事實上，策展的訊息從某種機制發送出來，它存在於展品、說明或布景之後的某個地方。此點應可視為展覽極為重要的敘事特徵。

表一：敘述與模仿之間的關係（根據 André Gaudreault）

詩的表現－敘事			
1.Plato 範疇的法語新名詞	非模仿敘事	模仿敘事	非模仿敘事和模仿敘事的組合
2.Plato 範疇的原文名稱	Haplè diègèsis 純敘事	Mimèsis 模仿	純敘事＋模仿
3.Plato 範疇的原文名稱	Diègèsis aneu mimèseôs	Diègèsis dia mimèseôs	Diègèsis di'amphorerôn
4. 上列 3 的原文本義	無人物化模仿的敘事	借助人物化模仿的敘事	借助以上兩種形式的敘事
5.Aristote 模式的定義	詩人做為敘述者保持不變	詩人借助人物表現	詩人時而做為敘述者時而做為人物
6. 藝術實踐的相應類型	酒神讚美詩	悲劇和喜劇	史詩

資料來源：劉云舟譯，2007：86；筆者製表。

回頭看《文學拿破崙》，前述的組合敘事模式便變得清晰。展覽首先是一種（感官可接收的）呈現，展品被擺設於空間內有如一個場面向大眾「展示」，是為模仿敘事；但展覽也借助大量的書寫：書寫者不是在現場敘述，因此便屬於非模仿敘事。即使有如此展大量引用 Balzac 或他人的話語，仍不是 Balzac 或 Baudelaire 在說話，因此是為「引述」而非「模仿」。由此可見展覽同時包括敘事與演示，亦即前述的第三種模式（第三種途徑），在同一個作品內，在同一個空間中借助兩種模式，既用到敘述者，又用到出場人物，允許這兩種不同的機制在同一場合且在同一指導下共同存在。而在此之上，我們仍可以感知展覽幕後有一個主宰的敘述者，他決定了哪些書寫與哪些展示。這個敘述者，我們可以將其理解為策展機制——有時是一位或多位人員——即策展人——，但大多數情況是一個或多個機構——如博物館。

敘事性表示不同的藝術實踐可以共有一定的特性？Gaudreault 認為這種特性可以定義為文本「*可以聽任自己做為敘事進行解碼（...），它存在於通過某種機制講述故事的一切文本中*」（劉云舟譯，2007：25）。展覽的敘事特性雖然無法用以區辨其「敘事邊界」，但至少可以令我們確立其獨特的敘事機制。

歸納本章對於展覽敘事定義的說明，我們可以說一個最低限度的敘事也應包括：起頭（一個靜止的狀態）、然後（時態的連接）、動作產生、因此（因果關係）、結尾（另一個靜止的狀態）（Sunier, 1997：202-203）。如果以這樣的標準檢視展覽，將會獲致何種結論？若以《文學拿破崙》為例，分析其敘事策略，可發現此展以 Balzac 的人與生命為主軸，分成主要下列三個大的序列：

一、尋找心目中的 Balzac/ 誰是 Balzac？觀眾的（起頭）、藝術家的—— Baudelaire, Rodin et Picasso ——（結語）

二、Balzac 的生平剪影：愛情生活、作家的身分

三、Balzac 的作品：《人間喜劇》（*la Comédie Humaine*）全集的人物與寫作特色、

對人類的科學性研究、《歐琴尼‧葛蘭德》（*Eugénie Grandet*）與《高老頭》（*Le Père Goriot*）兩部代表性作品介紹。

前兩項描述作家、後一項描述作品，但皆為 Balzac 一生活動的部分。嚴格說來，這樣的敘事並不完整，有不少遺缺處留由觀者填補。但我們也可以認為有所遺缺是必然的，畢竟我們無法窮盡 Balzac 一生所有的大小事。

如果我們承認《文學拿破崙》的敘事性，我們也不難發現有更多的展覽無法以前列敘事定義加以說明。首先，大多數的藝術類展覽便有對應的困難。曾在國立故宮博物館一樓展廳舉辦的《子子孫孫永寶用－清代皇室的文物典藏》（以下簡稱《子子孫孫永寶用》）是故宮為介紹院內典藏的清代多寶格展覽。是項展覽在「展覽概述」之後，以「典藏趣味」、「銘心刻骨」、「四面八方」、「千年萬代」、以及「天府之萃」等五個主題，分別介紹多寶格之品項與內容、收藏與流傳、製作與來源、保存與典藏、以及帝王作為與影響[6]。從展覽主題的規劃與說明文字之內容觀之，皆難以稱之為一種敘事，其原因有：

一、沒有人物或擬人角色的存在，而且我們很難將多寶格這樣的文物人格化，也認為無此必要。

二、沒有一系列發展的事件。雖然展覽中提到文物的流傳或製作，有時間流程與行動的意味，但並非牽涉同一主角，也沒有主角因此經歷的變化。

三、無關評價或道德教誨。藝術類展覽主要在於呈現藝術文物的美感價值，在此也包括展現清代工藝技術的精湛與出神入化，但無涉給予觀眾任何啟示的目的性。

---

[6] 該展雖已於 2013 年 8 月 18 日結束，但完整展覽內容仍可見諸網站 http://www.npm.gov.tw/exh96/imperial_collection（瀏覽日期：2013 年 8 月 21 日）。

如果類似《子子孫孫永寶用》這樣的展覽並非敘事，那它又是什麼？

Mikhail M. Bakhtin（1986：60）認為，話語的種類（genres）是無窮盡的，因為人類的活動有無限的可能。而 Adam 則傾向以言說（discours）取代話語以符合法文對於 "parole" 與 "discours" 的意涵區辨。但不論何者，Adam 與 Bakhtin 都同樣想表達對於「連結語言與話語在其社會性運用中的各種種類這兩個一般被區別的領域的關切」（Adam, 2011：25）。Bakhtin（1986：60-61）並認為不同的話語種類係為了因應特定的場合，其所使用的表達方式也反應文字與其意義在該種種類的關係。在此，我們可以理解，從言語行為的角度觀之，人類因應其社會化生活與文化價值，發展出的表達系統皆可視為不同種類的話語，其範疇係無止境的。但不論是多麼多元的言說，學者認為皆可在其中觀察出五種表達形式的原型：敘事（narration）、描述（description）、辯論（argumentation）、說明（explication）與對話（dialogue），這五種表達形式並被界定為「文本類型」（Adam, 2011）。Adam（2011：28-29）進一步指出，言說可能根據其性質而趨向一種表達形式。譬如，寓言或故事是敘事的；書信類、訪談、戲劇多是對話的；旅行指南多是描述的等等。

根據 Adam 的說法，展覽做為一種當代社會用以詮釋人們對於藝術、文化與社會各種價值看法的一種言說行為，也可區辨其文本類型，敘事僅為其中一種。以下說明敘事之外其他四種文本類型的界定方式，並重新檢討展覽的可能文本類型：

一、描述

西方文學對於描述的討論有其久遠的傳統，其中有很大的部分在於區分它與敘事的差別，特別是認為描述缺乏自主性。譬如 18 世紀的百科全書中對於描述一節的說明：

> 所有人類在說話時，為了令其感興趣的對象更生動，都會描述；而描述便與其帶出的敘事連結，加上一種想要教育或說服人的意圖，這便是做為動機的意圖。但是沒有人會在任何一種場合，為了描述而描述，又或是描述後再描述，從一個對象到另一個對象，只不過是視線與思想的轉移；就像人們所說的：「您剛看過風暴，

接下來您要看平靜與安詳」（Adam, 2011：62）。

　　對於西方古典美學而言，描述最大的缺憾在於其沒有次序、沒有界線，完全取決於作者的任意。有如百科全書所批評的：

> 所有有道理的構成都應該是一個整體，一個各個部分相互連結、中間呼應起始、結尾呼應中間的總體：這是從 Aristote 到 Quintus Horatius Flaccus 給予我們的訓誡。然而在描述中，沒有整體、沒有次序、沒有對應：它有它的美，我想，但這些美會因為其單調的接續或其不一致的拼湊而折損。每一個描述都單獨地好看：它至少很像一幅繪畫。（Adam, 2011：63）

這裡很明顯地，百科全書的作者Marmontel用敘事來思考描述並用以指責描述的不足。到了 20 世紀，Paul Valéry 也抱持一樣的立場：

> 所有的描述都可化約為一件事物的各個部分或可見的各個面向之列舉，而且這樣一種清點可以用任何一種次序加以排列，這點便導致其執行上的隨意。一般而言，我們可以顛倒接續的順序，且不會令作者去改變這些原本各自發展的元素的形式。言說只不過是一連串替代物。此外，這樣一種列舉可短可長。我們可以用二十頁描述一頂帽子或用十行描述一場戰爭。（Adam, 2011：63）

描述的一項特性便在於其列舉的功能。如 Valéry 所批評地，列舉的項目可多可少、內容可長可短，沒有界線也沒有範圍。就像我們在看事物，可以約略地看，也可以拿出放大鏡細細地看。這當中沒有決定性的原則，一切皆取決於作者的喜好與心情。

　　描述可說是所有展覽必然運用的言說行為。描述本身具有利於掌握一個空間的特性，容易呈現一個視覺可及或腦海可想的畫面。這樣的特性與展覽所具有呈現與人觀看的特質不謀而合。譬如在《文學拿破崙》中關於作家生活的用品的展示（圖 1.9）。我們可見展出了 Balzac 所使用過的錶以及他送給喜愛女性的禮物等。這樣的一個展櫃以及其羅列的物品與說明方式便是一種描述。我們無法判斷此一描述是否完整、是否全面、是否深入，因為我們可以想見只要可以找出物件，這樣一個展櫃甚至可以延伸

成為一個展覽。但是在此，這樣的描述並不用以構成展覽的全貌，因為在此描述依舊
屈服於展覽整體敘事的架構。

圖 1.9　《文學拿破崙》展場一景。

　　列舉可說是描述的零度，是描述行為的最基本。純粹的列舉原無涉次序，但為了
閱讀與理解的方便，也經常訴諸特定的策略，如此便涉及分類的概念。在文章中，如
果我們看到「首先」、「其次」、「接續」、「最後」等字眼，便知道這是一種敘述
的順序，讀者也比較清楚此段描述究竟會延續到何時。亦或者，列舉會採取不同的組
織原則，譬如依照筆劃順序、空間次序、時間順序等，而這樣的列舉與組織，終究便
能發展為一個描述文本。

　　許多展覽－特別是藝術類的展覽－可以界定於描述與說明之間。稱其描述，是因
為展覽本身係由藝術品的列舉所構成，儘管其列舉有經過一定的組織原則。而當這樣
的列舉或描述更增添了說服人的意圖時，它便趨向於說明。譬如巴黎大皇宮（Grand

Palais）於 2013 年春夏所舉辦的特展 "DYNAMO" 便是一個運用描述文本的佳例。該展旨在說明 1913 年至 2013 年一個世紀以來藝術家對於光線與動態的實驗與創作。展覽本身並沒有特定要令觀眾信服的論證，而是希望藉由大量的作品，呈現藝術家不同的手法與創作觀念。大規模的展覽，當中作品被依照主題分類，依序為「明途」（Claire-voie）、「聚心 / 離心」（Concentrique/excentrique）、「易位」（Permutation）、「沉浸」（Immersion）、「扭曲」（Distorsion）、「觸知」（tactile）、「無盡處」（Abîme）、「不確定空間」（Espace incertain）、「早期大師」（les anciens maîtres）等單元（圖 1.10）。除了最後一個單元明確介紹 20 世紀前期的作品之外，其餘絕大多數的展區的分類並不依照時間或地理的次序，而純粹是主題性的，也因此予人可多可少，難以確知其應有的界定範圍的不確定感。儘管展品數量眾多，品質也堪稱上乘，但總是難以形成一個明確結構的整體。如果我們去思考當代藝術原本就是一個正在發展、沒有完成、無法窮盡的過程，也就比較能理解展覽借助這樣的描述文本並非不恰當，反而是貼切地傳達當代藝術發展的面貌。

二、辯論

　　相較於描述與說明，辯論帶有影響他人並使其信服自己的說法與想法的企圖。辯論通常自一個特定且不一定為其訊息接受者所認同的立場出發，且需要先呈現用以論證的事實或證據，並依據這些事實或證據歸納出結論。其所得出的結論往往是與對方的立場不同的，因此便需要進一步說明如果對方不改變或不調整就會導致一個相對負面的結果，由此來達到說服的目的。Adam（2011：146）將辯論的序列構思如下：

立場+事實 　———— 　因此可能 　———— →結論
　　　↑　　　　　　　　　↑
　　　引申　　　　　　除非（限制）

　　這樣的文本容易被運用於一些有意改變社會大眾對於公共事務觀點的展覽，也因為其有影響並改變他人行為的意圖，適合運用於教育性質高的展覽。一個很典型

圖 1.10   "DYNAMO" 展場一景。

的案例是美國自然史博物館（American Museum of Natural History）所策劃的巡迴展《氣候變遷：生命威脅與新未來能源》（Climate Change： The Threat to Life and A New Energy Future）[7]。這個展覽的主旨在於訴諸地球上的每一個成員有關於當前地球所面臨的重大危機且希望觀眾在觀展之後，會願意反思並以具體行動減緩地球暖化的過程。這個展覽規劃了「導論」（Introduction）、「今日氣候變遷」（Climate Change Today）、「做出差異」（Making a Difference）、「變化中的空氣」（Changing Atmosphere）、「變化中的冰河」（Changing Ice）、「變化中的海洋」（Changing Ocean）、「變化中的陸地」（Changing Land）以及「用盡我們未來能源」（Cleaning Up Our Energy Future）等八個展示單位，從其規劃可清楚看出，有至少一半是用於提出事實與證據，並希望藉由這些事實的呈現，帶出觀眾的警覺與行動力。

---

[7] 該展覽內容可參見官方網站 http://www.amnh.org/exhibitions/past-exhibitions/climate-change（瀏覽日期：2013 年 8 月 21 日）。

圖 1.11　《遇見大未來——地球環境變遷》展場一景。

　　國立臺灣博物館於 2012 年的特展《遇見大未來——地球環境變遷》也是以氣候變遷為主題（圖 1.11）。全展區分為「給活在現在的你」、「給追求真相的你」、以及「給走向未來的你」三大單元（許毅璿等，2012）。在第一單元中，展覽說明地球面臨的危機；在第二與第三單元中，展覽提出事證以求客觀地說服觀眾並進一步在第三單元中，引導觀眾省思自身與未來環境的關聯性，並願意以更負責的態度面對我們生存的世界。展覽的論述吻合辯論的序列，也得以適當地傳遞展覽的訊息。

三、說明（解釋）

Jean-Blaise Grize（1981：7）指出，

> 「說明」一詞指涉非常多元的活動。如說明人們採納的觀點、解釋普魯斯特作品的一頁、解釋如何做燉飯不一定是一樣的意思。所以一開始發展次序不要任下定論是很重要的。

我們有時容易混淆說明性文本、陳述性文本（texte expositif）與提供資訊的文本（texte informatif）。Bernard Combettes & Roberte Tomassone 如是說明：

> 我們認為說明是一種特殊的意圖，它與提供訊息不應混為一談；說明的文本無疑具有提供資訊的基本，但它更有使人理解現象的企圖之特徵：由是，不論內隱或外顯，存在著一個有如出發點的文本努力想要弄清楚的問題。而提供資訊的文本，並不以達成結論為目的；它傳達資料，也許資料經過組織且有階層關係（...），但並非以論證為目的。原則上，它並非在於影響讀者、將其引導至特定結論、或為所提出的問題辯護。（Adam, 2011：158）

從上述的「說明」，我們可以理解說明文本與提供資訊的文本之差異。說明文本企圖對於一個問題提出解釋，而提供資訊的文本有如一種建立在描述或說明序列基礎上的百科全書，並不回答問題。

至於「說明」與「陳述」的差別在於「為何（pourquoi）？」與「如何（comment）？」（Adam, 2011：159）大多數有關「如何？」的文本都不是「解釋性的」。許多展覽都屬於說明文本，因為其目的主要在於解釋一個主題或者是提供有關認識此一主題的資訊。譬如前述的 "DYNAMO"，其描述的目的便在於說明過去一世紀特定的藝術表現，透過提供豐富的資訊，令觀眾達到一定的理解。同樣地，故宮的《子子孫孫永寶用》也是一種「陳述文本」與「提供資訊」，因為展覽主要在於說明何為內容？這些珍貴的收藏是從哪兒來？如何流傳到今天？如何經過保存與研究分類？要言之，有如將藝術史的論述搬入展場，並配合論述展出文物。不只藝術史，自然科學、人類學等學科知識都經常運用於支撐博物館的展覽論述，並塑造展覽的說明文本。

四、對話

Bakhtin 認為：

> 狹義而言，對話不過是一種－儘管的確是最重要的－言語互動形式。但是我們也可以廣義地理解對話，將其視為不僅僅是人與人之間直接且大聲的言語溝通，也包括所有不同形式的言語溝通。（Todorov, 1981：171）

如同 Bakhtin 所言，對話的成立不僅需要至少兩人在場且交替地說話，且其交替說話的內容是彼此關連的。甚至對話中人物的非言語行為也應可看出彼此之間的相互涉入，而非是彼此互不認識地各說各話（Adam, 2011：166）。在博物館的場域，對話文本的形式可以運用於來自不同背景（文化的、社會的、族群的）的人們之間之交流與相互了解。例如臺北市立美術館在 2012 年 5 月至同年 8 月在以色列赫茲里亞當代美術館（Herzliya Museum of Contemporary Art）舉辦的特展《移動中的邊界：跨文化對話》便是一例。該展探討在高科技與全球化現實下，臺灣與以色列兩地個人面對日益複雜的個人身分認同、區域與國家的邊界、社經與繼之而來的新住民等議題。該展的內容為兩地的藝術家作品，透過「展覽作品的並置呈現，加強建立並落實兩地當代藝術之文化交流與對話」[8]。對話有時則是時間面向的，譬如羅浮宮博物館在 2004-2005 年的《對位》（Contrepoint）[9] 將當代藝術與古典作品並置，館方邀請當代的藝術創作者深入常設展廳，形成一種跨時空的對話（圖 1.12）。

圖 1.12　羅浮宮博物館的《對位》展場一景，當代藝術家 Jean-Michel Alberola 的油畫作品與法國古典繪畫作品並置，形成一種對話關係。

---

[8] 展覽論述參見北美館網站 http://www.tfam.museum/TFAM_Exhibition/exhibitionDetail.aspx?PMN=2&ExhibitionId=427&PMId=427（瀏覽日期：2013 年 8 月 21 日）。

[9] 對位法是在音樂創作中，使兩條或者更多條相互獨立的旋律，同時發聲並且彼此融洽的技術。

　　如果對話文本並非出自至少兩人的話語，而是單獨一人，便是「獨白」。語言學家如 Jakobson 認為獨白是一種內化的、介乎說話的自己與聽話的自己之間的對話（1963：32；Benveniste, 1974：85）獨白的形式則常見於各種傳達個人思想或概念的個展，特別是美術館內經常舉辦的藝術家個展均可屬之。

　　從前述的分析可得知，並非所有的展覽都可視為敘事文本。不同型態的文本可因應不同的言語行為的需要而成立。但是相較於描述的無邊無界、辯論的咄咄逼人、說明的賣弄學問、對話與獨白的封閉自賞，敘事更具有其獨特的、引人入勝的魅力，會令觀眾不由自主地感同身受，也因此成為當前展覽論述中日益受到注目的類型。但如同前述，敘事文本的成立有其一定的要件，因此也並非適用於所有的展覽；並且，如同本書之後章節所探討的，受制於展覽本身的特性，展覽的敘事也會以獨特的面貌呈現。

第二章、展覽如何說故事？

> 如果我們能企圖界定一些特徵，那麼這些特徵就可以做為一個出發點，使我們進入下一階段：那就是描述每一種文本的構成方式。這個階段一旦完成，我們就具有「敘述系統」的描述。在這一描述的基礎上，我們可以檢驗當敘述系統具體化為敘述文本時可能發生的變化。最後這一步的前提是包含在敘述系統中的有限概念，可以被用以描述無限量的敘述文本。（Bal, 1997：5）

壹、展覽敘事理論研究傳統

　　儘管故事超越媒材與文本言語的局限，但一個故事仍然必須具有與自然的語言相似的性質，並經得起語言學分析模式的檢驗（Rimmon-Kenan, 1983：9）。今天我們從各種理論如符號學、溝通理論等的研究成果得知，文化依賴著不同符號系統的操作並且我們總是在不同的媒介之間轉換傳遞各種訊息。博物館的展覽也建構在既存的意義、象徵、形式與物件之上，並且將這些元素以其特有的方式重新轉化、重新組織。展覽因此成為文化的製造場。

　　我們可以設想展覽的組織結構必然有其內在的邏輯與秩序，這樣的邏輯秩序也應當可以驗證於不同的展覽。做為文本的展覽以其特有的語言，溝通其所欲傳遞的訊息。各種展覽的綜合體構成了人類文化的巨大文本（megatext）。此種人為的（artificial）巨大文本反映人類社會在不同時代的關切與討論，因而展覽的意義或思想無法與其語言結構分離。

　　過往不少對於博物館展覽的研究已經將展覽視為一種「語言」（language），但

皆也同時意識到此種「語言」的特殊性。Duncan F. Cameron（1968；1971）可說是最早分析展覽「語言」的語彙特性的研究者。他認為做為一種溝通系統，展覽以及博物館依賴物件與可觀察現象的非語詞（non-verbal）語言。因此展覽語言首先是視覺性的，但也可能成為聽覺性的或觸覺性的。在此我們可以理解的是，Cameron 所謂的「語言」，其實已經脫離以文字為符碼的意涵，而是指一種「表達方式」（a way of expressing meaning）。他認為，博物館展覽的溝通力量主要是基於真實物件（real things），至於書面文字、影片或聲音則應是輔助性的媒介（média subsidiaires）。在區別博物館展覽做為一種溝通系統中的主要溝通媒介與輔助性媒介的同時，Cameron 也承襲了自 1960 年代初期以來發展的媒體理論的思想。曾任美國自然史博物館館長同時也是早期知名博物館學家的 Alfred E. Parr，早在 1961 年便將展覽視為一種特殊的溝通媒體，並將展覽與書本、電影與電視等其他媒體加以比較，以便清楚指出展覽做為媒體的特性（Parr, 1961）。Parr 強調展覽的三度空間特性，且提出觀眾因為可以自己控制參觀的時間與動線，因此觀眾與展覽空間便形成溝通過程的組成因素。Parr 對於不同媒體的比較也出現在同時代的其他研究者之論述中，其中尤其不能忽視的是 Marshall McLuhan（1964）的媒體研究理論。他認為特別是電視等的大眾媒體的快速發展，使得人類的溝通與思考方式產生重大變革。他以其時的科技媒體的即時性與瞬間性對照傳統書籍的線性溝通，也因此提出「媒體即是訊息」的著名說法。受到 McLuhan 的影響，Harley W. Parker（1963）提出了博物館是一種溝通系統的觀點。他進一步發揮 McLuhan 的理論，主張揚棄單純的故事線（trame narrative），因為適應了當代傳播型態的觀眾，已經改變其思考方式。他因此主張以「拼湊式文化」（culture mosaïque）取代「線性文化」（culture linéaire）。也就是說，他認為當代的大眾媒體的特性既然在於其「同時性」，博物館展覽應能動員各種感官，同時並陳各種訊息。

由這些早期基於溝通理論或媒體理論延伸出來的展覽研究可看出，學者肯定或甚至試圖論證展覽是一種媒體。但展覽的特性無疑是特殊且獨一無二的，也因此經常藉由與其他媒體的比較以謀求更清楚的分析。而展覽既然做為一種媒體，其溝通的功能如何發揮則自然是接續必須面對的問題。也因此衍生出展覽此一媒體的構成元素分析

的研究，以及展覽的溝通特性的研究兩種主要的研究取向。承襲 1960 年代的研究，截至 1990 年代許多歐洲的博物館學者在不同的場合相繼表達對於展覽元素的看法（Kavanagh, 1991；Van Mensch, 1991；1992；Stransky, 1993；Delarge, 1992；Schärer, 2000）。若綜合各家之言，歐陸學界對於一個展覽的組成成分認為至少包括策展者（或稱作者（l'auteur））、訊息（messages）（或稱事因（les faits））、敘述（narration）、論述（les discours）、故事線（les trames narratives）、真蹟作品（或是 Van Mensch 所稱的主要的博物館物質）、輔助性說明（或是 Van Mensch 所稱的次要的博物館物質，其中包括文字說明、圖表、顏色、氣味、燈光等非常細微的內容）以及觀眾等要素，而其中針對策展人的地位與角色之討論也一時蔚為氣候（張婉真，2001）。要言之，發展到 20 世紀末的展覽研究基本上已經非常肯定展覽是上述各項元素的有機綜合體，且受到策展人角色的強調之影響，對於展覽是一定訊息的載體或展覽有其論述及敘述內容的概念也因而被強化。

前述溝通理論對於展覽研究的貢獻在於強調了展覽本身具有複雜的組成元素，它也說明了，當展覽被視為一種媒體時，它是一種非語詞性的溝通，且它與觀眾之間的對話關係是因人而異並為感官性的等要點。但是至於展覽組成元素如何拆解為更仔細的內容，以及這些元素之間與溝通過程的產生，究竟如何相互作用等問題，仍未能獲得充分的闡釋。這種對於展覽溝通過程未能圓滿解釋的遺漏，又因為學界對於所謂的「訊息」之見解不一而更形難解。原本展覽是一種說故事的方式之概念早已出現於 1920 年代初期（Dana, 1921），且被有意運用於 1930 年代在北美舉行的萬國博覽會（Schiele, 1992）。但學者如 Parker 與 Cameron 雖提出訊息的重要，卻反對故事線的設計；主張訴諸視覺等感官的直接體驗，並強調真實物件的展示。如此將有關物件的論述與溝通理論經常性交疊的現象，似乎未能真正解決問題。

至於展覽的溝通特性的研究方面，Cameron 亦指出觀眾必須學習理解展覽的語言，因為展覽各元素之間的呈現，並非文字性且亦不依循線性排列，而是整體性且同時並現的。但整體而言，學界對於溝通的運作過程一直未能提出仔細的解釋。一般性

的說法包括將博物館視為一種觀看方式（a way of seeing）（Alpers, 1991）、將展覽視為一種媒體（Ferguson, 1996；Davallon, 1992；Maroevic, 1995；Hooper-Greenhill, 2004）、或者將展覽參觀視為一種詮釋活動（Tilden, 1957；Roberts, 1997）。Ferguson（1996：176）認為在藝術品的展覽方面，儘管展覽在廣義的「語言學轉向」的風潮下，已經被視為一種文本，而藝術品亦已經被視為符號學意義上可以被代碼化（coded）、解碼（decoded）、再代碼化（recoded），但對於展覽做為另一種形式的「細讀」（close reading）的研究依然不足，且大多數的當代藝術史與藝術批評研究，仍習於將藝術品當做一個自給自足的欣賞對象。Davallon（1992）則針對媒體的特質指出，所謂媒體乃指發送者與接收者之間交流的場域。但此一交流究竟是介於展品與觀眾或者是介於策展人與觀眾，在其研究中卻沒有明確的區別。而研究者認為，此點也正是過往對於展覽的溝通特性容易忽略的地方。Hooper-Greenhill（2004）則以為現代主義式的溝通概念強調訊息自發送者到接收者（觀眾）的單向傳遞，是一種非常局限的看法，並且也將觀眾降低至被動接受的地位。她認為博物館應改變這種傳統博物館強調學術專業的立場。她也指出後現代的世界對於博物館、特別是美術館提出了兩個挑戰性的觀點：其一有關誰在說話（who says it）與說了什麼（what is said）等敘事（narrative）與聲音（voice）的議題；其二有關誰在聽（who is listening）以及詮釋、理解與意義建構的議題（Hooper-Greenhill, 2004：563）。

面對如此的研究態勢，我們仍然可以明確地指出一點，那就是展覽的特性就在於人造性（artificiality）以及其組成元素之間的異質性（heterogeneity）。所有的展覽都是一個人造的環境，在當中使用大量的、彼此性質互異的元素。亦有學者稱之為「組合」（assemblage）（Basu & Macdonald, 2008：9）。因此，我們必須尋求得以分析異質元素如何相互作用的理論基礎。將展覽視為一種文本的假設，促使我們進一步質問使得展覽得以嚴密運作溝通功能的因素，並思考展覽做為文本的構成成分以及之中的訊息傳達，如何在發送者與接受者之間產生環環相扣的運作，甚至於建構新的意義之過程。

　　本章擬考察做為敘事文本的展覽，如何傳達訊息與建構意義。為此，我們需要找出一種基於科學性學理，可用以分析展覽構成成分如何蘊含自有訊息，並得以說明這些訊息傳達的運作，乃至於之間的相互作用的研究方法。而不同層次的訊息，又如何在如此的文本中運作於發送者與接受者之間且構築出豐富的意義。

　　敘事學（Narratology）是受結構主義影響而產生的研究敘事的理論，已有四十年左右的發展歷史。目前學界主要將敘事學的發展分為「經典」與「後經典」兩個派別。概要言之，經典敘事學旨在建構敘事語法或詩學，探討敘事作品之構成成分、結構關係與規律等內在結構的問題；而後經典敘事學則將重心轉向結構特徵與讀者詮釋相互作用的規律，注重跨學科研究，並重視作者、文本、讀者與社會歷史語境的交互作用（申丹，2003：60）。

　　敘事學的研究對象在於「敘事文本」（narrative text）。在經典敘事學的定義下，敘事作品指的是敘事虛構作品（narrative fiction），是由敘述者按照一定的敘述方式結構起來傳達給讀者的一系列事件（胡亞敏，2004：11）。它所尋找的是唯有敘事虛構作品所具有的特殊形式，所要建立的是關於敘事虛構作品本身規律的科學。在這個基礎上，建立敘事學有別其他文學理論的理論框架（譚君強，2008：9）。

　　經典敘事學的研究主要集中於兩個層面：一個是研究敘述結構，另一個是研究敘述話語。前者包括敘述的性質、形式、功能以及能力。它考察敘事作品在故事與敘述兩者的相互關係上所具有的共同特徵。後者便是指敘述故事的方式，研究敘事文本中話語表現模式的時序狀況與事件，集中於故事與敘事文本、敘述過程之間的可能關係，而非故事的情節本身。具體而言，它研究時態、語式、語態等問題（譚君強，2003：100）。

　　敘事學研究中對於敘述結構的重視，可以說是被結構主義所激發的（structuralist-inspired）（Prince, 1987：65）。結構主義語言學的創始人 Saussure（1974）認為語言研究的重點應在於語言此一符號系統的內在結構關係，亦即語言成分之間的相互關

係，而非各自的歷史演變過程。而結構主義亦將文學視為一個具有內在規律、自成一體的符號系統，注重其內部組成成分之間的關係。然而當一定的敘述架構被揭示後，人們便不再滿足於對敘事語法的一般了解，而進一步探究敘述文本中話語的表現模式以及故事與敘述話語之間的關係，其研究的重點主要在於時間、空間、語態、語式以及人物話語表現模式等。這一研究範式的代表人物包括 Gérard Genette, Seymour Chatman, Gerald Prince 等人。其中 Gérard Genette 的《敘事話語》（*Narrative Discourse*）的出版，更為此一研究方向奠定札實的基礎（Genette, 1978）。而與敘述結構的研究一樣，以敘述話語為重心的敘事學研究仍然將研究範圍限定在敘事文本之內，而不考慮它與超越文本的外在關聯性。

經典敘事學將文本與社會、歷史、文化、讀者等外部因素區隔的立場也逐漸成為自身發展的阻礙。學者也意識到純粹形式主義所具有的局限性。有如 Rimmon-Kenan（1989）便認為傳統分析模式的敘事學忽視了一系列與話語相關的問題，包括超越語言媒介之外的符號系統或意識型態方面的問題。Ross Chambers（1984：4）更指出敘事本身是一種社會存在，依賴於一種隱含的社會契約關係。他強調敘事作品與外在於它的社會、人際關係等的不可分割性，並呼籲擴充敘事學的批評視野。

在這樣的理論趨向下，以及受到文化研究、讀者反應批評等新興學派的影響，關注語境與讀者的後經典敘事學也因而發展出來。也就是說，敘事研究不再僅專注於形式，也開始重視敘事形式與敘事闡釋語境之間的相互作用，如敘述者與事件的位置推斷、敘述者的可靠性推斷、哪些敘事結構可能引起不同讀者的特殊反應以及讀者如何回應敘事技巧再現出的價值觀等。對這些問題的回答，不能再依靠規則的描述，而是依靠對於作者、敘述者、文本、讀者之間的語境關係的分析和判斷。之中最大的突破可說是將讀者的立場納入。經典敘事學在進行形式描述時，常常預設敘事的意義，但當敘事被放入讀者的閱讀語境時，意味只有在讀者的闡釋框架中才能顯示敘事形式的意義，從而將敘事意義的決定權交給了讀者。

　　敘事學不斷從其他研究領域汲取養分，同時豐富其他研究領域，從而形成了眾多的跨學科敘事學分支，成為近年敘事學研究的一大景觀，敘事學也從單一成為多元。David Herman（1999）主編的《敘事學：敘事分析的新視野》（*Narratologies: New Perspectives on Narrative Analysis*）一書書名的「敘事學」使用了複數便是對這種局面的反應。在擴展過程中，敘事文本的範圍也不斷在拓展。除了非正規形式（non-canonical forms）的文學作品之外，甚至涵蓋了其他具有敘事性的不同媒介的作品，如電影、音樂與視覺藝術等。後一部分的研究尚為有限，但在敘事學發展已經累積了相當的理論資源並已經形成其自身特有的理論分析模式時，這種擴大研究範圍的意圖，已經形成新的敘事理論潮流裡重要的現象。

　　Mieke Bal 認為，「解釋是主觀性與易受文化發展影響」的觀點，不僅可將敘事分析轉化為「文化分析」，也使得解釋的過程更具普遍意義（譚君強譯，2003：10）。在其《敘述學：敘事理論導論》（*Narratology: Introduction to the Theory of Narrative*）一書中，她不僅拓展原先理論模式的範圍，也增加了將敘事學應用於視覺藝術的評價（譚君強譯，2003）。譬如，她以一件當代藝術家 Ken Apketar 的作品〈我六歲，藏在我的手後面〉（I'm Six Years Old and Hiding Behind My Hands）為分析對象，探討視覺藝術中的敘事活動。她說明如何以不同敘事層次分析，將我們對於作品的理解帶入複雜的敘事文本中，同時也試圖賦予敘事學分析新的歷史意義（譚君強譯，2003：78-88）。Bal 也嘗試將敘事文本的範圍拓展至博物館以及展覽的機制。在名為〈博物館的論述〉（The Discourse of the Museum）的文章裡，她認為博物館的論述性（discursivity）是博物館此一制度至關緊要的一個層面（Bal, 1996a）。她並非指博物館藉由展覽的說明或出版圖錄而產生論述，而是指博物館機制在物件的價值判斷（如該物件是人工製品或是藝術品、屬於民族誌博物館或美術館等）與展覽的舉辦上便屬論述的問題。在文中，她也運用修辭的概念說明了民族誌博物館與美術館在敘事層面上的差別。在《雙重顯露》（*Double Exposures*）一書中，Bal 將文化分析的概念帶入博物館的展覽研究，視展覽為一種論述行為的特殊形式，並認為展覽做為論述，意味一種得以溝通且為觀眾所使用的符號學的思維方式（semiotic habit）（Bal, 1996b）。

在 2008 年的〈做為電影的展覽〉（Exhibition as Film）一文中，Bal 更以 2003 年 11 月至 2004 年 2 月在德國慕尼黑藝術博物館（Haus der Kunst）由藝術家在 Ydessa Hendeles 策劃的《夥伴》（Partners）展為例，對照展覽和戲劇、敘事、詩歌與電影四種不同的藝術形式（Alphen, 2003；Bal, 2008）。在該文中她提出了觀眾也可改編「情節」（plot），亦即可以參與說故事的觀點（Bal, 2008：75）。此一觀點則是有意識地回溯 Peter Brooks 有關情節與覆述的理論，將敘事視為不斷延遲但又維繫讀者對於結尾的渴望的手段（Brooks, 1984），同時也將展覽當作一個敘事的研究角度帶入讀者參與的層面。

貳、展覽的故事：《文學拿破崙──巴爾札克特展》與《含英咀華──閱讀與書房》

敘事理論基本上有一個假定，亦即有一個故事，它可以運用不同的方式（以及所謂的情節）與不同的媒介（如文字或戲劇）加以表現。自法國敘事學者 Tzvetan Todorov（1966）提出了「故事」（histoire）與「話語」（discours）這兩個概念來區分敘事作品的故事內容與表達方式以來，兩者的對照已然古典。換 Seymour Chatman 的說法，故事包括內容的實質與內容的形式。所謂的內容的實質指再現於作品裡的客體與行動，而內容的形式則指的是故事的組成要素（情節、人物、環境以及結構）（Chatman, 1978：24）。Gérard Genette 則進一步在 1972 年出版的《敘事話語》（Discours du récit）中提出三分法：「故事」（history/story）、「敘述話語」（récit/narrative）與「敘述行為」（narration）（Genette, 1972；1983）[10]。筆者綜合各家說法，將未經任何特定視點和表述扭曲的客觀事件結構稱之為「故事」，而將受到特定表述的故事稱之為「話語」。本節首先以《文學拿破崙──巴爾札克展》（以下簡稱《文

---

[10] Genette 所謂的 "récit" 意指敘述故事的口頭或書面的話語、敘述文本，筆者在此參考申丹與王麗亞的譯法（申丹、王麗亞，2010：16）。敘述行為指說故事這樣的行為或活動，涉及作者／說者（敘述者）與讀者／觀者（接受者(narratee)）的關係。

學拿破崙》）[11] 與《含英咀華——閱讀與書房》（以下簡稱《含英咀華》）[12] 為案例，
説明分析展覽故事的方法。

　　法國學者 Claude Bremond 認為敘事的符號學研究可以分為兩個部分，其一為研
究敘述技巧，其二為研究統領被述說世界的法則（Bremond, 1966：60）。這樣對於敘
事間共通的規則之追求，成為結構主義者的主要信念。展覽的敘事結構是否存在，是
一個值得思考的命題。

　　結構主義者關注微觀的情節結構。他們的共同特徵有二：其一是如同語言學一般，
把複雜的敘述還原到最簡單的因素以及一套連接這些因素的規則，其二是將敘述當做
一個封閉的系統並在之中反覆詳盡地觀照。這樣的封閉系統固然有其局限，但在嘗試
釐清秩序的時刻，純粹潔明的空間實為必要。筆者以下便從最為細小的單位談起。

　　Tzvetan Todorov（1968）按照語言學的句法形式將故事內容區分為三個層次，亦
即「詞彙」（le lexique）、「命題」（proposition）與「序列」（sequence）。「詞彙」
包括「施動者」（les agents）與「謂語」（les prédicats）。所謂「施動者」必然是人
或物的名稱或代名詞，它涉及的是「命名」（la dénomination）；「謂語」包括形容
詞與動詞，前者説明特徵，後者説明動作，皆涉及「描述」（la description）（Todorov,
1968：95-96）。一個理想的敘事應開啟於一個穩定的狀態，之後因受到特定的力量作
用而紊亂，又因為受到另一股相反力量的作用而恢復穩定。前後兩種穩定狀態儘管可
能相似，但絕非一致。如此，敘事的形容詞便是描述穩定或不穩定的謂語，而動詞則
是描述從一個狀態發展為另一個的謂語（Todorov, 1968：96-97）。依據展區的劃分，

---

[11] 《文學拿破崙》由國立臺灣文學館、國立臺灣博物館與法國巴黎巴爾札克文學館共同策劃。展覽前後於 2010 年 12 月
15 日至 2011 年 2 月 15 日以及 2011 年 3 月 4 日至同年 4 月 5 日於國立臺灣文學館與國立臺灣博物館展出。筆者之所以
取材本展，除了其具備人物、行動、環境等故事要素之外，本展以文學作家與文學作品為主題，可以提供本文另一層文
學傳統的參照也是另一個理由。有關本展之進一步介紹如展覽策劃過程、展覽內容介紹等，可見展覽網站 http://xdcm.
nmtl.gov.tw/balzac（瀏覽日期：2013 年 8 月 23 日）。

[12] 《含英咀華》為筆者於 2010 年於國立臺灣藝術大學藝術博物館策劃舉辦之特展，展場位於藝術博物館三樓，展期為該
年 3 月 23 日至同年 7 月 4 日。

區別出各個展區的施動者與謂語並不困難。一個展覽如同許多我們生活裡的文本，標題決定了我們心中的敘述語言，它們位居於參觀者視覺的首位（不論是位置上、順序上或語義上）。

　　前述特定人或物的特定狀態或所進行的特定行動是所謂的「命題」，Todorov（1968：98）進一步分析了命題的「語式」（mode）。他將其區分為「直陳式」（l'indicatif）與「其他」；此二者為現實與非現實之對照。直陳式係指在現實中確實發生的事，其他的語式則未必真正發生而是有發生的可能性。在命題的層次上，本展的語式主要為直陳式，除了在第一展區提出的問題「巴爾札克的眾生相？」為展覽保留一定的伏筆（圖 2.1）。此外，出於 Balzac 意志下的行動如追求愛慕的女性或與某位藝術家交際或是寫作等內容，則明顯可以歸類為祈願的語式。

圖 2.1　《文學拿破崙》一展開始以「誰是巴爾札克？」為題，並在展覽尾聲以世人評價回應。

　　從 Todorov 的命題中，可以看出人物、行動再加上特徵界定便構成一個所謂的事

件（event），亦即一件所做或所發生的事。事件引發狀況的變化，亦即從一種狀況到另一種狀況的改變。一件事件需要有一位促使行動或狀況改變的行為者，因而譚君強認為故事可以理解為「從敘事文本或者話語的特定排列中抽取出來的、由事件的參與者所引起或經歷的一系列合乎邏輯的、並按時間先後順序重新構造的一系列被描述的事件。」（譚君強，2008：21）而對於事件來說，有一個與之相關卻又有所區別的概念是「功能」（function）。「功能」的概念首先為俄國學者 Vladimir Propp（1970）所使用發展，可視為對於各類事件所作的敘述命題。Propp 從童話入手探討敘事的基本型態並認為「功能是故事中穩定不變的因素，由誰執行或怎樣執行對它都沒有影響，他們構成了故事的基本成分。」（胡亞敏，2004：173）Bremond（1966：60）認為三個功能一經組合便可形成「基本序列」（elementary sequence）：

一、一個功能以將要採取的行動或將要發生的事件為形式表示可能發生變化；

二、一個功能以進行中的行動或事件為形式使這種潛在的變化可能成為現實；

三、一個功能以取得結果為形式結束變化過程。

Bremond 與 Propp 不同，並不認為一個功能一定會接續另一功能發展；相反地，敘述者總是有付諸行動或是保持其未定性的自由（Bremond, 1966：60-61）。由事件成為現實與否的角度思考，他提出下列敘述可能的序列原則（Bremond, 1966：61）：

以《文學拿破崙》的第三展區為例，可見到 Balzac 因為早年的事業不順而轉向寫作，卻在寫作方面得到成功，可說是上列可能性轉變的因果關係例子。

　　另外，在結構分析中還可進一步看到，學者們如何建立基本序列到複雜序列的關係。根據 Bremond 的設計，功能與序列之間的連接可能有三種基本方式：「連接」（l'enchaînement）、「包含」（l'enclave）與「並連」（l'accolement）。所謂「連接」意指基本序列 A 的結果同時也是基本序列 B 的開端，兩個序列為同一角色但不同的功能。「包含」意指基本序列 A 的第三個功能，為了結束，必須以包含另外一個基本序列 B 為條件，基本序列 B 又可以再包含另外一個，如此延展不斷。「包含」是序列為了加以詳細說明是一種極大的動力。「並連」意指從不同「視點」（通常也是不同身分）的同一基本序列，因為視點不同，必須視為兩個序列。

　　Todorov（1968：101）則區分出三種序列：時間關係、邏輯關係與空間關係。時間關係是最為簡單的一種，係依循時間的順序發展，在一個文本中，依照文本次序排列；邏輯關係下的敘事經常建立在預先假定（présupposition）與含括（implication）之上；空間關係指兩個命題因為特定的相似性而同時存在，在文本中因此勾勒出一個空間。

　　Roland Barthes（1966）與 Bremond 同年發表的〈敘事作品結構分析導論〉（Introduction à l'analyse structurale des récits）也是描述敘述結構的理論模式。在文中 Barthes 對於敘事作品的結構分析提出由「功能層」（les fonctions）、「行動層」（les actions）與「敘述層」（la narration）等三個描寫層次所組成的描寫模式。Barthes 視「功能」為最小的敘述單位。「功能」又可再區分為「功能」（fonctions）與「標誌」（indices）兩大主要分類單位（classes d'unités）。第二級的「功能」相當 Propp 與 Bremond 的「功能」，「標誌」包括人物的心理狀態、身分與周圍氣氛等描述，是一種貫穿一段情節、一個人物或整部作品的單位。「因此『功能』與『標誌』代表另一對傳統的概念：功能意味轉喻的事物，而標誌意味隱喻的事物；前者相當於做動作的功能性，後者相當於做為某種狀態的功能性。」（Barthes, 1966：14）Barthes 更進一步在二級「功能」下又分出「核心功能」（les fonctions cardinales）（或稱「核心」（les noyaux）與「催化作用」（les catalyses）。「核心功能」構成敘述真正的接合點（les charnières），而「催化作用」則填充了兩個接合點之間的敘事空間。而在「標誌」下又可分出「標誌」（indices）與「信息載體」（informants）。「標誌」說明敘述者的特徵、感覺、或氣氛，而「信息載體」說明時間與空間。

以《文學拿破崙》第二展區為例，Balzac 不惜貸款購買手杖用以炫耀，可視為一個功能（圖 2.2）。其中核心功能在於購買之行動，而花費鉅資則為催化功能，展區對於 Balzac 好炫耀的性格之描述則屬於標誌，其中包括對作家性格的仔細描述以及時間空間之交代。「核心」為命題的骨架，其他都是附於其上的肌膚，亦即依靠核心功能，故事方有向前進展的動力。

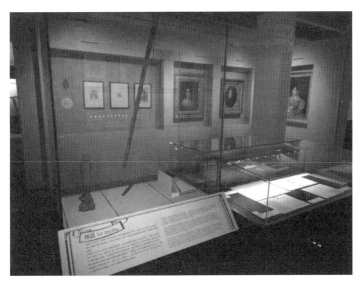

圖 2.2　《文學拿破崙》第二展區凸顯 Balzac 的拐杖。

Barthes 也考慮「序列」的問題。他將「序列」定義為「由一致的關係組合在一起的一系列符合邏輯的核心」。它同時是存在的最起碼的原因，也是其最大限，當序列受其功能所限，被歸入某一名稱，它就構成了一個新的單位，在另一個範圍更廣的

序列中起著簡單項目的作用。（Barthes, 1966：20）從表二對於本展的序列分析中可
看出，第一展區的提問由結語呼應，但結尾也似乎給予開放的結論，因此可又回到第
一展區的提問，從而形成連環。其次，從第二至第六的展區基本上都是本於「包含」
的原則。有如在第三展區的「巴爾札克因為早年事業不順（沒有變為現實），而轉向
寫作，終獲成功」的序列。最後在第一展區與展覽結尾，看似沒有明確行動，但展現
出不同人物對於 Balzac 的評語，可以視為「並連」的應用（圖 2.3）。

圖 2.3　《文學拿破崙》展覽結尾並列不同藝術家對於 Balzac 的評價。

　　「功能層」之上為所謂的「行為層」。在此涉及將人物視為行為的主體或是行為
的「參加者」（particiapants）之看法不同。Barthes 承襲 Aristote《詩學》（*Poetics*）
的傳統，將人物視為附屬於行為的概念，以人物「做了什麼」進行描述和分類。
Barthes（1966：22-23）歸納之前學者所提出的行為分類，包括 Bremond 提出的「欺
詐」（la fraude）與「誘惑」（la séduction）；Todorov 所提出的「愛情」（l'amour）、
「交際」（la communication）與「幫助」（l'aide），Greimas 所提出的「交際」（la

communication）、「慾望」（le désir）與「考驗」（l'épreuve），並認為三者有其共通之處。

不論以行為或人物來考量，皆須注意人物之間具有相互依存的關係。這點為Propp、Tomachevski、Barthes 等多位學者所認同。有施動者便有受動者，若涉及「並連」的關係時，行為對等而主體也成為雙重。而由於這些範疇只能按話語的主體而不是按實際的主體來劃定，因此人稱做為「行為層」的單位，只有放進第三個層次「敘述層」才有意義。

在「敘述層」中，敘述符號將「功能」與「行為」納入做為敘述交際的作品，而這種交際又在敘述者與讀者之間進行。Barthes 認為，「敘述層」起著一種模稜兩可的作用：它一方面打開作品的大門，使外界的讀者可以進入內部，獲悉其中的故事；另一方面它「在以前的諸層次之上，它使敘述結束，使敘述明確地構成一種語言的表現，這就提供並承載敘述自身的元語言。」（Barthes, 1966：8）也就是說，Barthes（1966：28）認為，「敘述層」是文本結構分析的最後一個層次，超過了它就進入了外部世界，也就是說其他體系（社會、經濟、意識型態）中的事情便與結構分析無關。「語言學的研究到句子為止，同樣敘事作品分析到話語告終。然後過渡到另一種符號學」（Barthes, 1966：28）。本文在此也採用 Barthes 的定義，以「敘述層」做為展覽故事分析的邊界。關於展覽各個展區的故事分析，透過「詞彙」、「命題」、「序列」的層次鋪陳，統整於表二。

透過「功能」與「序列」的組織原則所構成的事件安排便是故事的「情節」。「情節」可說是敘事層面的「故事」的構成主幹，它可以被定義為「事件的形式系列或語義系列」（胡亞敏，2004：119）。

復以《含英咀華》為例，該展座落於一個長型的展場，設置固定式的隔牆。展覽遵循著既有的空間分配，如平面圖所示，呈現一區區的分布（圖 2.4）。這樣的展區規劃毋寧是一種常見的處理方式。Bal 便曾以劇場做為這類型展場的隱喻，亦即強調

表二：《文學拿破崙》敘事話語分析表

展區	故事			話語		
	詞彙	命題	序列	策展意圖（館方或策展人）	述說的方式	交流
第一展區 巴爾札克的眾生相	名詞：巴爾札克 形容詞：各種界定詞語（青年的、有魅力的）動詞：無	以直陳式為主：什麼樣的巴爾札克或札克是什麼樣的人。	並列關係：以並列方式勾勒巴爾札克這個人並設定一種開放的態度。在展覽尾聲加以呼應。	策展單位認為從個別人評論的角度切入是有趣的開場方式。	述說：巴爾札克的眾生相（標題）、各個文字的引述說明19世紀時人對於巴爾札克的看法。演示：各種作品與圖像。文字引述亦被造型化。搭配背景的白色模特兒也有劇場化的作用。不過希望參觀者可以得出自己看法的開放態度仍以話語模式用文字述說。法文的問題比中文翻譯更具訴諸參觀者的作用。	疑問文本：抱持著詢問的口氣，要求讀者思考回答文本中的問題。
第二展區 愛情與友誼：由真實到神話	名詞：巴爾札克、他的朋友們、他的情人們 形容詞：各種界定詞語（樂天、受歡迎、多產）動詞：與誰做朋友、談戀愛、追求	巴爾札克與某人做朋友。巴爾札克寫情書給某人（巴爾札克某人追求）。巴爾札克充滿豐富愛情生。新聞界不渲染他的愛情生活。巴爾札克成神話。	因果關係：因為個性所以如此。巴爾札克奇傳豐富愛情史。巴爾札克具有特殊脾性炫耀（好）。	策展單位希望藉巴爾札克的情史拉近巴爾札克與大眾的距離。	在展區兩側以第三人稱的歷史模式述說巴爾札克與藝術家的交往以及他的一生與金錢、愛情、寫作的關係。物件強調神話的形成，是一種明的演示、暗的述說。第二層的敘述機制：多媒體的設計詮釋作家周遊女性的情史以及拐杖的神話。針對巴爾札克的拐杖，在展場與圖錄的說明中，除了描述拐杖的外型之外，也強調使用者花費重金特別訂製的用心。也因此側重了巴爾札克因為希望凸顯自己不凡而訂製拐杖這樣的小敘事。特定人物使用的物件易於結合人物的生活、心理之描述，有利發展敘事的空間。在此展覽特別強調了拐杖有幫助作家隱形以便於觀察人性的傳說，也因此以「神話」為小標題。觀眾留言顯示對於巴爾札克的豐富情史以及性格著墨的反應。	陳述文本：以肯定的語氣，將所知之事告訴讀者。

第三展區 工作中的巴爾札克	名詞：巴爾札克 形容詞：各種界定詞語（辛苦） 動詞：寫作、反覆修改、喝咖啡	巴爾札克不眠不休的寫作。巴爾札克寫信告訴韓斯卡他的寫作日子。	兩層因果關係：巴爾札克埋首寫作。因為早年事業不順而轉向專事寫作。為了有靈感，求助於咖啡並因而早逝。	說明巴爾札克的寫作生活。	標題點題，佐以引述的作證。文字的述說大過演示。手的青銅雕像隱喻作家的辛勤寫作。	陳述文本
第四展區 活靈活現躍然紙面	名詞：巴爾札克、人間喜劇→巴爾札克筆下的人物（高老頭內的人物）、社會百態 形容詞：各種界定詞語（作家的內心幽深、人物複雜、情節錯綜糾葛） 動詞：設計人物、人物反覆出場	巴爾札克寫信告訴韓斯卡他的寫作的內容。	因果關係：作家設計人物與情節的功力深以致令人以為其筆下的人物真實的存在於現實世界。	討論巴爾札克的塑造人物的功力與人物創造力。	同上，命題以第三人稱的文字述說與引述提出。大量活版印刷的人物並列展現巴爾札克的創作力。大本書籍的背景以及中央的電子書以「演示」的方式呈現人物活躍的舞台。	陳述文本
第五展區 《人間喜劇》科學的創作	名詞：巴爾札克、人性與人性 形容詞：各種界定詞語（嚴謹、客觀） 動詞：研究、分類、分析（人性）	巴爾札克以科學態度研究人類。將人性分性收納於象徵性的子小盒中。	因果關係：因為方學其方法的科學性造就《人間劇》的包羅萬象。	由於國立臺灣歷史博物館為物館自然因此特別設計巴爾札克塑造研究科學之身為博物之單元。	以述說與引述的方式點題。本展最為強化「演示」的區域，以超現實的手法，象徵作家以科學的方法寫作。觀眾留言表達對於展間設計的讚美。	基本敘述突然介入，告訴參觀者他的詮釋手法。這可能是因為擔心參觀者無法理解所採取的手段。

第六展區 曠世奇作:《歐琴尼·葛蘭德》與《高老頭》	名詞:巴爾札克→高老頭與《歐琴尼·葛蘭德》內的人物) 形容詞:各種界定詞語(成功、廣為流傳) 動詞:表現(作家的知識涵養)、講述(故事內容)	講述兩個故事(敘事內的敘事)。故事被不斷流傳(有不同的版本與媒介)。	因果關係:兩部作品因為表現作家的知識涵養所以受歡迎,成為經典。	從巴爾札克面前走過的觀眾,彷彿舞台上的演員,就像克筆下的巴爾觀眾,巴爾札克坐在席下的一人,看著演出的一齣齣戲。展示的設計用以強調巴爾札克筆下的人物就是你我,其作品是逼真且貼近我們的理念。	第二層的敘述機制:以書面文字述說兩部小說的內容。以述說與演示的方式說明兩部作品的成功與廣為流傳。巴爾札克坐在劇場注視著展場的壁畫,有如作家正觀看參觀者的參觀行為,或是欣慰著作品的成功。	陳述文本
結語 藝術家眼中的巴爾札克	名詞:巴爾札克、藝術家、藝術家筆下的作家形象 形容詞:各種界定詞語(嚴謹、客觀) 動詞:評論、互相參照、闡釋	某藝術家評論巴爾札克。藝術家的評論互相參照。	並列關係:不同藝術家提出對於作家的看法,因為可以相互參照而闡釋了作家的形象。回到文本的開端形成一個循環。	透過藝術家的評論回到「誰是巴爾札克這個」問題。令觀眾終於了解巴爾札克、其人、其生活、其藝術世界。	述說與演示說明藝術家對於巴爾札克的看法。可做為展覽開始的解答之暗示,但又保留開放性。此時文字又轉向與參觀者直接說話。	疑問文本:抱持著詢問的口氣,要求讀者思考回答文本中的問題。

資料來源:筆者製表

其中分隔出一個個獨立空間,有如戲劇表演的場景,且為了使展品處於最佳的可視狀態,策展人必須發展出一個劇本(scenography)(Bal, 2008:74)。展覽因此成為一系列「場景化」(mise-en-scène)的結果。在戲劇裡,「場景化」意味將文字與分鏡記錄以一種可以令多數觀者共同接觸的方式,在有限且受限的特定時空裡加以組織並表演(Bal, 2008:74)。但展覽畢竟不同於戲劇,展覽的觀者必須藉由主動的位移接近展品,且不同於戲劇,觀者在展覽裡並不僅是一個被動接受表演的對象,而是主動

接觸展覽所提供的內容者。在他一步接著一步朝向展品移動時，隨著之間的韻律、速度與觀點（points of view）或焦點（focalizations），觀者將展覽視為一種意義製造的序列（Bal, 2008：71）。

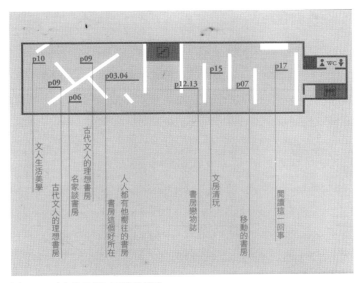

圖 2.4　《含英咀華》展場平面圖。

以該展而言，「故事」的界定是從介紹不同型態的書房空間到介紹書房裡的人事物，最後強調眾多書房內如何進行讀書這件事。進一步分析，這三個大序列又分別可以拆解為多個小序列。雖然該展並未標舉出一位明顯可識的故事主角，但一般以展覽的處理而言，我們已經可以說這三個大序列已經構成本展的「故事線」（storyline）。

若分別檢視三大序列，可以指出「書房這個好所在」（圖 2.5）、「書房戀物誌」（圖 2.6）以及「閱讀這一回事」（圖 2.7）等三個展示單元（事件）具有所謂的核心功能，而其他的單元（事件）毋寧是做為補充性質的催化功能。以 Barthes 的觀點而言，核心事件引導情節向既定的方向發展，而催化事件雖然功能性較弱，但它可以加快或

減慢話語的速度，甚至可以拖延、阻礙事件的發展。由此可見在顯示各種書房的區域，古今書房的並置成為一種填補核心功能的輔助（圖 2.8、2.9）；而在敘述書房的人事物的區域則同樣以古今對照，以及列舉不同人士在書房所從事的不同活動，以延遲故事向下發展或者是以其強化概念（圖 2.10）；而最後在敘述閱讀行為的區域，更藉由閱讀空間的擴大（「移動的書房」）用來強調閱讀的本質（圖 2.11）。

　　如此的分析展覽之敘事內容絕非多餘之舉，因為它有助於我們反思展覽所提供的「故事」是否過於複雜或簡單，又或者是否過於艱澀或平淡，更可在對應觀者如何「閱讀」時，提供明確的分析架構。如果這樣的分析正當性得以成立，我們可再思考展覽情節的組織原則與類型。在「書房這個好所在」序列中，由固定隔間區隔出的四個空間依照展場既有的路線順序依次規劃為一個現代書房區「人人都有他嚮往的書房」、兩個古代書房區「古代文人的理想書房」、「文人生活美學」以及一個影音裝置區「名家談書房」等命題。在此由於展覽的特性，明顯地是一種不同空間的連接與對照。在

圖 2.5　《含英咀華》展場一景：書房這個好所在。

圖 2.6　《含英咀華》展場一景：書房戀物誌。

圖 2.7　《含英咀華》展場一景：閱讀這一回事。

圖 2.8　《含英咀華》展場一景：古代文人的理想書房。

圖 2.9　《含英咀華》展場一景：人人都有他嚮往的書房。

圖 2.10　　《含英咀華》展場一景：名家談書房。

圖 2.11　　《含英咀華》展場一景：移動的書房。

「書房的人事物」序列中，「書房戀物誌」與「你的書房、我的書房」呈現的是現代書房的好物，而「文房清玩」則呈現古代書房的用物，兩者也是一種時間跳躍的對照。在「閱讀這一回事」序列中，空間連接的原則是透過攝影徵件的方式，將展場外不同空間攝入展場內，表現「移動的書房」概念，最終則將閱讀的場域拉回現場，以強調此時此地正適合閱讀的概念。空間連接的方式可與當代一些實驗性小說所嘗試的方式相對照，亦即不是通過一個接一個的行動來處理情節，而是以空間連接的方式，令讀者接受一個接一個的畫面，並使讀者從這些畫面中思索故事的意義，是一種淡化情節的做法。

在該展這些書房空間的連接中，刻意使用「時間偏離」（chronological deviation）的手法。在兩個古代的書房區中以「倒敘」（flashback）的手法加入了以明代末期為主軸的古人書房的展示。這樣一個回溯過去的手法在時間帶的選擇上是主觀的，且其跨度（span）是非常大的。現代書房的時間可能不過數十年便令我們感覺有極大的差異，但古代書房的時間帶可以含括數百年觀者卻不一定察覺。同樣地在「書房的人事物」序列中，「書房戀物誌」與「文房清玩」的單元也是另一個「倒敘」，儘管一樣有時間跨度的不一致，但同樣可以達到並置與對照的效果（圖 2.12）。

圖 2.12   《含英咀華》展場一景：書房戀物誌與文房清玩。

如同上述，該展淡化處理情節。首先因為該展的情節並不戲劇化，雖不能稱之為任意的組合，但也沒有扣人心弦的高潮起伏。尤其前述的空間連接與對照的安排，使得整體敘述多描述與評論而少行動與事件。更重要的一點在於，由於展場的既有空間

分布，無法強加規範觀者的動線，而策展團隊也沒有強迫參觀動線的意圖。因而，觀者進入展場，可以按照設定的方式先右轉再進入左方的展區，但也可以逕入左方，最後才參觀右邊的展區。這點說明該展的情節在閱讀上是一種非線性的類型，亦即展覽呈現一種情節結構的開放。這種開放性表現在情節組織原則的任意，也表現在開始與結尾的選擇不再絕對，而有不同的可能性。如此，觀者有其閱讀的自由，也有其接受上的任意性。

　　藉由上述分析理論，我們得以將每一個敘事分門別類，在每一組語句中尋找相同的詞類順序，並且以建立階層狀結構的方式描述各種故事類型。就某種意義而言，這些深層結構是無時間性的；它們產生自人類行為的規律和規則，而正是這些規律和規則推動我們從開端向結尾運行。儘管時間聯繫或因果聯繫對於故事序列是有必要的，但它們卻不足以說明故事為何有趣或吸引人，僅可以使我們梳理故事中所發生的一切。因此我們仍有必要進一步分析這樣的故事如何被加以述說，或者是理解作者在時間上對於故事線的重新安排以及視點的變化如何控制我們對行動的認識。

參、展覽的敘事話語：《文學拿破崙——巴爾札克特展》（續）

　　敘述文本係指敘述者在其中講述故事的文本。敘述者指的是語言的主體，而非在文本的語言中表達自身的個人（譚君強譯，2003：16）。真實作者是一個或多個具有真實身分的個人，而敘述者是具有語言主體的性質，兩者並不相同。如果敘述者在文本內敘述其如何敘述則可視為元敘事（metanarrative），一如第一展區一開始出現的「展出的話」（圖2.13）。元敘述特別具有的解釋功能，可以回答「什麼事件導致目前的局面？」之類的問題（里蒙－凱南，2004：467）因此元敘述中的事件與敘述事件本身具有直接的因果關係。由此亦可看出，敘述者亦即故事講述的言語聲音的發出者。正是敘述者的身分及其在敘事文本中所表達的方式與參與的程度，決定了敘述者發出的敘述聲音。

圖 2.13　《文學拿破崙》展覽內「展出的話」是展覽的元敘事。

　　在進一步考察展覽的敘述者身分之前，我們首先應考慮用以說明隱身展覽背後的基本敘述者或基本敘述機制。它（或他）控制展覽的「視點」，也代表展覽主要的敘述聲音來源。但一個展覽往往不是單一個人能夠完成，而有各種擔負不同工作的參與者，對展覽的敘事表現各司其職，具有特殊的集體性。上一章已經論述，參觀者進入一個展場，他面對的是一個個場景，他在現場看見的是敘述者已經看見過的。從書寫敘事的觀點而言，他是間接地看，從舞台敘事的觀點而言，他是直接地看見。從述說與演示的對照角度可清楚看出展覽屬於兩者的組合型態。表二將本展的故事結構與敘事話語依據展區不同單元整理，並同時對照各展區的策展用意。

　　Noémie Droguet & André Gob（2003：148）指出展覽策劃的過程可分為六個步驟：依據目標觀眾界定展覽不同主題的概念、建立主題架構並分析之間的關係、將展覽置於空間並決定路線、選擇最能呈現主題的物件、撰寫不同層次的文字、展場設計（如色彩、燈光、視覺風格等），並且第三到第六個步驟是可以同時進展的。這樣一個策

展過程與結構的舉例已足可看出展覽策劃的複雜度，而展覽所運用的材料亦極為多樣。Christian Metz（1968）對電影敘事的研究指出，電影敘事可運用五種表現材料：活動畫面、音響、音樂、話語和文字。而文學敘事只運用一種表現材料：話語（口頭或書寫的），因此文學是「獨唱性的」，而電影是「多元性的」。若以此比喻展覽，展覽的基本敘述者亦使用多種表現材料，包括展品、多媒體、說明文字以及各種空間上的配置等。有如本展介紹 Balzac 的人、生活與創作，並透過物件在空間的配置傳達要旨。

一、展品

展覽是一種感官可接收的呈現，展品被擺設於空間內有如一個向大眾「展示」的場面，是一種「演示」。對許多觀眾而言，參觀展覽意味與一件接續一件作品的「相遇」。每一件作品背後也都可能述說一段獨有的故事。展品本身就是敘事中的角色，它們自我表現，有時有中介機制（說明），但仍是自我表現的。戲劇表演有類似的情況，但戲劇演出每次都會創造新的文本（因為演員不可能每次演出都完全相同），展覽的物件則是不變的。以展出於第二展區的主要展品「巴爾札克的拐杖」為例，展品以其不尋常的來歷與意義占據展場非常醒目的位置，具有一種足以與參觀者展示其不凡身世的分量（圖1.1）。位於展品旁邊的說明卡也有助於標示其身分血統（圖2.14）。然而若細讀展出這把拐杖的理由，便可發現展品看來直接面對觀眾，其實仍受到基本敘述機制的調控。展品若可視為「演示者」，它的在場仍需透過一位人物的「畫外音」顯現出來，它完全無法取代基本敘述者的地位。因而從基本敘述者的意圖，到展覽的布置與說明，再到展品與觀眾的面對面，可以視為一種中介活動，亦即將思想轉化為「在場」的呈現之間的操作。

二、多媒體做為展品

但是若展覽運用了多媒體，則情況變得複雜。當無法保證每一位觀眾的每一次參觀都能接收等同的內容，則展覽的文本是一種當時性的、隨機的、轉瞬即逝的文本。

圖 2.14　真跡作品經常扮演展覽的角色，但展品不是自己說話，而是被安排說話。

在展品的「演示」中，觀眾做為敘事的接收者，從自己的觀點去觀看。觀眾直接看見展品，「間接」看見展覽。但是在參觀展覽的過程中，觀眾需要自己引導，組織其感知，自己回憶。在做為展品的多媒體中，內化於畫面的敘述者既是講述者（他講述某個故事），又是一個被講述者（他背後另有他人講述）（圖 2.15）。因而角色化的敘述者可以以第一人稱說話，令觀眾以為是直接的說話者。但這毋寧是一種誤解。以言語講故事的畫內音敘述者雖然處於前景，但其以演示為主的媒體特性卻使他們無法像基本敘述者那樣占據全方位的敘事地位，因此應可分出第一與第二層次的敘述機制。第二層次的敘述者應與整體故事的其他部分相互協調。

三、展覽的文字說明

當我們涉及敘事，勢必涉及話語。言語則是一種話語工具，語言的使用難以脫離人的作用。一般展覽也借助大量的書寫。書寫者不是在現場敘述，因此便屬於非模仿

圖 2.15　多媒體做為展品容易被誤認為敘述者。

敘事，且一般為歷史模式。展覽的說明首先可以解決一些可讀性的問題，在畫面與畫面之間，可以用書寫的說明或者用口語的解說加以串連。如果解說以錄音或錄影的方式取代真人，可視為敘述者介入畫面的做法。此為一種畫外音的方式，與前述多媒體作品是為角色化的敘述者不同（會說出話的展品）。在此之上，我們仍可以感知展覽幕後有一個主宰的敘述者，他決定了哪些書寫與哪些展示。

　　該展的說明也包括大量引用 Balzac 或他人的話語，是為「引語」（圖 2.16）。引語是語錄的一種形式，係由基本敘述者引用他人的話。Bakhtin 認為引語是「話語中的話語，言談中的言談，同時也是關於話語的話語，關於言談的言談」（劉康，1995：169）。語錄一但被引用，就具有自身的力量。它對於引用它的言談原主題進行評價與說明。引語與原主題之間互相評估、補充，有如對話。尤其本展的引語皆有如畫作一般加框，畫框的作用使得引語有如一幅畫面，並與周遭的世界有著明確的區隔，凸顯出語言本身的自覺意識。

圖 2.16　展覽中的引語是話語中的話語。

四、展覽的口語說明

　　語音導覽雖似乎予人特定的臨場感，但實際上是由經過安排的敘述者介入的方式。而導覽員（或解說員）則不同，他是真人的口語解說。「敘述者」一詞早先用於表示一個真實存在的人，他用詞語講述一個故事。古希臘的行吟詩人是代表。這意味在其源頭，敘述者與受述者同時在場，且是以口語的方式敘述。導覽員是一個真實存在的、具有自主性的人，他就是講述者。即使他不是所述故事的原作者，他依然是他提供的敘事的原始基本敘述者。他不是他人所創造出的敘述者。一個畫面演示者與一個言語敘述者的組合創造了一個值得注意的敘述聯合體。導覽員的說明強化觀眾的現實感。

肆、展覽的敘述行為：《含英咀華——閱讀與書房》（續）

　　展覽研究最核心的要旨便在於其溝通的過程與機制。既有研究對於展出之際訊息

如何傳遞以及訊息渠道的雙向如何產生作用等問題著墨甚深。敘事文本的溝通過程的模式建立並承襲了結構主義語言學對於言語傳達的交流過程模式理論，尤其是 Roman Jakobson 提出的理論（譚君強，2008：30；申丹、王麗亞，2010：69）。其理論說明了一個訊息發送者發送訊息給一個接收者時，需要連結到某種語境。而接受者要能捕捉到這種語境，就需要採取代碼的形式。代碼需要是發送者與接收者都熟悉的符號，不論其為語言形式或是光影、色彩、視覺形象等符號。所有的符號最後必須透過某種聯繫，一種在發送者與接受者之間保持暢通的物質面與心理面的聯繫，以使交流過程得以成為可能（譚君強，2008：31）。

若進入敘事文本或虛構的敘事作品的交流過程，1978 年 Seymour Chatman（1978：151）在《故事與話語：小說與電影的敘事結構》（*Story and Discourse: Narrative Structure in Fiction and Film*）一書中提出的交流流程圖成為日後許多敘事學者採納的理論基礎（圖 2.17）：

圖 2.17　Seymour Chatman 提出的敘事交流流程圖（Chatman, 1978）（筆者重新繪製）。

在 Chatman 的流程圖中框起來的部分指的是敘述文本內的溝通。在此必須提出的另一概念是所謂的敘述交流層次。在他的構想中至少便存在著文本框架外的真實作者與真實讀者以及在文本框架內的另外四個參與者。Manfred Jahn 則將敘述文本的交流區分為三個層次，每一個層次都牽涉到其自身的訊息發送者與接受者，可以下圖表現之（圖 2.18）。

Jahn 將第一層稱之為「非虛構層」（level of nonfictional communication），由真實作者與閱讀作品的讀者所構成。由於兩者皆不存在於文本內，因此也被稱為「超

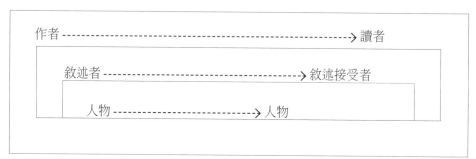

圖 2.18　Manfren Jahn 提出的敘述層次圖（譚君強，2008）。

文本層」（extratextual level）。中間層為「虛構中介層」（level of fictional mediation），由虛構的敘述者向指明或未指明的敘述接受者講述故事。最內層則為「行動層」（level of action），由故事中的人物之間相互交流。而中間層與最內層的交流因為皆發生於文本內，因此又稱為「內文本層」（intratextual level）（譚君強，2008：37-38）。Jahn 的「虛構中介層」也是 Genette 所謂的「敘事所講述的任何事件的記事層為第一層」（廖素珊、楊恩祖，2003：274；Genette, 2007：237）；而 Jahn 的「行動層」視為 Genette 所謂的「產生這敘事的敘述行為是第二層」（同上註）。

　　要進一步思考在展覽的語境中，如何定義各個層次的各個參與者是另一個課題。首先我們談的是真實作者、隱含作者與敘述者。真實作者是創作或寫作的人，敘述者是作品中的故事講述者，兩者是不同的概念（譚君強，2008：37-38）。前者是現實世界的人，後者是前者的想像產物。至於「隱含作者」是 Wayne C. Booth 提出的重要概念，可以解釋為「處於某種創作狀態，以某種立場來寫作的作者」（申丹，2010：71）。Booth 認為，「（...）不管一位作者怎樣試圖一貫真誠，他的不同作品都將含有不同的替身，即不同思想規範組成的理想。」（華明等譯，1987：80-81）。對於讀者而言，他所認定的作者其實是隱含作者，也因此我們可以將隱含作者視為讀者從文本中所理解與建構的，也是讀者理解作品的產物。

　　在討論紐約的大都會博物館（Metropolitan Museum of Art）與美國自然史博物館（American Museum of Natural History）的展示時，Bal 認為說話的主體，亦即展示者（expository agent）或第一人稱的「我」並不僅止於策展人與博物館的館員，而更在於其歷史過去與共同記憶的雙重累積，一座像美國自然史博物館一般宏偉（monumental）的機構，其宏偉性（monumentality）來自於建築本身、收藏內容、過往的殖民歷史等（Bal, 1996b：16-17）。Bal 在此並未指稱展示者的敘事身分，但我們若對照前述作者、隱含作者與敘述者三者，真實作者在不同的情況，可以為策展人，也可以是代表一個機構或一個文化的策展人或團隊；而隱含作者則可理解為真實作者在策劃特定展覽時採取的某種立場與態度。在《含英咀華》中，筆者與策展團隊既是「書房展」的真實作者也是隱含作者，但如同 Booth 所說的「真實作者創造了隱含作者」，亦即日常狀態與策劃特定展覽時的特定狀態的區別（申丹，2010：72）。換句話說，筆者若策劃其他的展覽時，便可能以另一隱含作者的身分進行。這樣的區別並非無意義，尤其對於界定閱讀時格外重要。因為觀者對於展覽作者的認識，實際上是透過做為文本的展覽所理解的隱含作者。也因此，申丹認為隱含作者並非全然如同 Chatman 所說的處於文本之內，因為「隱含作者是文本的創造者，因此處於文本之外；但從解碼來說，隱含作者是作品隱含的作者形象，因此又處於文本之內」（申丹，2010：75）。就《含英咀華》而言，隱含作者也確實採取了特定的立場，其中特別包括與年輕學子溝通以及拓展大學博物館的實驗性等企圖。

　　如果展覽的真實作者與隱含作者是明確可以界定的，那麼展覽的敘述者相對是難以捉摸的。敘事理論所談的敘述者，指的是「陳述行為主體」（胡亞敏，2004：36）。Bal 提到，「敘述者的身分，這一身分在文本中的表現程度和方式，以及隱含的選擇，賦予了文本以特徵」（譚君強譯，1996：19）。在敘事學研究裡，有不同的學者對於敘述者的分類提出不同的建議，有的從敘述者的人稱、有的從敘述者是否參與在故事當中，也有的從敘述者的主觀態度以及涉入程度等。筆者以為當我們要將敘事學中所談的敘述者概念運用在展覽時，首先必須界定展覽的特性。

　　如同前述，20 世紀 80 年代以降，敘事學的研究領域逐步拓展，已經觸及影視作品與視覺藝術作品等非文字媒介的敘事分析。在 David Herman 編輯的《劍橋敘事指南》（*The Cambridge Companion to Narrative*）一書中，便收錄了戲劇、電影、電視與數位媒體等媒材的敘事分析研究論文（Herman, 2007）。展覽相對於其他非文字媒介又更具特殊性的地方，在於除了極為少數的例外，展覽經常是文字、視覺藝術作品、多媒體影像、說明面板等各種主要或次要的展示內容的總和。尤其是文字的角色，隨著不同的展覽有不同的份量與功能。以《含英咀華》而言，每一個展區或者說每一個序列下的命題，其實都是由語言所定義的。但我們可以因此將敘述者界定在文字層面的分析嗎？筆者也認為是不足的。為此，我們或許可以先行參考其他非文字媒介的敘事理論的一些見解，之後再回歸到作品是否也在說話的問題。

　　在非文字媒介的敘事分析研究中，特別值得參照的是早於 20 世紀 60 年代起便開始發展的電影敘事。Christian Metz 在 1964 年發表的論文〈電影：語言或言語〉（Le cinéma: langue ou langage?）中，提倡以結構主義語言學方法分析電影的結構形式。他強調電影敘事與文字敘事在媒介性質上的差異，也認為影像組合與文字敘事一樣具有結構關係（Metz, 1964）。在 Metz 的分析中，有幾點是值得我們參考的。首先他認為「電影語言」不存在最小的敘事單位，而是鏡頭之間的組合關係（亦即鏡頭與鏡頭之間、段落與段落之間的結構關係）應被視為研究電影敘事結構的關鍵。此點可以令我們思考是否亦有必要考量展覽的各個組合要素之間的結構關係。其次，Metz 認為電影的各個組合元素如影像、話語、音響等在組合為電影時並未失去其原本的法則，尤其這些元素並非皆同處一個層次（Metz, 1964：61-65）。此點在當代的電影敘事理論更發展為五種表現電影敘述的材料：畫面、音響、話語、文字與音樂。且電影敘事的機制不是單一的，我們無法指認一個明確的敘述者，也不能依照 Genette 的敘述層次模式在一部影片中指認誰是第一層敘述者誰是第二層敘述者。因此當我們說「電影敘述者」時，實際上是指一種機制，而不是指人格化或非人格化的敘述者（申丹，2010：249）。同樣地，展覽的各個要素所組合的整體，是否才應被視為展覽的敘述者呢？而展覽是否一如電影，無法區別敘述層次呢？

　　以《含英咀華》為例，我們確實可以認為一系列的古代家具文物以及文字、聲光

音效的組合，敘述著何為古人的理想書房（圖 2.19）；各種現代文具的搭配展示與文字說明，敘述著現代書房中人與物之間的愛戀情結（圖 2.20）；又或者不同時代製作的端硯訴說著中國文人對於傳統文房用品的使用習慣自古至今實未斷絕。但若細看，又會發現文物本身也以另一個身分出現：它可能並不滿足於擔任一個見證的角色，而是自身帶有想要述說的故事。一張明代的文人書桌，當說明文字上註明它的來歷時，它便擁有了有別於展覽敘述者的另一種敘事。同樣地，當 Moleskine 筆記本的說明上提到梵谷時，是有別於展覽敘事，將觀者的思緒帶往 19 世紀末藝術大師創作生活的另一種敘事。而這樣的敘事，筆者傾向將其視為故事中的人物，但是展覽文本中的人物，除了自身之間的交流之外（以一幅幅靜物畫的方式呈現，之間也有其並置的邏輯），也可以直接與觀者交流。也就是說，這些作品既是敘述者，又是故事中的人物。如此，我們傾向認為展覽的敘事可以存在於多個故事層次。若借用 Bal 的說法，我們可將最外層的敘事界定為「母體敘述」（matrix narrative），也就是包含著「次敘述」的敘述（譚君強，2008：37-45）。

圖 2.19　《含英咀華──閱讀與書房》展場一景：古代文人的理想書房。

圖 2.20　《含英咀華》展場一景：書房戀物誌。

在某些情況下，展出的作品以超然獨立的姿態出現，且僅伴隨著非常有限的，甚至完全沒有說明文字。Bal 認為這樣的作法無疑是強化了作品難以反駁的權威，並且對於觀者而言，敘述者更難掌握也更難與之辯論（Bal, 1996b：112-113）。在該展的「移動的書房」展區中，有四件攝影作品以此種方式展出（圖 2.21）。它們沒有任何說明，其展出方式與對牆沒有說明但是大量集合展出作品的方式明顯不同（圖 2.22）。同樣敘述不同的閱讀場域與空間，這四件作品確實更顯重要與特殊，也比較容易帶領觀者進入作品的細看。兩相對照，可以顯示不同的展示手法對於展品意義的詮釋也因而不同。

圖 2.21　《含英咀華》展場一景：移動的書房。

圖 2.22　《含英咀華》展場一景：移動的書房。

Bal 認為展覽布置有如一種論述（discourse），而這種論述在於作品、說明文字、展示布置等所有共構的產出張力（Bal, 1996b：128）。的確，如果展覽是一種藉由安排言語的以及視覺的元素的空間關係來傳遞訊息的話，我們就有思考這種手法的特殊性。在進一步討論展覽布置與敘事的關係之前，我們可以更廣泛思考與展覽有關的各

種人事物。首先有一批對於展覽具有政策影響力的人，他們包括了藝術史學家、博物館研究員、博物館館長以及高階主管、博物館的上層單位、政治人物、贊助者、博物館之友以及捐贈者；其次還有一批直接或間接形塑展覽以及博物館機構形象的人，他們是建築師、室內規劃與設計師、展場設計師、策展人、燈光調節師、視覺或形象設計師、家具設計師與博物館行政人員等；最後則還要列入影響作品如何被觀看的工作者，如文物修復師、裝裱或裝框師、台座製作者乃於相關的技師等。上述這些身分皆以不同的方式使得一件「物品」轉化為一件「展品」。而在「展品」登場之後，藝術家、導覽人員、博物館公關、博物館教育人員以及各級學校教師則更大比重地擔負起展覽與展品詮釋及向各階層大眾說明的任務。這樣一種機制以不同的比例呈現於不同類型的博物館與展覽，自然也影響著前述展覽之真實作者與隱含作者的身分。

　　讓我們回頭觀看界定展覽敘事與展覽布置的問題。展覽內的空間配置取決於眾多的因素。首先可舉出的是展品與展品之間的相對關係也決定著它們如何被觀看。展品如何被裝框或裝裱、展示位置的前後高低、彼此之間的距離遠近，都有一定的意義。前述「移動的書房」展區的攝影作品在如此的邏輯下，被刻意地沖洗為不同的大小，有的裝框有的卻只是裝裱於硬紙板上，其之間的距離不一，這些手法皆在暗示對於呈現展品的重要性以及「獨白」或「共讀」的差異。

　　當前展覽的型態日益多元，可以做為展出內容的「展品」也不再限於所謂的藝術品。以該展為例，使用的「展品」除了文物、藝術品、攝影作品之外，更大比例地運用現成的物件、書籍、家具以及錄像裝置，這些不同來源的物件以新的組合方式被布置在展覽空間內：並置、區隔、交替、相互取代、重複與層層包疊等。這些手法有如文學的修辭法（figures），有其特地的目的。例如在「文房清玩」命題中，一排印章透過反覆（repetition）與並置（juxtaposition）的方式，強調其重要性（圖 2.23）；又如提喻（Synecdoche）與隱喻（metaphor）的交錯使用，前者強調展品做為特定時代的代表與見證（如古代書房的布置），後者暗示一種普遍原則（如現代書房的布置以及書房戀物誌的文具）（Bal, 1996b：75,78）。當中，燈光、色彩也都扮演著一定的角色。

　　所有林林總總的展品，除了擔負起敘述展覽的任務之外，也將各自的訊息帶入展覽中。以展覽中的錄像裝置為例，「名家談書房」、「我的書房」與「校園大直擊」等作品，雖是為了服膺於「書房這個好所在」、「書房的人事物」與「閱讀這一回事」的敘述，但是影片中出現的訪談人物卻又以直接與觀者說話的姿態，從展覽文本的角色一躍成為敘述者，並且這樣的敘述也跨越了敘述的層次，從文本內直接躍出文本之外。不僅影片中的人物直接訴諸觀者，伴隨展品的說明卡，也一再地透過如同鏡頭的拉近（但由觀者的位移），使觀者注目著特寫中的文字說明。而每一個文字說明，一樣地將觀者不斷地帶入展覽之外的時空的同時，又彼此對話。譬如在「文房清玩」中，四個展示傳統文房四寶的展櫃內，各以一張統合的說明卡說明展品，觀者在對照時，不可避免地會交錯閱讀其他的文物，因而對於彼此之間的關係會有所想像（圖2.24）。如此我們可以發現，展覽的敘述者無法以單一文字或是視覺性的語言出現，而展覽文本的敘述層次儘管存在，但之間卻有相互指涉的情形。

圖2.23　《含英咀華》展場一景：文房清玩。

圖2.24　《含英咀華》展場一景：文房清玩。

本章試圖將展覽看做一個系統，並闡明系統中各部分之間的關係。雖然在此僅為單獨展覽個案，但也試圖提供一個拆解展覽究竟要說些什麼以及如何說的架構，以做為應用於其他展覽的建議。在敘事內容部分，本章首先將故事劃分為相對獨立的基本單位，並建立這些單位得以連接的原則；筆者以為分析展覽之敘事內容有助於我們反思展覽所提供的「故事」是否過於複雜或簡單，又或者是否過於艱澀或平淡，更可在對應觀者如何「閱讀」時，提供明確的分析架構。在「話語」的部分，則藉由對照不同的話語與交流模式，分析如何連結敘述者、其聲音以及述說的內容。然而這並不意味重建深層結構是一種求同的研究，對於共同模式下不同展覽的變異的比較研究，同樣是一個值得開拓的領域。

這樣的分析自然也有進一層的用意，便是可用以了解敘述聲音的話語對象，並在進行參觀者研究時，對照參觀者的反應。根據 Bakhtin（1986：103-106）的看法，如果我們仔細地聽，我們可以在敘事作品中聽到兩種對話。透過敘述語調，作者可以與人物進行隱含的對話；而透過滑稽模仿或文體模仿，作者也可以間接評論其他的作者和約定俗成的語言用法。我們能認出這些效果是因為我們知道語言在文學中與在生活中是如何被運用的。我們的語言知識與書寫文字之間的相互作用產生對話。儘管參觀者不會直接回答策展者，但仍會覺得自己是被述說的對象，以提出和回應有關他們所參觀的內容的問題並使一個展覽得到生命。

重建深層結構是對於閱讀展覽的一種新的審視，也是對於讀者能力的一種訓練。加強作品深層結構的研究，將有助於我們更好地理解展覽各部分的關係與內在聯繫，並能使我們在一個更廣闊的視野下把握展覽的意義。敘述技巧本身並不是目的，而是實現某些效果的手段，儘管作者與讀者的目的不盡相同，這些目的都與價值和意義問題密不可分。

第三章、展覽敘事的限制與變體

人文科學的跨學科性，必要、刺激且嚴肅，它必須在「觀念」而非「方法」的啟發性與方法論基礎上去尋求。（Bal, 2002：5）

從上一章討論的兩個展覽案例可發現，一個展覽要做為敘事文本最大的難處首先在於主題上的統一。《文學拿破崙——巴爾札克特展》（以下簡稱《文學拿破崙》）的故事主角無疑為 Balzac，展覽的一切都圍繞著主角而展開。雖然做為一個故事，仍然有許多未說明的部分，但整體而言，敘事的核心人物是清楚明確的。而在《含英咀華－閱讀與書房》（以下簡稱《含英咀華》）一展中，情況便有所不同。《含英咀華》中我們很難明確知道展覽的故事主角，不論「書房這個好所在」或「書房戀物誌」或「閱讀這一回事」皆沒有以特定的人物為中心。如果一定要說的話，展覽毋寧是以包括觀眾在內的所有人為主角，因為展覽訴求所有觀眾的贊同，也希望所有的觀眾都可以在展覽中找到自己熟悉的生活經驗，而這一點也其實是當前許多展覽共同的目的。而如果要嚴格地說，即使如《文學拿破崙》這樣的展覽，其在主角如何因為發生的特定事件而造成何種的變化，又或者是在建構因果關係上的情節結構等處理上，都是薄弱的。這也顯示，我們儘管可以運用結構主義的敘事分析模式拆解一個展覽，並不意味展覽一定能夠以傳統——特別是文學理論下的——敘事學概念去解釋。此點便需回溯到本書在緒論所提出的當代出現在各個領域裡所謂「敘事轉向」（narrative turn）的發展問題。我們確實可以質問，在博物館展覽的領域中所談的「敘事」與其他領域所談的敘事，是否有其言說上的限制與運用特色？這些限制或者運用上的特色如何反映展覽本身的特質？

展覽有其特殊的條件，這些條件包括其受制於一定的空間、運用多種物件與媒體

以及觀眾處於一種移動狀態的觀賞等。展覽本身的類型也極端地多元。如果以第一章第三節所分析的文本類型觀之，大多數的展覽屬於描述與說明的文本類型，而非敘事的文本類型。但近年來，展覽敘事卻不可諱言地成為眾多學術研究或實務操作上經常運用的詞彙。由是，我們一方面需要理解博物館界認知的展覽敘事之意涵與內容，另一方面，也需要思考如果這當中有所落差，這樣的落差又意味著什麼？

壹、從展覽敘事到展覽敘事元素

Rimmon-Kenan（2006：11）認為，做為敘事的最低限條件為具有「雙重的時間性」以及存在一個「敘述的主體」。所謂雙重的時間性意味一個敘事必然存在著故事所發生的時間以及敘述故事當下的時間。此點在展覽無疑是沒有問題的。甚至我們可以再創造第三個時間，亦即區分策展（說故事）的時間以及觀眾參觀（聽故事）的時間。只是如果我們從觀眾的角度，也確實可以將此兩個時間視為一個，畢竟對觀眾而言，只有在參觀的時候，展覽本身才有意義。至於所謂「敘述的主體」，Rimmom-Kenan刻意不使用敘述者便是因為「留給類似電影那種不是一個敘述聲音，而是由一種複合中介主體為代表者發揮的空間」（Rimmon-Kenan, 2006：16）。一個敘事的成立自然還有如第一章第一節所提的其他要素，諸如起始－中途－開端的過程、主角行動的一致性、因果關係造成的狀態改變、接受方的存在等等。在面對當代敘事涉入各個學科領域的規模與現狀發展，Rimmom-Kenan認為我們既不能認同將任何言說都視為敘事──因為如此一來就等於沒有敘事──也不能否認在很多時候，以上揭櫫多種要素並不全部存在。由此，Rimmon-Kenan提出了一個我們在思考博物館展覽時非常值得參照的概念，那便是所謂的「敘事元素」（narrative elements）。她認為在前述最低限條件能夠被滿足的情況之下，其餘條件如果不全然完備，可以視為具有「敘事元素」，但不能足以稱之為敘事。譬如一個哲學的論證可能具有敘事元素，但無法稱其為一個敘事（Rimmon-Kenan, 2006：16）。

「敘事元素」概念的提出，一方面可以肯定既有對於敘事成立要件的思考傳統，另一方面也容許不同學科領域因為其特定的言說方式或關注焦點而有不同的運用敘事手法。博物館的展覽符合 Rimmon Kenan 的敘事最低標準是毫無問題的，但要符合所有的敘事要件便有困難。以《含英咀華》為例，雖然整體展覽做為一個敘事，有主角不突出、情節平淡及因果關係不顯著等問題，但在展覽的組成單元中，卻可發現更多微小敘事的運用。譬如在「書房戀物誌」單元中，展出了許多現代書房經常出現的文具與簿本。展覽並非介紹這些物件的製造商或功能材質，而是陳述該件文具與其擁有者／使用者之間的關係，因此是呈現一個物件背後的故事。譬如陪伴一個畫架的是一個 5 歲小女孩如何愛畫畫的故事；一本畫本背後是一個研究生日常生活的心情記事等等。展覽選擇以這樣的方式呈現書房的物件，也烘托了展覽希望說明書房中人與物之間親密關係的用意（圖 2.20）。可見「敘事元素」的使用，可以令博物館展覽擺脫過於學科化的分類系統與知識化的資訊說明，而以一種更令觀眾感到親近與溫暖的方式展示物件。因此，「敘事元素」的成立，在於其故事背後所透露的情感與溫度，而非無關人性的客觀資訊。

2013 年在臺北展出頗受歡迎的展覽《失戀博物館》是另一個運用敘事元素概念的展覽（圖 3.1）。該項展覽為座落於克羅埃西亞薩格勒布的「失戀博物館」（Museum of Broken Relationships）規劃的巡迴展[13]。該館係一對分手戀人於 2006 年共同發起，主動收集徵募來自各個國家的人們在一段感情結束之後具有象徵意義的物件，並將物件與其背後的故事寫成一段描述一同展出。這樣的概念極能獲得人們的共鳴，因為儘管物件的來源有其地域性的差異，但背後所蘊含的人性與情感是共通的（圖 3.2, 3.3）。一則 2010 年 11 月 25 日的《經濟學人》（The Economist）的報導指出：「如果他們只是陳列一些舊靴子、暈機袋和毛絨絨玩具，那麼看起來可能像一堆沒意義的舊貨，但有時物件旁令人心碎的故事或只是幾句簡單的句子便能賦予它們全新的生命」[14]。

---

[13] 關於「失戀博物館」的相關資訊可參見 http://brokenships.com（瀏覽日期：2013 年 8 月 26 日）。

[14] "Art of remembering: That was then", *The Economist*. 25 November 2010 http://www.economist.com/node/17572434（瀏覽日期：2013 年 8 月 26 日）。

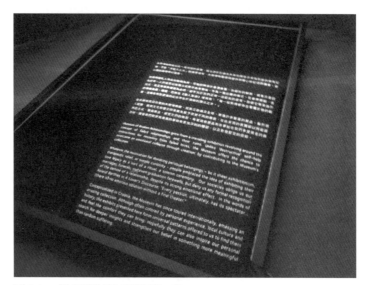

圖 3.1　《失戀博物館》臺北展場一景。

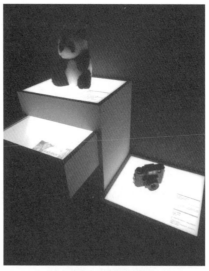

圖 3.2　《失戀博物館》臺北展場一景。

圖 3.3　《失戀博物館》臺北展場一景。

　　國立臺灣科學教育館（以下簡稱科教館）2013 年 1 月推出的特展《聽水的故事》是另一個性質不同的例子。是項展覽由以科學教育為主旨的博物館所規劃，本為科學類型的展覽，但由於加入與水有關的歷史與文明的內容，因此較之一般的科學展覽更強調藝術與人文的面向。展覽分為三大單元，分別是「水的科學」、「水的文明」與「水的未來」。配合三個單元的主題，策展人與其團隊刻意選用三個不同地理區域的劇場來呈現，分別為歐洲劇場、非洲劇場與亞洲劇場（圖 3.4, 3.5, 3.6）。這三個劇場有著清楚的主題，並圍繞著入口大廳的「雨之廣場」與「水樂園」而展開，沒有一定的參觀順序。因此我們便很難規範此展的故事發展順序。也就是說，雖然展名為《聽水的故事》，但我們既難以說主角是水（除非將其擬人化，否則難以宣稱水的七情六慾），也難以說出一個因應時間發展而產生的因果情節。如果嚴格地檢視，該展理應屬於說明文本。然而，在同時間，參觀該展的觀眾也都能獲得許許多多的小故事，因為展覽在各個單元的各個子題，運用了很多說故事的技巧。譬如在「水的科學」單元，

可見到對於拉瓦節、卡文狄士、奈可爾生與佩羅等四位歐洲科學家做出與水有關的發明的故事，其故事並且以機械搭配投影的劇場來呈現。這樣的形式可使對於閱讀文字沒有興趣的大小觀眾皆願意坐在銀幕前津津有味地觀賞（圖3.7）；又如在「水的文明」單元，也是以劇場形式介紹第一個點亮臺北市街街燈的龜山水力發電廠以及非洲小朋友一邊汲水一邊玩的故事；而在「水的未來」單元則介紹了關渡溼地的發展淵源。這些以人物或地點背後的故事為說明策略並佐以影片播放的方式，比起傳統的知識灌輸更能達到向觀眾溝通的效果，也是一個有效運用「敘事元素」的展覽。

　　《聽水的故事》說故事的方式非常接近 Leslie Bedford（2001：30）所提出的「物件劇場」（object theater）策略。Bedford 所謂的「物件劇場」係指一種運用燈光與多媒體效果營造出劇場的形式，以替博物館的物件提供一種多重感官的情境。這樣的手法可以取代動手做並也賦予物件生命。「物件劇場」的作法最早出現於 1980 年代的加拿大北方科學館（Science's North）。觀眾可坐在一個布置如同黑夜星空的暗室，

圖 3.4　《聽水的故事》展場一景：歐洲劇場。

圖 3.5　《聽水的故事》展場一景：非洲劇場。

圖 3.6　《聽水的故事》展場一景：亞洲劇場。

圖 3.7　《聽水的故事》展場一景：歐洲劇場內的影片播放。

並且觀眾會從一個童聲吟唱的「小星星」開始進行故事。這樣的手法很快受到北美其他科學博物館與兒童博物館的採用。Bedford 認為，「物件劇場」的手法有助於博物館發展多重的故事線，而這也正是我們在《聽水的故事》展廳中所看到的作法。而最重要的是，敘事的加入可以有效地連結博物館的物件與觀眾的生活經驗與記憶。

物件滲透著我們的生活。Janet Hoskins 引社會學家 Violette Morin 的說法指出，自傳性的物件承載著主體與客體之間的關係，帶著使用或歸屬的痕跡。自傳性物件標示著一個人的生活與生命並且能創造出一個可辨識的自我風景（Hoskins, 1998：7-9）。此種將物件連結至一個個體的概念對於敘事發展是非常重要的，因為它令我們得以將私人的物件主觀化，並使其代表著一個人的某一段生命。因此我們可以想像物件後面的個人，它本身具有真實性與再現價值。

當前許多博物館都不約而同地發展從物件說故事的策略。當博物館的展品所連結

的不再是冰冷的知識訊息，而是經過人們生活經驗孕育出的故事時，一個展覽便同時擁有一個或多個敘事元素。如果依照 Jerome Bruner 的理論，這樣的說明雖然比較缺乏資訊，但卻會令觀眾印象深刻（Bedford, 2001：32）。而擺脫了完整敘事架構，轉向個別物件的敘事元素的展覽，也得以發展更多的展示策略。包括美國德拉維爾美術館（Delaware Art Museum）在內的一些英美博物館透過實體或線上博物館的機制，鼓勵觀眾或受眾述說博物館展品或藏品背後的故事，以做為發展觀眾參與或是觀眾回饋的策略（Fisher et al., 2008）。這種做法受到博物館界的肯定，甚至美國博物館聯盟（American Alliance of Museums）在 2013 年便以「故事的力量」（The Power of Story）為年會主題[15]。在其官方部落格，Elizabeth Merritt 便認為美術館可以敘述收藏品背後不同的故事，包括藝術家的生命故事或是解說不同物件的政治與社會敘事。她特別提到述說不同地區或文明的物件如何進入歐美大博物館的過程，有助於博物館界開展針對「藝術侵佔」（art appropriation）議題的反省與對話[16]。而如同本章第三節所討論的，敘事確實有利博物館發展對於爭議性議題的展覽與公開辯論。

貳、展覽敘事服膺其他文本的運用：蘭陽博物館常設展與其他

如同《聽水的故事》一展所示，敘事元素可以被運用於其他類型的文本，並且不會顯得突兀。本節在此以位居宜蘭頭城的蘭陽博物館之常設展為例，再度說明敘事與敘事元素之差異。

宜蘭縣立蘭陽博物館設置於頭城鎮烏石港舊址，是臺灣首座呈現地方自然生態與人文歷史的博物館，屬於地區歷史與社會類型的博物館。這間自 1992 年起在地方人士倡議下推動籌建計畫，歷經了 18 年努力才完工落成的博物館，反映了宜蘭人對於

---

[15] 有關美國博物館聯盟 2013 年年會相關資訊可參見 http://www.aam-us.org/events/annual-meeting/annual-meeting-highlights（瀏覽日期：2013 年 8 月 26 日）。

[16] 參見 http://futureofmuseums.blogspot.tw/2013/05/stories-in-art-museum.html（瀏覽日期：2013 年 8 月 26 日）。

自身土地的濃厚關懷與熱烈情感。漫長的籌備期間，也隨著不同階段時，不同團隊的
加入與實踐，累積出蘭陽博物館獨特的風貌與氣質。在籌備期間，「生態博物館」的
理念一直是籌備建館的行動綱領，同時也希望蘭陽博物館能發揮帶領宜蘭博物館家族
發展的作用（呂理政，2002a：38-39；羅欣怡，2002：48-50）。儘管蘭陽博物館在開
館之後，以獨立館所之姿，成為眾多目光的焦點，但在主事者的理念裡，它被設定為
宜蘭的「縮影」或「窗口」。也因此在博物館的官方介紹中，我們可見對於「宜蘭，
是一座博物館」（Yilan as a giant museum）概念的強調（呂理政，2002a：31）[17]。筆
者於 2011 年 8 月 15 日與 9 月 29 日先後訪談了時任蘭陽博物館館長的廖仁義教授與
館方 2 位研究人員[18]，當時，一位館方研究員（研究員 A）也如此說明：

> 我們把博物館定位成「認識宜蘭的窗口」，意思是希望觀眾看完之後還要去別的
> 地方。所以博物館比較關心這些遊客離開了之後去哪裡。他看到山層就會想要跑
> 去太平山，看到海層就想跑到南方澳去，這才是原本我們期待中的遊客。

館長亦表示，落成後的蘭陽博物館做為一個生態博物館：

> 是假設這個博物館的場域已經存在了，而這個博物館（蘭陽博物館）是把它縮影
> 到這裡面來，應該是這套思維決定了後面的敘事。既然這個事實已經存在了，那
> 我總要從這邊去找尋它如何成為發揮功能的優勢。如果它是一個模型、一個縮影，
> 要如何讓它成為宜蘭的窗口？我認為一個博物館除了保存之外應該有教育的功能，
> 它應該要帶動整個區域開始懂得如何去正視自己，知道什麼是它應該保存的，什
> 麼是應該加強的，什麼是應該改善的。

　　在重視蘭陽博物館與所在區域共生關係的理念下，蘭陽博物館的建築也極為重視
與周遭環境空間的融合。曾經是清代宜蘭地區最重要港口的烏石港，日後因為河道淤
積而不復昔日榮景，隨著蘭陽博物館的選址，烏石港舊址以及其隔海遙望的龜山島，

---

[17] 另請參見蘭陽博物館網站 http://www.lym.gov.tw/ch/About/mission.asp（瀏覽日期：2013 年 8 月 27 日）。

[18] 訪談問題參見附錄二。

皆成為建築師在規劃建築空間時的重要考量元素（圖 3.8）。

圖 3.8　蘭陽博物館外觀。

在蘭陽博物館的官方網站，我們可以查閱到以下對於博物館建築設計的理念說明[19]：

一、獨特的單面山造型

由姚仁喜先生領導的大元聯合建築師事務所設計，博物館建築量體是以北關海岸一帶常見的單面山為設計依據，單面山是指一翼陡峭，另一翼緩斜的山形，是本區域獨有的地理特質。博物館採單面山的幾何造型，屋頂與地面夾角 20 度，尖端牆面與地面成 70 度，由土地中成長茁壯，並和地景融合。

二、以四季音符襯托律動立面

自高空俯瞰蘭陽大地，有著大小不同、顏色深淺與質感不一的田野方塊，這些方塊也隨天色與四季變化而有不同的色調與風情。因此，建築師選取韋瓦第小提琴協奏曲「四季」的主旋律，在建築實量體的外牆，將協奏曲中「春」、「夏」、「秋」、「冬」四篇樂章的音符，以多重質感的石材轉化為音符，依序排列至建築主體的四個實體外牆上，呈現蘭陽大地的四季農田地景，好似動態的音樂歌頌。

三、單面山的節理

外牆的排列組合分割，更是仿效建築造型單面山的岩石節理，與屋頂20度平行層層分割分布石材及鑄鋁版而下，遠看因蘭陽氣候變換的雨與晴，使石材吸水後與鑄鋁版形成深淺色澤不一、寬度不同、反射不同的視覺感受，試圖反映單面山因長期海蝕所顯現的特殊紋理，呈現豐富的質感與光影。

四、與環境共生

顧及烏石礁遺址溼地生態的完整，本著「與環境共生」、「與自然融合」的核心精神，博物館的主體建築物集中配置於基地西北側之區域，保留最大面積的溼地生態公園，維持既有生態。

蘭陽博物館以極具特色的建築設計理念，贏得了 2010 年臺灣建築的首獎，在國內外皆受到好評。

蘭陽博物館在周邊的空間規劃上，尚包括了烏石港舊址溼地的生態保存。為了令觀眾易於親近水域，舖設砌石平台與高架木棧道，棧道地板高低差序，具有表演與聚會的多重功能。北側的停車場，曾經是昔日的河口，立有「石港春帆」碑；附近也設計了船形的木平台，試圖令觀眾感受烏石港場域的歷史興衰（黃怡芬等，2010：24-25）。

蘭陽博物館是一間以常設展為主題展示的博物館。其內部以四個樓層做為常設展空間，分為「宜蘭的誕生」、「山之層」、「平原層」、「海之層」等主題，呈現「宜

蘭的地理空間經驗」（黃怡芬等，2010：27）。觀眾進入館內，完成購票等作業後，必須迤上二樓，在二樓「序展廳」觀賞「宜蘭的誕生」後，復隨著電扶梯攀升到達頂樓四樓，再依循四樓「山之層」、三樓「平原層」、二樓「海之層」的順序回到一樓大廳（圖 3.9）。

圖 3.9　蘭陽博物館內部空間。

從「故事」（fabula）的角度觀之，「宜蘭的誕生」介紹觀眾百萬年來蘭陽平原的成因以及說明宜蘭自然環境的特色。「話語」上則以多媒體互動的形式，以六台投影機做牆面及地面 90 度的拼接投影，館方稱之為「互動劇場」。「山之層」的故事著重介紹森林的自然環境以及宜蘭山林的生物多樣性，並且說明人進入山林後與自然界的開發與互動（圖 3.10）。在敘事上有時間的推展，且有明確的空間地位，其敘事話語分析如表三。

表三：蘭陽博物館常設展敘事話語分析表

展區	故事				話語	
單元	詞彙	命題	序列	策展意圖（館方或策展人）	述說的方式	交流
宜蘭的誕生	宜蘭	宜蘭出現了		認識百萬年來蘭陽平原的成因、了解宜蘭自然環境的特色。	互動劇場	陳述文本
山之層	森林 各種物種 臺灣檫樹鳳尾蝶、檜木林、山毛櫸、山湖泊、氣候環境、生物多樣性（森林大公寓）	人進(走)入山林 泰雅人在森林 漢人在森林開發樟腦	開發樟腦，促進林業發展。	介紹森林的自然環境、認識宜蘭生物多樣性、說明山林界人進入後與自然的開發與互動。 有其時間的推展、有明顯的空間定位。	主要運用文字、圖表介紹森林內的生態與物種（如蘭花、蝴蝶）。 以燈箱介紹特定的林木如檜木林與臺灣山毛櫸。 森林的意象也透過造景加以呈現。 以模型說明生物多樣性以及介紹太平山的林業並藉此說明人與山林的互動。	陳述文本：將希望傳遞之知識與訊息告訴觀眾
平原層平原，雨水的家鄉	平原的自然環境（空間的敘述）	各種族群來到同一土地生活，留下各種不同的遺址（史前）、記錄、發展不同的故事線：史前人類的生活 噶瑪蘭人（住在平原的人） 泰雅族 漢人的開拓與發展（風俗記事）	時間序列：各族群在不同時間點來到平原。 空間序列：同以蘭陽平原為基地。 邏輯序列：個別故事線下的邏輯發展（河道與火車、空間特性與鴨母船、活水源頭、養鴨）。 並連序列：漢人遇見泰雅族（事件）。	呈現平原的漢人文化（導覽手冊頁56）。	主要以文字、圖表說明（如平原的自然環境、河道變遷等單元），其中部分借助電視新聞或剪報（災害記憶、颱風）。 以影片與生態性的造景介紹宜蘭平原的族群生活。 漢人的風俗活動則以影片、搭景、文字與大型輸出等混合媒體呈現。 以造景、物件展示與說明、人模型與大型輸出等手法介紹水與宜蘭生活的密切關係。 以令觀眾透過瞭望台觀察的方式說明「滄海桑田烏石港」單元並巧妙串連博物館的內外空間。	陳述文本

海之層	黑潮、宜蘭的海底秘密（海底火山、生物）、龜山島、溼地水鳥、海岸線、漁場、魚類介紹、漁港的各行各業	噶瑪蘭人是親水的民族	邏輯序列：黑潮對宜蘭的影響人類造成了海洋污染。引發海洋保育。人對於海的依存造就了漁業的發展。	引導遊客探尋海洋宜蘭的生態奧祕與人文生活。	以文字、圖表說明海洋與宜蘭的關係。運用影片介紹宜蘭海底之生物與地質並佐以模型、造景與物件展示。透過物件展示與照片輸出呈現噶瑪蘭人的親水風俗。以影片展示龜山八景。以造景、文字、圖片與影片加上令觀眾透過望遠鏡觀察的方式介紹溼地水鳥。以文字、圖片、影片、物件展示等混合性手法介紹漁業、漁港與捕魚人的生活，特別是運用實物大船「南風一號」做為觀眾可以進出參觀的場景。	陳述文本

資料來源：筆者製表。

「平原層」的故事著重表現「人們與蘭陽平原互動下所產生的生活與文化，主題聚焦在人與水的互動，以凸顯宜蘭人對歷史、對環境的觀點」（黃怡芬等，2010：55）。之中運用了時間序列（說明各族群在不同時間點來到平原）、空間序列（同以蘭陽平原為基地）以及邏輯序列（發展個別故事線下的邏輯發展，如河道與火車、鴨母船、活水源頭與養鴨等）、以及並連序列（漢人遇見泰雅族以及隨之發展的事件）。在「平原層」也介紹各種族群來到同一土地生活，如何留下各種不同的遺址以及發展不同的故事線。不同族群包括了住在平原的噶瑪蘭人、泰雅族、以及占據最多篇幅的漢人（圖3.11）。「海之層」介紹黑潮對宜蘭的影響、人類因為造成海洋污染而引發海洋保育的概念以及人對於海的依存造就了漁業的發展等議題，最後介紹了海底火山的震動（圖3.12）。

在每一樓層，述說的方式則混合運用了多種造景、模型、複製品、標本、圖表、文字等多種媒介。隨著不同單元訴諸觀眾不同的「閱讀」方式：書寫文字的閱讀、影片或圖片的觀賞、互動裝置的觸摸與體會、聲光效果或煙霧的造景則令觀眾身歷其境。

圖 3.10　蘭陽博物館「山之層」一景。

圖 3.11　蘭陽博物館「平原層」一景。

圖 3.12　蘭陽博物館「海之層」一景。

而由於「宜蘭人在與自然共處的經驗上與水密不可分，因而，蘭陽博物館的展示，不以歷史文物為主，而是建構一個以水為主題的故事線，透過模型、影音、圖像的多元展示，形塑一個與觀眾對話的情境」（黃怡芬等，2010：26）。為了突出此一理念，展場的天花板設置有「仰望的奇蹟」全場秀，「在特定的時間，遊客只要抬起頭，就可依循小水滴的腳步，穿越蘭陽時空」（黃怡芬等，2010：27）。常設展最後以「時光廊」——以歷史大事記和「宜蘭之光」結束，用以呈現「感性的宜蘭」（黃怡芬等，2010：27）。針對「水」的元素，博物館 A 研究員說明如下：

> 以蘭陽博物館來說，什麼才是應該要呈現給觀眾看的？爭論很多，慢慢才聚焦到「山、平原、海」。即便如此，還是需要一個邏輯串連起來，最後就用「水」這個元素來串聯。大河文明的概念，任何一個文明都有一條河流，這個河流從上到下，從發源到平原匯到海洋這樣的脈絡，決定了展覽的邏輯。旁邊再拉出一些發展的枝節，譬如山的部分，就偏重環境、生態、生物多樣性這樣的主題；平原的部分，就以族群、宗教、傳統產業、歌謠為主體；海洋的部分，就是海洋、海岸、漁港、河口、溼地等等。

　　從故事線的角度觀之，展覽跨越的時間帶非常漫長，但時間序列的推展並不明顯。值得注意的是，每一樓層代表一種空間的規劃方式，強化了博物館就是在展出宜蘭這一塊土地上發生的人事物的概念。博物館 B 研究員表示：

> 我們是用空間，而不是以時間。從外面的實體空間，到走進來的空間，包括整個山、平原、海岸，串連的也是用水，而非時間，所以才會讓你感受到平原層好像沒有結束的感覺。這整個手法跟一般的不太一樣，我們想表達的是如何讓別人理解宜蘭，因此以每一層的特色、以水為主，跟時間的脈絡不同。

　　另外，蘭陽博物館常設展強調的空間感也表現在與館外空間的連結。特別是在「平原層」展廳，館方在「滄海桑田烏石港」的單元裡以整片的落地玻璃加上瞭望台，讓觀眾俯瞰烏石礁溼地。這樣的手法再度有意模糊了館內與館外的邊界。

　　以蘭陽博物館這樣地方歷史、生態與社會發展為主題的博物館而言，主角的界定也有如前述《含英咀華》一樣，是一種希望尋求觀眾認同、且令觀眾可以在展覽中去自我界定的展示。因此展覽的主角不是他人，可以是你我、可以是任何人。而在情節的結構上，也不是屬於嚴格定義下的敘事，毋寧應歸類於說明文本。但蘭陽博物館的常設展沿著樓層逐層往下走的動線，有助於令觀眾理解展覽呈現山林、平原、海洋三種不同空間的概念。

　　在各個樓層，蘭陽博物館常設展的介紹方式主要是說明性的。譬如在「山之層」裡對於蘭花與蝴蝶等森林的物種介紹便屬之（圖 3.13）。此區布置了展示森林生態的造景，在前方則以燈箱的方式說明主要的蘭花與蝴蝶種類。而在不遠處，則又以「寬尾鳳蝶怎麼長大？」標題，以敘述的口氣介紹寬尾鳳蝶的一生（圖 3.14），則是屬於敘事元素的加入。又如在「平原層」中的「西門渡口」一區也是極富代表性的。「西門渡口」係指日治時期因河運繁榮的西門商街。該區以生態造景並布置著擬真的人模型，每一位人模型主要表現一種當時出現在商街的行業或角色，如賣什細的人、挑夫、賣粉圓的人、紅頭師公與乞丐（圖 3.15）等等。每一種角色的下方，放置著一塊簡單

的說明牌。這些說明牌以角色本人的口吻述說一段與他的行業有關的介紹，由於人物被設定為日治時期的角色，因此說明文字本身係以臺語發音轉譯，若是不習慣臺語的觀眾讀來應覺頗為艱澀，但每一位角色也伴有配音，以第一人稱說明他的行業、他的生活、他的故事。儘管觀眾不一定閱讀下方的說明文字，但大致都會聆聽角色的「獨白」，也是另一種「敘事元素」的使用。這個展區以其具優勢的地理位置（位居觀眾自「山之層」走下樓梯轉入「平原層」的入口處）與具有聲光效果的情境展示，是「平原層」最受觀眾歡迎的單元之一。又如在最下方的「海之層」，也有同樣的情形，亦即展區整體區分為多個單元，每項單元基本屬於說明文本，但在針對特定的物件與事件，則會帶入事物背後的故事。在展示的手法上，有時為燈箱、有時為圖表、有時為物件、有時為造景。在這當中，最受到觀眾注意的應屬「南風壹號」的單元。展區展出實體的船隻並以文字說明船隻過往英勇的故事（圖 3.16）。展區可見多數觀眾進入船隻內部並與之拍照留念。也是另一個該展在整體說明文本中納入敘事元素的例子。

圖 3.13　蘭陽博物館常設展「山之層」一景。

圖 3.14　蘭陽博物館常設展「山之層」對於寬尾鳳蝶的說明。

圖 3.15　蘭陽博物館「平原層」展區中的乞丐。

圖 3.16　蘭陽博物館「海之層」展區中的南風一號。

　　除了說明文本之外，敘事也容易被納入對話文本的展覽。國立臺北教育大學（以下簡稱國北教大）於該校北師美術館在 2013 年 4 至 7 月舉辦的《米開朗基羅的當代對話》便是一個代表性的例子。該展以北師美術館向美國大都會博物館長期借展的米開朗基羅〈白晝〉（Day）之 19 世紀原吋石膏翻模為核心，以該件作品本身顯現的「回視」、「背後」與「面對死亡的沉思」等特質為出發，同時網羅多件歐美「當代藝術中的重要作品」與臺灣「各世代翹楚的藝術家」進行「作品之間的對話，企圖打破藝術展覽的既有成規，展開新的照明可能」（圖 3.17）。展覽將〈白晝〉置於一進入展場及從各樓層觀看都是最佳視點的位置，當代的作品環伺其周圍。除了展場入口處的策展論述之外，展品的說明一律自展品的身邊消失，而化為展場一隅的可攜走式書面。因此就展場的視覺而言，作品與作品之間的對話張力在沒有多餘的標籤或說明干擾下，益發顯得強烈。這樣的對話不僅是跨時空、跨文化也是跨媒材的。而另一方面，作品本身的說明，透過文字數量相當豐富的書面，反而得以盡情地發展其敘事。不論是介紹藝術家的生命故事（謝春德的〈沼澤〉、Damien Hirst 的〈與死者之頭合

影〉〔 With Dead Head 〕）、作品中模特兒的故事（Sam Taylor-Johnson 的〈哀慟〉
〔 Pieta 〕、Andy Warhol 的〈試鏡：艾迪・賽姬維克〉〔 Screen Test: Edie Sedg-
wick 〕）（圖 3.18）或是藝術家的創作過程（Thomas Ruff 的〈穆勒肖像〉〔 Porträt（R.
Müller）〕、Thomas Struth 的〈奧津一家，山口〉〔 The Okutsu Family, Yamaguchi
1996 〕與〈李希特一家（1），科隆 2002〉〔 The Richter Family 1, Köln 2002 〕）等，
都有充分的敘事元素揮灑空間。

　　相較於說明文本與對話文本，描述文本旨在描述每一個主題甚至每一個物件，如
同前述，容易趨向沒有止境與漫無邊界。這樣的文本型態足以令觀眾感到沉悶難耐與
無所適從。在許多收藏豐富的大型博物館，我們不乏此種豐富收藏的堆砌卻沒有一個
核心主題的例子。或者說，即便有主題，也是非常廣泛且不聚焦的。因此面對滿室滿
櫃的物件，如果不是熟悉該學科的專家，實在無法從中得到欣賞與學習的心得或樂趣。
面對這樣的普遍現象，敘事策略便可成為一種打破冰冷死寂的有效作法。筆者在此舉

圖 3.17　《米開朗基羅的當代對話》展場一景。

圖 3.18 《米開朗基羅的當代對話》展出的安迪・華荷作品〈試鏡：艾迪・賽姬維克〉。

法國國立吉美亞洲藝術博物館（Musée national des Arts asiatiques-Guimet，以下簡稱吉美博物館）常設展中的中國與西藏展區為例，以提供一種極特殊的做法。

　　吉美博物館創辦於 1879 年，於 1885 年遷移至位居巴黎 16 區的高級街區的現址，收藏了極為豐富的亞洲藝術品，是法國國家級博物館中具有重要地位的美術館[20]。吉美博物館內的中國收藏位於博物館的三、四樓，西藏展區位於博物館的二樓，作品質量甚豐，其陳列方式大致依循一般美術館的方式，依照年代、材質分門別類地展出。在 2013 年，吉美博物館與法國 TF1 電視台合作，推出以法國知名卡通《神祕黃金城》（*Les mystérieuses cités d'or*）為主題的展覽。《神祕黃金城》為法國與比利時合作、依據美國作家 Scott O'Dell 於 1966 年的作品 *The King's Fifth* 自由改編的漫畫（卡通）。該系列卡通首次播映於 1983 年，共播出 39 集 28 分鐘長度的影片。該系列描繪 1532

---

[20] 參見網站 http://www.guimet.fr/fr（瀏覽日期：2013 年 8 月 27 日）。

年故事主角赴美洲新大陸探險的故事，在法國非常受歡迎。首播30年後，TF1推出了《神祕黃金城》的第二系列，此回故事的主角們改到亞洲的中國與西藏探險。為了宣傳該卡通，電視台首度與博物館合作，希望能借重博物館的收藏，令視聽觀眾對於卡通內容的異國風貌有更多理解。對博物館而言，這也是一個難得的宣傳博物館的機會，特別是由於該系列卡通曾在30年前造成風潮，是一個同時吸引年長的以及年輕的觀眾入館的好機會。每一集播出時，片尾都會打上吉美博物館的名號，對於博物館的宣傳極有助益。

吉美博物館因此在2013年3月27日至5月27日舉辦了名為《追尋黃金城的蹤跡》（Sur les traces des mytérieuses cités d'or）的展覽。雖名為展覽，館方對於這項合作的界定可說是介乎活動與展覽之間。博物館並未特別針對這項合作重新規劃全新的展覽，而是思考如何將合作的主題融入既有的常設展區，唯一特別為《追尋黃金城的蹤跡》規劃的空間為四樓比較小的展廳（圖3.19）。然而，這仍然被視為一個展覽，並展出約2個月。館方為了將這樣一個大眾文化的主題融入一個相當傳統的美術館，其策略為以卡通《神祕黃金城》的主角為展覽的主角，並為其設計一套明顯可辨識的視覺符號。鮮豔的黃色說明板從一入館便清楚地引導觀眾，從而成為一條獨立的敍事線（圖3.20）。為了使參觀此展的觀眾，可如同探險般在偌大的展場中尋覓故事主角的黃色標識，以進行參觀（圖3.21）。黃色的視覺標識包括單元的主題說明以及個別的作品說明。展覽的動線係從入館開始，沿著地板的圖案，首先會進入三樓常設展的中國廳，之後再走到四樓，最後回到二樓的西藏常設展廳。這樣的策略有利有弊。在利的方面，博物館因為重新設定故事的主角（並且是觀眾極為熟悉，非常有認同感的主角），且可以利用現有的故事發展有別於原本參觀動線的故事線，因此得以在原本的場域創造一個全新的參觀路徑（圖3.22）。但正因為需要遷就既有的展示，在展場的某些區域，黃色標示偏少，容易令觀眾有迷失的感覺。

圖 3.19　　吉美博物館四樓為《追尋黃金城的蹤跡》特別規劃的展區。

圖 3.20　　《追尋黃金城的蹤跡》的視覺標識非常顯著。

圖 3.21　《追尋黃金城的蹤跡》沿途都有暗示「蹤跡」的地標。

圖 3.22　《追尋黃金城的蹤跡》的敘事線係融入博物館既有的展示中。

對於吉美美術館而言，這樣的展出型態依然必須是以文物為主，因此展覽的目的不在於重新敘述故事本身，而是提供（熟悉故事的）觀眾故事發展的背景素材，令西方觀眾得以更容易理解故事發展的異國風貌。展覽因此提出以下主題：「前言」、「赴中國的旅行」、「苗與傜」、「中國南方的風景」、「龍的象徵」、「皇帝、帝國與紫禁城」與「西藏」。針對每個主題，展覽盡量以不同媒材的文物來呈現，如書畫中的風景、古地圖中的旅遊、瓷器與服飾上的龍圖案、屋瓦的構件等（圖 3.23）。展覽配合主題單元布置著卡通劇照也播放著卡通的片段，以利觀眾連結展品與卡通（圖 3.24）。四樓的展廳由於是特別為此次合作而規劃的，主題顯得比較清楚，但當觀眾回到最後主題，也就是二樓的西藏常設展區時，原本在三樓出現的黃色視覺標示不明顯的問題便再度浮現。

此項合作，確實替博物館吸引了許多原本不會造訪該館的法國民眾，但觀眾的反應也趨兩極，有極滿意者，也有極不滿意者[21]。極為滿意者有的表示本身是卡通迷，有的喜愛亞洲藝術。但不滿意者的意見便對館方比較有啟發性。首先，許多因為受到傳媒吸引的觀眾來到博物館，發現這並非是一個他們期待的展覽型態，因為展覽局限在博物館的藏品，而非以卡通的故事去設計單元，尤其在某些展廳，他們很容易迷失方向。而一些喜愛傳統美術館靜謐展場氣氛的常客，也很不習慣美術館內多了這些色彩繽紛的看板，甚至如四樓出現了卡通鳥的巨大模型，有如科學博物館一般，他們認為兩者格格不入（圖 3.25）。但如果先不論這些負面意見，吉美美術館此項展覽，卻是為相對沉悶的美術館展示提供一種重新耙梳敘事的有效策略。

不論是將敘事做為統整一個展覽架構的概念，或者是運用「敘事元素」至不同類型的展覽文本，當代展覽愈來愈倚重敘事的訴諸閱聽人感性的特質，而有意地壓抑傳統知識灌輸的作為。敘事影響人卻不帶教誨，啟發人的驚奇與讚嘆，令我們得以神遊於另一個真實或虛構的時空，在普遍性中發現奇特，對他人的生命產生共感。這些奇妙的作用，或許正是敘事不再是邊緣而漸成主流之原因。

---

[21] 關於觀眾的意見，筆者主要參考了觀眾留言本上的意見回饋。留言本可視為觀眾參觀經驗的延續，具有提供觀眾觀點的豐富資訊 (Macdonald, 2005)。

圖 3.23　《追尋黃金城的蹤跡》運用展品說故事。

圖 3.24　《追尋黃金城的蹤跡》在展場中播放卡通，以協助觀眾連結物件與
敘事內容。

圖 3.25　《追尋黃金城的蹤跡》四樓的展場風格明顯活潑。

參、展覽敘事的新溫床：後現代展覽敘事與爭議性主題

一、後現代博物館

後現代（postmodern）此一概念存在許多曖昧不明之處。Anthony Giddens 認為：

> 我們實際上並沒有邁進一個所謂的後現代時期，而是正在進入這樣一個階段，在
> 其中現代性的後果比從前任何一個時期都更加劇烈更加普遍化了。在現代性的背
> 後，我以為，我們能夠觀察到一種嶄新的不同於過去的秩序之輪廓，這就是「後
> 現代」。（田禾譯，2000：3）

現代與後現代之間存在著既連續又斷裂的關係。對於 François Lyotard 而言，「後
現代」代表「最發達社會中的知識狀態」（車槿山譯，2011：3）。儘管一些研究揭

示了現代與後現代之間存在著一定的斷裂（discontinuities）（田禾譯，2000：3-4），但斷裂不等於二元對立，如 Aron Kibédi Varga（1990：9-10）所指出的，後現代所強調的「反結構主義的解構特別傾向反二元對立、反二分法的的方向發展，也就是消除邊界」。

後現代對於邊界模糊的概念亦見諸 Ulrich Beck（1998）的「風險社會理論」（risk society theory）。Beck 認為，風險是第一現代——以工業化社會、科學與技術進步、制度化的共同生活型態為特徵——轉變為第二現代——亦即當代全球風險社會——的關鍵動力。他認為，「風險」是一種預知並控制未來人類行為導致的後果的現代手段。Tony Bennett 也指出，博物館為一種典型的第一現代的制度產物，是藉由監督文化思維、建立道德標準教化民眾、導正行為、培養負責公民等作為，用以控制風險的場域（Bennett, 1995）。長期以來，博物館與其收藏既協助塑造了人文與科學知識的哲學與歷史，也轉而成為這樣的知識傳統的一部分（Pearce, 1992）。做為一個世俗化知識的孕育所，博物館也透過收藏與展示，確立一個社群/社會的「最高價值、最值得驕傲的記憶與最真實的真實」（Duncan, 1991：91）。「文化資產」概念的成立，成功地將一個社群的價值轉換擴大為公民意識；博物館的「真實物」成為真實世界的本真再現。這樣的能力，加上其被賦予的所謂中立立場，足使博物館發展成為一個權力工具以及具有產出知識權力的機構（Karp, 1991）。

換言之，傳統博物館提供得以呈現人類世界無可動搖的真理與真實之證物；透過其秩序化的展示，人類文明的進程與成就得以一覽無遺。Bennett（1995）清楚地分析了博物館如何透過其存在協助新知識的展出（地質學、生物學、人類學、考古與藝術史等），又是如何提供人們觀看與理解世界的新方法。更甚者，博物館提供在位者教化與教育的工具與場域，利用特定的措施，人們在裡頭會自我規訓並使行為合乎要求。無怪乎許多學者（Witcomb, 2003）將博物館視為體現現代性（modernity）核心精神的代表性制度。

　　傳統上，博物館透過製造明確客觀的專家知識，歌頌科學與技術發展，並對於未來充滿信心與樂觀精神。個人在其中僅是社會中的一個小單位，受到管理階層的規訓與教化（Bennett, 1995）。也因此，博物館一向排除非權威、非專家的聲音，也不傾向處理未具明確結論的爭議性議題。然而，隨著當代文化與社會的轉變，博物館不可避免地置身這種轉變的核心地位。Sharon Macdonald & Roger Silverstone（1990：176）認為，包括科學與理性的「大敘事」的衰微、品味與風格的破碎化、再現與分類的不確定性、以及一向被視為「真理」的虛構化等特性，都影響著當前博物館的體制與環境。Duncan Cameron（1971）在其先驅性文章中指出博物館應改變角色，從傳統的神廟（temple）脫胎換骨為一個論壇（forum），一個得以交換經驗與意見的場域。約莫同時期開始發展的新博物館學也經常強調博物館應發展出得以支持意見爭辯的功能。曾任紐約市立博物館（Museum of City of New York）館長的 Robert Macdonald（1996）認為博物館除了在視覺上具有刺激性之外，博物館的展覽以及活動也應該是民眾可以理解、且能激發情感與嚴肅的對話。也有學者認為博物館應該做為一個包容的場所，一個觀眾可以透過與機構及他人的對話，發展批判思考、問題解決、與自我反思的地方（Cameron, 2006a）。Stephen Weil（1999）與 Eilean Hooper-Greenhill（1994）也認為博物館的焦點已經從收藏的保存轉移至觀眾的服務與協作。這樣的觀點也使 Hooper-Greenhill 認為博物館應被視為一個溝通的媒體，且此觀點有助於破除博物館做為知識與真理的傳遞所，而成為孕育概念與促進對話的場域。Ellen Hirzy（2002）則將 21 世紀的博物館視為一個人們可以聚集交談的中心、一個可以為個人或群體的豐富經驗喝采，可以協助人們解決問題的場所、一個公民社會裡主動積極的參與者、一個大眾可以信任的催促改變者。

　　另一方面，第一現代的瓦解也促使博物館不得不愈發重視人類社會與自然環境遭受破壞的後果以及其控制的方法與型態。在這樣的背景下，過去 20 年，以歐美為主的國際博物館界興起一波波對於歷史詮釋、當前事件以及在道德上或政治上引發爭議的討論，也出現了為數不少主題具有爭議性的展覽。這樣的現象背後有著複雜且深刻的背景，顯示博物館一如當代許多其他的機構，無法置身我們這個時代的價值信仰、

道德判斷與政治作用的漩渦之外。

　　筆者並非認為所有的博物館都必須改變，但如此多樣的模式可大致反映博物館被認為應該朝向更具反思力與行動力的方向發展之趨勢。而爭議性主題的出線，便可視為這樣一個路線的發展結果。博物館長期建立的展出事實、真理、關於其他人事物無庸置疑的歷史與觀念的作為已不再合理成立，足以挑戰、顛覆或刺激人們既定價值與觀念的主題可以透過展示與各式活動成為博物館探究的領域。從慣常冰冷的分類式展示到碰觸當前熱門的議題或許是有意轉型的當代博物館的重要方式。

　　儘管如此，我們可以透過建立「範式」（model）評估現代與後現代兩個時代與其博物館。澳洲學者 Dipesh Chakrabarty（2002）在分析民主政治的發展時，提出了「教導式的」（pedagogic）與「演出式的」（performative）兩種範式。他認為前者重視理性分析，強調普世性、客觀性與可歸納性；後者著重感官與體驗，強調個別性與地域性、主觀性與獨特性、重視個人的經驗。個人經驗的陳述如口述歷史、講故事、等模糊了過去與現在的疆界，顛覆理性分析的信念。博物館源自於現代主義的思維，是啟蒙時期的產物，強調的是科學證據、理性思維、分類秩序（Keene, 2006：185-186；Hooper-Greenhill, 1992）。但隨著 1960 年代起民主政治發展的轉型以及新社會運動、女性主義、多元文化、原住民權利、消費主義、大眾媒體等現象與思潮運動的崛起，博物館也面對著必須改革的局勢（張譽騰，2003：173）。文化理論學者 Zygmunt Bauman（2007）也指出後現代的道德已轉變為個人化與個性化，不再是基於一個經由建立共識成立的共同記憶。由於博物館直接面對一般大眾觀眾的自主選擇，比起大學等其他與博物館同時期發展的機構，更易受制於變局的影響。

　　在這樣的背景下，Suzanna Keene（2006）從後現代社會的角度，提出四個用以分析博物館在現代社會與後現代社會之差異的觀點：

（一）上層階級的代言者 vs 反文化菁英主義：許多研究皆已指出博物館的菁英色彩（Bourdieu & Darbel, 1991；Bennett, 1995；Merriman, 2000）；當代博物館卻

　　希望納入那些長期受排斥者，以反映後現代多元文化的特色。

（二）分類次序 vs 多元主義與異質化：現代主義的博物館透過冷靜的分類系統製造
　　　科學知識（Hooper-Greenhill, 1992）；後現代博物館拒絕僵硬的分類，鼓勵個
　　　人化的學習與意義建構（Fehr, 2000：59）。

（三）客觀的真實 vs 個人意義：本真性與權威是兩個現代博物館立足的奠基石，科
　　　學證據統領著現代時期的西方思想（Shelton, 1990）；然而後現代社會重視個
　　　人經驗與價值，也發展出更為包容的社會氣氛。然而，正因為每一件事物都因
　　　人而異，後現代主義也製造了道德的真空（Eagleton, 2003），包容性的文化政
　　　策被視為博物館應該發展的彌補性功能。

（四）真實物 vs 複製與擬真：現代博物館透過收藏制度強化客觀真實與其見證物之
　　　真實性；後現代博物館透過實體與虛擬空間的複製手法，已然混淆真實與虛擬
　　　的界線（Baudrillard, 1981；Smart, 1993）。

　　借助上述的比較可發現，傳統的博物館引導觀眾體會、理解其無需經驗的世界，
當代的博物館邀請我們透過直接的經驗去理解。博物館比起其他的機構，更加向體驗
與感官開放，也比起以往更重視記憶與情感，也因此有更多機會發展不同於學院的學
習方式，成為演出式民主發展的最佳舞台。

二、爭議性主題展覽的定義與發展

　　爭議性主題包含的範圍甚廣，它可以是當代的或歷史的、地區性或普世性的，
往往與人們的生存息息相關的、熱門且有爭議的，但卻不一定是禁忌的或隱晦的。國
外文獻可能使用 "controversial", "contentious", "hot", "difficult", "edgy" 等詞彙，其所
涵蓋的範疇也與一個社會的歷史、文化、政治、經濟環境因素等密切相關。就過去
20 年而言，國際舉辦過且引發輿論爭議的展覽主題包括：殖民主義、種族、戰爭、

宗教、人體以及科技相關的議題。近年的一些研究也更進一步地分析不同議題所可能引發的反應，顯現如何看待與處理爭論性議題已開始在學界受到重視（Butler, 2008；Ferguson, 2006；Cameron, 2006b）。

　　儘管新博物館學自 1970 年代起呼籲博物館的新社會角色，國際學界對於爭議性主題展覽的關注卻起步甚晚。1984 年，《博物館新聞》（*Museum News*）以博物館與爭議為主題製作特刊，開啟了相關的討論。1990 年代開始出現大量以美國的案例分析博物館處理這些主題的背景與脈絡的文章（Bunch, 1995；Noble, 1995；Macdonald, 1996；Crouch, 1997；Dubin, 1999；Harris, 1999；Boyd, 1999）。2002 年，以澳洲博物館研究員 Linda Kelly、西雪梨大學文化研究中心教授 Fiona Cameron 等人為首的研究團隊進行一項名為「展覽做為爭議地點」（Exhibitions as Contested Sites）的跨國研究計畫，在澳洲、加拿大、美國、英國等地進行以博物館從業人員、觀眾與大眾為對象的各項質性與量化研究，並透過期刊專書發表多份研究成果，可謂近年來國際間針對爭議性主題的展覽議題最為完整且豐碩的研究貢獻[22]。

　　根據該團隊的研究，有關爭議性展覽的案例首先可以參考 Maureen McConnell & Honee Hess 在 1998 年於《博物館教育期刊》（*Journal of Museum Education*）所發表的一份依照時間順序所列舉的清單（Cameron, 2006a）。這份清單的選擇是以引發爭議的展品，而非討論爭議性主題的展覽為標準。清單列舉最早的展覽是 1913 年的《軍械庫》（The Armory Show）。這樣的選擇標準有其一定的參考價值，但以該展為例，引發爭議的原因在於當時美國社會對於前衛藝術與美學的接受度，所以列舉個案未必服膺我們當代環境的標準。但是在該份清單中，依然可以發現一些早期的展覽主題在當前依然深具爭議性，如 1969 年紐約大都會博物館的《我心中的哈林區》（Harlem on My Mind）被認為是首次由主流博物館就社會議題舉辦的展覽；又如 1971 年紐約市立博物館舉辦的《紐約毒景》（Drug Scene in New York）也是一個高難度的主題，

---

[22] 參見 http://australianmuseum.net.au/research/Exhibitions-as-Contested-Sites（瀏覽日期：2013 年 8 月 29 日）。

儘管展品普遍被觀眾所接受。而做為「展覽做為爭議地點」的研究成果之一，Linda Ferguson（2006）分析了她認為可視為爭議性的 16 項主題，分別為原住民相關議題、移民、族群、難民、死亡、恐怖主義、戰犯處理、戰爭暴行、毒品、性、宗教、種族主義、社會正義、全球化、環境永續發展、基因工程等。從這些分類項目可以看出，所謂的爭議性，並不在於其性質為負面或禁忌的，而是議題本身足以引起各方不同意見與看法，易於激發辯論者。

儘管上列的項目皆具有一定的普遍性，但 Ferguson（2006）的研究仍指出，最易引發爭議的主題隨著不同的社會環境以及研究當下發生的事件可以有不同的答案。在澳洲，受訪民眾特別提到與原住民的和解議題、共和體制、無性繁殖技術等。在加拿大，民眾特別關切寄宿學校、加拿大歷史中發生的種族滅絕與暴虐行為、法屬加拿大地區的民族主義女性與戰爭、東西海岸漁業以及健康照護等。網路意見調查也出現墮胎、避孕與安樂死等議題。在美國，受訪的博物館人員特別提到動物權與生物科技、國家認同、原住民歷史與女性歷史、恐怖主義與伊拉克戰爭等。而國內博物館界、博物館觀眾或一般社會大眾認為博物館是否應該處理爭議性主題？其正反意見為何？而如果認為應該，又是指哪些主題？等問題，尚有待進一步釐清。

儘管博物館界與學界對博物館的社會角色有所期許，我們也能同樣地發現博物館內部對博物館能力有所質疑的聲音。2002 年美國博物館協會的一次研討會中，一些與會者認為博物館比較是一個控制而非與社區分享知識與專業的機構，也有人認為博物館不如圖書館具有公共性（American Assoication of Museums, 2002）。早在 1995 年，Noble 與 Bunch 都認為博物館真正的危險在於因為自我設限而避開爭議（Noble, 1995：76；Bunch, 1995：34）。而 Ferguson 的研究指出，博物館如果自我噤聲，可能有許多原因。其中之一在於擔心失去經費或贊助來源。這點不僅只關係私人或民間營運的博物館，也可能包括政府成立的博物館。例如，加拿大一間由省級政府積極推動的森林政策的博物館，其館員便表示因為該館因為擔心經費被刪減，而不願舉辦有關森林議題的展覽。另外一個原因則是對於公辦博物館而言，做為政府管轄的機構，

不願處理有可能與忤逆政策方向的展覽議題。這點可能出於公務員對於政府政策的忠誠，也可能出自擔心遭到懲處的考量。第三個博物館自身不願處理爭議性主題展覽的原因在於，博物館擔心因此將仇恨或其他負面的激烈情緒帶入博物館，因而損及博物館的社會形象，或者甚至吸引某些喜愛暴力畫面或場合的「令人不舒服的人士」出入博物館（Ferguson, 2006）。另外還有一個 Ferguson（2006）的研究中提到的原因是，博物館擔心因此成為各種遊說團體進駐的場所，將不堪其擾。出於種種因素，也有博物館表示，某些主題是「絕對不予以考慮的」。

但這也並不表示所有博物館的從業人員都做如是想。Ferguson（2006）指出，網路上的意見調查反應中，有更多的博物館從業人員表達對於博物館處理爭議性主題的期許。甚至 89％的線上受訪者認為博物館應該勇於呈現爭議性主題。基本上，Ferguson 的研究顯示，儘管也有一些懷疑的聲音，廣大的社會大眾多數同意博物館應更主動地關懷社會。至於大眾的遲疑主要被歸納為五點：一、有人以為博物館的角色在於保存展示歷史、藝術與一般知識，處理爭議性主題不是博物館該做的事；二、擔心爭議性主題的展示會驚嚇特定觀眾（如孩童）；三、擔心會激發觀眾之間的對立；四、認為博物館應該呈現事實，而非意見；五、博物館不應捲入政治。

這些研究成果也多少可以用於思考為何爭議性主題的展覽在國內數量偏少。由於避免引發紛爭或麻煩，博物館在處理爭議性主題時，也會採取激進或安全等不同的策略。

博物館自身或社會大眾對於博物館是否應該舉辦爭議性主題的展覽的意見或理由，反映出人們對於博物館的認知。根據 Ferguson（2006）的研究，一般人們的意見可以歸納為以下幾點：一、博物館應該是呈現歷史的地方，而有些民眾認為歷史應該是客觀且無可動搖的事實，並且歷史屬於過去。支持博物館改變的人們則強調博物館應該告訴人們歷史是不斷地在變動，且本身充滿了矛盾與不一致。二、博物館是關於認同的場所。三、博物館是立基在收藏上的。有些民眾因此對於博物館如何結合「死

亡」的物件與「活生生」的社會議題有所疑慮。而在此點上，Ferguson 指出，在環境的永續性議題上，民眾是最沒有疑慮的，而這可能是因為環境問題較為民眾接受，也是一個民眾普遍認為博物館可以融合觀念與物件的議題。四、博物館是一個可以將事件脈絡化的地方。這也意味博物館使觀眾在看展覽時必須與其他人有所接觸。五、博物館提供真理。這點可說是典型的現代主義的觀點。博物館如果要處理爭議性主題，就必須思考如何轉化這一點：博物館應思考如何不再呈現科學研究的成果，而是過程。但博物館是否願意冒著損及其一貫的權威，向社會大眾展現它在知識發展或意見整合的過程呢？這便是今天博物館界時常提到的「培力」（empowerment）。Ferguson（2006）呼籲博物館要與觀眾分享權力，他認為博物館應該調整自己成為訊息的提供者而非一個全知的專家。博物館可以提出問題、呈現不同的意見並由觀眾自己做出屬於他的結論。最後、大眾也認為博物館是中立的，不占據天平的任一邊。博物館應該積極介入社會議題，也應呈現一個特定議題的各方意見。這意味博物館即使呈現爭議性主題時，也被期許公正客觀。

　　正因為博物館背負著世人的各種評價，以至於在處理爭議性主題時，也有著不同的考量。文化理論家 Frederic Jameson 認為任何主題的討論都可以止於表面或是進入其深層結構：「文本的符號學分析可揭露文本表面上無法感知的『深層』符義對立的操作，這些對立並且被強調個別的歷史主體之感受所隱藏或取代」（Jameson, 1991：165）。理論上，爭議性主題的複雜性與困難度只能透過深入表面下的探索方可呈現，但研究也指出，許多博物館在展出時隱藏了議題「困難」或「令人難受」的面向，而以觀眾或利害關係人普遍能接受的道德教誨或文化感受取代之（Cameron, 2006b）。考慮到前述博物館所背負的社會期待與壓力，我們可以理解博物館的無奈，如 Elaine Heumann-Gurian（1995：2）所說的：「有些博物館採取保守的立場，有些則比較勇敢」。Cameron 的研究指出，表象式的處理可能是透過肯定特定的經驗取悅觀眾、為一段歷史的官定版本背書或者是停留於大眾共識的詮釋。這樣的處理是安全的且不會引起抨擊（Cameron, 2006b）。然而，表象式的處理也可以有正面的價值，特別是可用於提供紀念與沉思經驗。譬如美國國家歷史博物館（National Museum of American

History）的《911：將見證帶入歷史》（September 11: Bearing Witness to History）一展便刻意避免恐怖分子的角色與動機，而是營造一個安全、充滿紀念性的場域以使觀眾得以進行沉思與反省。

相對地，深入的展示有如一種探索。這樣的手法旨在呈現不同多元的價值、批判挑戰既定的說法、揭露各種生活經驗。Davison（2006）認為這樣的展示基於一種複調的模式，提倡詮釋差異與爭論。但可以想見地，深度的展示為數不多，Cameron 的研究提出的案例包括紐約歷史協會（New York Historical Society）的《非避難所：美國的私刑攝影》（Without Sanctuary: Lynching Photography in America）、美國大屠殺博物館（United States Holocaust Memorial Museum）、以及帝國戰爭博物館（Imperial War Museum）的《非人性罪行》（Crimes against Humanitiy）展等等（Cameron, 2006b）。

國內博物館對爭議性主題展覽的規劃與舉辦尚不多見。在前述的各類主題中，比較涉及的包括負面歷史記憶（二二八事件）、慰安婦、人權與氣候變遷等。其中，2012 年 4 月至 10 月舉辦的《遇見大未來；地球環境變遷特展》以及 2012 年國立自然科學博物館舉辦的《毀滅與重生：世界末日》，前者以環境變遷為主題，提出能源危機以及人們如何與地球用續共存等議題，後者企圖糾正末日迷思（劉德祥，2013），皆深具當代意識，也是近年國內公辦博物館少見的類似主題的大型特展。

三、後現代展覽敘事

從當代博物館的發展走向觀之，爭議性主題與展覽敘事的關係密切。如果博物館要在當代社會贏得大眾的重視與肯定，必須從傳統的資料收集者轉型為促進對話者甚至意見融合者，我們便需認真思考爭議性主題的處理方式，此點涉及博物館在當代社會的存在意義。其次，類似過往負面記憶、禁忌話題或當前熱門事件等爭議性主題，不論其規模大小，經常涉及衝突與強烈的情緒，並且無法與廣大的社會政治脈絡切割；人們對這些議題的看法與態度也可能南轅北轍，甚至無法評估判斷。更甚者，當這些

主題激發不同的意見，可能挑釁一個人或一個群體奉為圭臬的價值、信仰、意識型態或道德立場。因此當博物館處理這些主題時，過往運用的明確意義、秩序化分類、或認同等象徵手法便不再適用。為了得以質問博物館所存在的政治、意識型態或美學環境，博物館展示開始運用不同以往的敘事手法。譬如脈絡化博物館的收藏、運用複數聲音、或是「反諷」（irony）等，用以呈現多元的認同與觀點，並對博物館自身的歷史、身分與權威展開自省。這些手法與所謂後現代敘事理論（或稱新敘事學）所關注的內容不謀而合。

　　許多學者將當代博物館面對的環境以及其不同以往的處理手法視為是後現代博物館與現代博物館決裂的徵象（Keene, 2006）。文學理論家 Terry Eagleton（2003：13）如此簡練地描述後現代狀態：

> 當代的思想潮流抗拒整體、普世價值、大歷史敘事、人類存在的穩固磐石以及客觀知識的可能性。後現代主義懷疑真實、一致與進步，反對文化菁英主義，趨向文化相對主義並擁抱多元主義、不連續與異質。

博物館身處這樣的時代自然也不能倖免。David Lyon（1999：ix）提問到：

> 快速的科技改變（...）變化中的政治思維（...）特別帶著性別、綠色、種族與民族考慮的社會運動的崛起（...）但是問題是更嚴重的：是否現代性本身與啟蒙時期建立起的偉大世界觀正在分裂？是否一種圍繞消費者與消費、而非圍繞勞動者與產品而建構的新型態的社會已然出現？

這些概念與質問也從四面八方襲擊博物館，迫使後者不得不苦思其在 21 世紀的新定位與角色。而做為一種文化發聲的載體，博物館透過後現代的敘事手法呼應當代社會的需求，亦屬自然。

　　敘事理論的發展隨著後現代主義的出現有著更為豐富的論述。Alasdair McIntyre（1981：201）認為，「除了透過累積可以做為最初的戲劇性資源的故事，沒有任何

其他方式可以使我們理解任何社會－其中也包括我們自己的」。在此他認為敘事依舊是文明核心。而此一概念也可從自 1980 年代以來敘事理論發展的蓬勃現象所印證。這當中最值得提出的重點便是,「敘事學」已不再專指結構主義文學理論的一個分支,而是可以用以指任何根據一定原則對文學、史籍、談話、電影或其他文化表現形式進行敘事研究的方法。而敘事學(narratology)也從單數用法轉變為複數用法(narratologies),結構主義對故事進行的理論化工作已經演化出眾多的敘事分析模式(馬海良譯,2002)。根據 David Herman 的分析,這些年敘事理論的積極發展,可大致歸類為從女性主義視角進行的研究(Lanser, 1992;Mezei, 1996)、從語言學、社會語言學以及心理語言學視角進行的研究(Fludernik, 1993;Prince, 1992)、從認知視角進行的研究(Fludernik, 1996)、以「可能世界」為基礎,從邏輯哲學視角進行的研究(Dolezel, 1998;Ryan, 1991)、從修辭視角進行的研究(Newton, 1995;Rabinowitz, 1987)、以及最後,從後現代主義視角進行的研究(Gibson, 1996;O'Neill, 1994;Lyotard, 1986)等(馬海良譯,2002:24)。這樣一個豐富且多樣的格局所形成的研究領域,一般也以「後經典敘事學」稱之。

　　Herman 引用了 Barbara Herrnstein Smith & Plotnitsky 對於後經典與經典理論的關係之間如何闡明的說法:

> 「後經典理論」這一術語可以表示與數學和科學以及當代文化和文學理論的激進思潮相關係的廣泛含義。譬如量子物理學的實驗和理論發展或當代理論生物學關於進化動力學的幾乎全新的解說。但是該術語在這裡主要用來指人文學科和社會科學中出現的各種概念反思的(也是比較激進的)批評分析和研究。它們的對象是一些相當普通但已成為問題框架的概念,其中重要者包括:知識、語言、客觀性、真理、真實性、再現以及一些相關問題,譬如知識史的動態關係、基礎主義的認識論工程以及數學和科學操作的特殊性。」(馬海良譯,2002:25)

Gibson(1996)的著作亦特別強調了敘事所具有的調侃、不可形式化以及反總體化的效果,而一般來說,後現代敘事可以有以下特徵:

（一）對作品的複製與多重複製

後現代美學的一個主要特徵便是對於重複（repetition）與反覆（iteration）的運用。Umberto Eco, Daedalus & Marie-Christine Gamberini（1994：11）指出，現代主義對於藝術價值的最重要的判斷標準便是創新（nouveauté），對於已然為人熟悉的圖像的複製，不論如何賞心悅目，也只能被打入手工藝的範疇。包括文學、詩歌、電影、繪畫在內的藝術，皆服膺著一種「科學革命」的法則：每一件現代藝術作品，都是一個新的典範，一種新的看世界的方式。更甚者，反覆、缺乏創新的趣味也被降格為商業性、大眾媒體的手法。然而在後現代社會，重複、反覆、構成系列（series）、依循成規與過度提供訊息等大眾媒體慣用的手法，皆被有意識地運用在創作的領域。Eco 等（1944：15-18）將當代複製或反覆的手法歸納為以下五種：1. 重新製作（retake）；2. 再製（remake）；3. 系列；4. 通俗劇（saga）；5. 互文對話。這些手法各有巧妙不同，但共同特色則在於對先前其他文本的重新互換與配置。其他如引用、暗示、參考、仿作、戲擬、剽竊等方式也都涉及文本之間的交匯，可說是後現代創作的極重要特徵。在此，筆者認為瑞士紐沙特爾民族誌博物館（Musée d'ethnographie de Neuchâtel）長年以來的特展政策值得提出做為研究的對象。該博物館自 1980 年代初期以來，便以打破常規、顛覆傳統的展覽主題與展示手法聞名博物館界。其 2011 年 11 月 19 日至 2012 年 6 月 24 日舉辦的特展《天啟後，你在做些什麼？》（What are you doing after the apocalypse?）便是另一個以「末日說」為主題，但卻有意識地與前一年的《噪音》（Bruits）構成系列的展覽[23]。該展刻意不依照一般展覽預警式地教誨，而是「邀請藝術家與社會學專家共同合作，思考發生之後的問題」（Gonseth et al., 2011：3）。展覽的第一部分由雙人組藝術家 M. S. Bastian 與 Isabelle L. 擔綱製作。兩人從音樂、文學與電影擷取創作靈感並直接融入作品之中，呈現「邪惡、災難與恐懼的圖像全景」，大玩互文對話的遊戲。而展覽的第二部分則由七位人類學家「共同思考結束此一主題並挖掘在性、政治、哲學、經濟與能源供應、移民與美學等領域之天啟（毀滅）與神化（重生）之間的張力」，以充分激盪跨領域對話。

---

[23] 有關紐沙特爾博物館的相關資料可參見網站 http://www.men.ch/expo-anciennes（瀏覽日期：2013 年 8 月 29 日）。

（二）融合事實與虛構、現實與神話、原創與模仿

Aron Kibédi Varga（1990：14-15）指出現代主義區分敘事與神話，並且創造了歷史與「真實」的價值。Giddens 也提到，現代主義下根據進化論觀點所進行的「宏大敘事」，可以依照一條「故事主線」來描繪歷史（田禾譯，2000：5）。但在當代，這樣的故事主線已不復存在，也導致沒有確定的目標、沒有起始與方向，正有如學者所說的「歷史的終結」（Lyotard, 1986； Baudrillard, 1989）。因而，不相連貫、處於兩端的事實與虛構、現實與神話、原創與模仿可以融合為一。特別是對於「可能世界」的研究、對於歷史成分滲入虛構世界，以及虛構成分滲入歷史世界後可能出現的情況進行探討，對邊界模糊的敘事話語與特徵做了精確的考察（Dolezel, 1998）。博物館亦可以放棄現代主義式闡釋世界的企圖，而以模擬、仿作或戲謔替代之。前述《天啟後，你在做些什麼？》展覽的第三部分由藝術家 François Burland 以反諷的方式模擬再現一艘長達十八公尺的潛水艇「亞托米克號」（Atomik）[24]，以反思「20 世紀從法國殖民政策到波斯灣戰爭的意識型態」（Gonseth et al., 2011：49）。展覽透過戲謔、嘲諷的方式，指涉過往的不同媒材的作品，而原本虛構的「亞托米克號」被用以替代歷史上曾經在戰役中損壞的無數實際戰艦，令觀者得以跳脫特定情境，重新思索充滿危機的未來，可說是後現代敘事的典型手法。

（三）顛覆傳統的敘事方式，消解文學不同類別和體裁的界限

Herman 認為，結構主義者以為所有的敘事都有故事，抹掉了包括歷史、歷史虛構與小說在內的各種文本類型和體裁之間的差異，也埋下後現代主義理論的種子（馬海良譯，2002：1-2）。以文學領域為例，在許多後現代小說中，作者將小說與許多其他不同種類與文體的作品相混融，將小說演變為各種文類的拼貼，從而消解文學不同體裁與類別的界線。在博物館展覽的範疇內，我們也開始見到愈來愈多的展覽企圖融合如戲劇、舞台設計、電影等其他媒介。Greer Crawley（2012）在列舉一連串於英美

---

[24] 《亞托米克號》是一部由 Spencer Gordon Bennet 執導、出品於 1959 年的科幻電影。其內容描述外太空的異形入侵並描繪核能潛艇的新科技。

舉辦的結合劇場概念的展覽後指出，劇場與戲劇性提供了實驗演出、敘事與視覺意象的形式，也創造了詮釋與展出的新可能性。又或者，許多展覽開始有意消弭傳統對於藝術類、科學類與歷史類等的分類，透過特定的主題，將不同類型的展覽融合在一起。以前述吉美博物館的《追尋黃金城的蹤跡》展覽為例，便是一個融合古代藝術文物、現代漫畫、乃至多媒體新科技的新嘗試。而又如《聽水的故事》，也企圖在傳統的科學展示之外，加入藝術類型展覽、以及歷史文化的元素。

（四）透過對敘事基本問題的重新表述，重新思考故事的性質以及閱讀、表述、分析並因而體驗故事的方式

David Lodge（1996）在一篇分析 1970 年代後期的敘事發展為主題的文章中，將自當時以來的敘事模式區分為敘事語法、敘事詩學與敘事修辭三個項目。而隨著後經典敘事學的開展，這三個項目已從看似分離的狀態演化為多維互動的局面。特別是後現代的文學作品中出現各種敘述主體的「主體論」運用與變換，不僅出現不可靠敘述者或多重敘述者，有時帶有自我嘲諷，甚至對自我敘述表示懷疑。然而，Peter Rabinowitz（1987）的研究也闡明了，讀者具有理解不可靠敘述的能力。Herman 並進一步分析六種不可靠形式：誤報、誤讀、誤評、不充分報導、不充分解讀與不充分認識（馬海良譯，2002：15）。可以說，後經典敘事在認知與閱讀方面的研究，豐富地說明了敘事可以如何激發個體讀者的差異以及其倫理反應。

第四章、展覽敘事的真實與虛構

> 小說家們或許僅僅處理想像的事件，而歷史學家處理真實的事件。但是，將事件（無論是虛構的還是真實的）融合為一個能夠當作再現對象並可理解的整體卻是一個詩性的過程。（White, 1978：125）

隨著對於展覽做為文本的分析理論與方法之考察，本章擬接續處理一個關鍵性的問題，那便是如何在博物館展覽的語境（context）中看待現實（reality）與虛構（fiction）、真實（truth）與想像（imagination）、乃至於自然（nature）與成規（conventions）等的相互關係。在前文對於不同類型展覽的分析或可發現，以展覽品－尤其是所謂的藝術品－為中心的展覽，趨向說明（explanation）或描述（description）文本，且引領觀眾進入虛構性強烈的創作領域，但更多的展覽－如科學、歷史、社會議題等主題－則更傾向採取敘事（narrative）文本的策略，以便將展覽的內容串連為一定的序列，以達到說服觀眾、令觀眾理解並接受展覽訊息的目的。在此所提的後者類型，也都是以指向現實世界（real world）為依歸。因為有如其他的文本，理解展覽的語言就等同認同語言所指向的世界。

雖然歷史是由許多大小事件所構成，但是這些事件的篩選以及如何予以解釋，依然是一個需要重新構造的問題。Robin George Collingwood 認為歷史學家首先是一個講故事的人；他還認為，歷史的敏感性體現在把一堆雜亂的「事實」編造為一個看來可信的故事的能力之上，這種能力便是他所謂的「先驗的想像」（a priori imagination）（何兆武等譯，2010：237-245）。亦即，歷史學家具有一種辨識人類不同情形的探聽力，用以探聽包含在證據之下的故事，或是探聽那些埋藏在故事表面下的「真實」。由這點看來，歷史敘事與科學敘事同樣需要訴諸說故事的手法，以便在無邊無際、生

生不息的自然界或歷史流轉中，設定一個可供討論的框架或邊界，並找出可以說成故事的事件。

　　而相對於歷史類博物館呈現的是過去實際發生的事件，科學博物館所面對的，是不斷前進的未來發展。Barthes 認為，科學研究探索意義，而歷史批評產生意義（屠友祥、溫晉儀譯，2009：273）。另一位法國思想家 Michel de Certeau 也認為，科學的虛構在於設立可能，進行預見，是另一種虛構的類型（邵煒譯，2010：3）。這也說明，科學博物館與歷史類博物館在看待「真實」與「虛構」的議題時，可能存在的本質差異。科學研究的成果沒有絕對的真理，只有暫定的假說。因而博物館在一定時間所呈現的，不論是如何先進的研究成果，都可能在未來被推翻。對於博物館觀眾而言，過往的歷史可能曾經是他們生命歷程的部分，比起科學研究，更是他們熟悉的主題。即便歷史可以因人有不同的「詮釋」，但是曾經發生的事就是發生了，不若科學研究可能帶來全面顛覆既有認知的結論。從這樣的差異出發，本章因此首先將從理論面分析歷史展覽的敍事策略中如何界定現實、真實、虛構、想像以及其交織構成故事的方式，之後以實際的個案分別探討歷史敍事的真實性與科學展覽敍事的虛構性。

　　筆者所謂的「歷史展覽」係指歷史類型的博物館內所舉辦的展覽，不過在此所謂的「歷史類型」，並不局限於傳統概念的歷史學，而是包括 Georges Henri Rivière（1989）定義下的考古學、人類學、甚至廣義的人文科學與社會科學。David Dean 在其《展覽複合體：博物館展覽的理論與實務》（*Museum Exhibition: Theory and Practice*）從策展人的展覽意圖的角度，認為展覽的種類之區別可以從光譜兩端的物件導向與概念導向去思考（蕭翔鴻譯，2006：15-17）。物件導向的展覽突出展品的重要性，展覽著重在物件直接的美感，藝術類的展示經常趨向此類；概念導向的展覽注重訊息與資訊的傳達更甚於展品本身。文字、攝影、圖像等媒體在此類展覽中往往扮演重要的角色。值得注意的是，「兩端之間並不存在明確的界線，而且沒有說哪一種組合就一定是對或錯的」（蕭翔鴻譯，2006：17）。

壹、歷史展覽敘事的手法與成規

Hayden White 接續 Collingwood 的觀點進一步論述說，任何特定的事件，本身不會構成一個故事，它們最多向歷史學家提供一些故事的要素；而「事件是透過所有那些在小說或戲劇情節編織中我們通常可看到的那些技巧被編造成故事的」（White, 1978：84）。White 的意思是，歷史事件做為某個故事的潛在因素，它們是價值中立的。至於這些歷史事件最終會被視為哪一種故事類型則端賴歷史學家根據哪一種故事類型的情節結構或神話去塑造。亦即歷史學家會將一組他希望賦予某種特殊意義的歷史事件與一種特殊的情節結構相互匹配（White, 1978：85-86）。White（1978：86）也指出，歷史學家在思考敘事問題時提出的情節結構（譬如把一段歷史視為喜劇或悲劇），是一般文化遺產尤其是文學遺產的一部分。White 在此承襲了 Northrop Frye 的論點。後者在其《批評的剖析》（*Anatomy of Criticism*）中指出，在閱讀歷史的過程中，「我們會意識到一系列暗喻的認同；閱讀結束後，我們會發現一種具有組織功能的結構樣式或概念化的神話」（Frye, 1957：352-353）。這意味讀者在閱讀歷史學家有關那些事件的敘述的過程中，他也會逐漸意識到他所閱讀的故事所屬之類型。White 與 Frye 的觀點運用在展覽上也幫助我們體悟到，展覽如同其他的文本類型，它具備了一些特殊條件使他脫離了日常的語境，並獲得作者與讀者之間的相互默契。亦即當博物館觀眾認定他在參觀一個展覽時，他會主動採取一種信任態度，接受展覽所提供的資訊。

如果，展覽做為一種文本，有其獨特的表達意義的方式，很明顯地，其中之一便在於使用物件。「展覽展出複製品或模型時，是否還是展覽？」當觀眾反應上述疑問時，他所思考的或許是「這是否還是『事物的本來面目』？」而當一個博物館或展覽的策展人認為使用複製品或模型可以「替代」（substitute）或「代表」（represent）所謂的「真實物」（real things）時（Cameron, 1968），當中便牽涉到事物之間相互關聯的觀念，這種關聯使得某一事物能夠以另一種事物或另一種方式加以表達。然而，究竟誰有權利替代誰？而在替代或相互關聯的過程中，是否會產生意義的轉變？本章擬分別從歷史類型與科學類型的展覽中，探討博物館展覽所運用的各種物件之間的意

義差異與相關聯性。同時以此出發也必然涉及展覽所使用的各種語彙（代表不同層次的真實性的物件、多媒體、文字）如何構成一個展覽文本並對於我們的世界進行闡釋。

一、事實再現的虛構

就歷史敘事中的真實與虛構之課題，Aristote 為日後西方文學理論的發展奠定了辯論的基礎。Aristote 在《詩學》（*Poetics*）第九章指出，「歷史學家所描述者為已發生之事，而詩人所描述者為可能發生之事，故詩比歷史更哲學更莊重；蓋詩所陳述者毋寧為具普遍性質者，而歷史所陳述者則為特殊的」（姚一葦譯註，1982：86）。姚一葦詮釋 Aristote 的論點，認為歷史係依照時間順序的一種記錄，平行的各事件之間並無一定的因果關聯。但詩－亦即虛構作品－則不然，它模擬一個完整的行動，所有的事件均自此一行動產生，所以各事件之間構成必然的因果關係，「因此亞氏認為歷史所處理的為事實，而詩則把事實變成真理」（姚一葦譯註，1982：88）。姚一葦繼續注釋 Aristote 的論點指出，他所謂的「真」（truth），「不是事實是否為真，而是其理是否為真」。詩所表現的事件與人物雖不一定發生於現實，但其發展和演變則必須依照必然的因果關係，亦即建立在一定的邏輯發展基礎之上，因此顯示其理為真。「蓋邏輯所問的不是事件之是否為真實，而是其發展是否有錯誤，故詩可以在假說的條件下構成秩序，亦即可以在任何的假設的條件下發展。（...）故詩比歷史更哲學」（姚一葦譯註，1982：88-89）。

White（1978：121）認為，依照 Aristote 以來的傳統界定，歷史事件與虛構事件的確不同。但是雖然歷史學家和小說家關心的是不同種類的事件，但他們各自話語的形式以及他們的寫作目的經常是一樣的。就目的而言，兩者都希望提供一幅有關「現實」的語言圖像，只是歷史學家透過直接記錄一系列的命題，直接表達對現實的認識，而作家是間接地，亦即透過比喻的手法來表達對於現實的看法。「但是，小說家建構的有關現實的圖像在總體輪廓上是與人類經驗的某些領域相符合的，而這些經驗領域同歷史學家所涉及的領域都是同樣『真實的』」（White, 1978：122）。

White 進一步論述，關鍵性的對立在於「真相」和「謬誤」之間，而不在於「事實」與「想像」之間。很多真相，甚至是歷史的真相，只能通過再現的虛構技巧來傳達給讀者。他說：

> 真相並非等同於事實，而是等同事實和概念模式的結合，在其中，真相適當地位於話語中。正像理性一樣，想像力必須參與到所有對真相的充分再現中：這就意味著，對於歷史話語的創作來說，虛構創作技巧與學識一樣，都具有同樣的必要性。（White, 1978：123）

從 Aristote 到 White 的一個重要的區別在於，「真實」（truth）一詞具有不等同的兩面。一面是「現實」（reality），是實際發生的事情或事件，另一面是「真理」或「真相」（英文也是 truth），亦即前述 Aristote 所謂建立在一定邏輯之上的必然發展，也是一種更高度的現實（a higher reality），一種真實的意念（姚一葦譯註，1982：197）。Louis O. Mink（1970：541）在論述歷史與虛構做為一種理解的模式時，也引用 René Descartes 的話語表示：

> 我知道小說的精妙使心靈充滿活力，而歷史的豐功偉績使心靈更加高貴。（...）小說使我們想像一連串實際上不可能的事件成為可能，而即使是最有名的歷史，如果它們未能改變或將事情編織地更為可讀，總是忽略最有意義的情況的話，其他的部分也因此被扭曲了。

Mink 在此闡明了「真實」的兩面意涵。

White 指出，在處理過去的事件時，如果要達到對這些事件的如實再現，最重要的是考慮部分與部分所構成的整體之間連結方式的再現。「事實不會為自己說話，是歷史學家為它們說話，並將過去的片段構造為一個整體，這個整體的完整性便是話語的完整性。」（White, 1978：125）。White（1978：125）因此結論道，將事件（無論是虛構的還是真實的事件）融合成一個能夠當作再現對象的、可理解的整體的過程卻是一個詩性的過程（poetic process）。

那麼，究竟應如何在混亂的歷史紀錄中發現「真的故事」呢？在這樣一個疑問或企圖中，我們可以發現一種敘事話語的文化功能，一種對於給予事件一個敘事性的普遍需求。而這樣一種疑問用於歷史編纂是極為適合的。如果一段歷史以一定的故事結構呈現，我們便認為可以從中習得教誨；如果歷史僅以一連串事件的形態呈現，而未帶有敘事的形式，我們是否會納悶之中蘊含的意義？譬如所謂的年鑑（the annals）便不帶有敘事的形式。在許多展覽中，我們所見到的年表也屬於這種類型。Peter Gay 便表示，沒有分析的歷史敘事是淺薄的，沒有敘事的歷史分析是不完整的（Gay, 1974：189）。

在另一篇分析敘事性的價值的文章中，White 藉由分析《聖加爾年鑑》（The Annals of Saint Gall）指出年鑑雖然具有指涉性，且代表著一定的年代，但不具備我們一般認為一個故事應該有的屬性：它沒有中心主題、沒有明確標示的起始（它開始於一個時間但沒有交代其理由），中間與結尾（它終止於一個時間但沒有結論）、沒有劇情的變化（它沒有所謂的高低起伏），也沒有可以辨識的敘述聲音；甚者，它無法交代一個事件與另一個事件的必然連結。這些缺乏對於現代的讀者而言，是令人沮喪也令人困惑的（White, 1980：12）。

《聖加爾年鑑》中不乏空白的年份的現象，說明了事件也必須經過「篩選」，而非未經任何選擇地成為敘事要素。面對雜亂的事件，歷史學家必須根據敘事意圖，加以選擇與分類，也必須為敘事文本尋求「斷點」（馬海良譯，2002：188-189）。Claude Lévi-Strauss 在《野性的思維》（The Savage Mind）中指出，「歷史」絕非簡單的歷史，而總是為了什麼的歷史，為了某種類科學（infrascientific）的目標或設想而撰寫的歷史（Lévi-Strauss, 1966：257）。這也是說，我們只有透過放棄包含在我們敘述中的一個或多個事實領域，才能建構一個有關過去的可理解的故事。因此我們可以了解歷史學家闡釋材料必須經歷的歷程：一是事件的篩選，二是情節編織的方式。而這兩種歷程與虛構作家所必須經歷的，在本質上是一樣的。

二、成規（convention）與自然化（naturalization）

前述事件與情節的關係與 Collingwood 在其《歷史的觀念》（*The Idea of History*）中對於分析歷史的闡釋有可比對之處。他假定歷史學家採取批判性與構成性的雙重的闡釋策略。透過對於文獻的批判，歷史學家建立他的敍事「框架」，接續他會從「確定發生過的事實」的知識中去推斷「必定發生過的事實」，並由此填補記錄上的空白（何兆武等譯，2010：237-245）。Collingwood 認為，這種推斷便是「先驗的想像」發揮作用的一種方式，如果沒有這種想像，就不會產生任何的歷史敍事。他認為這種想像既是先驗性的，也是結構性的。所謂先驗性的是指歷史學家會根據人類的普遍經驗去辨識事物，或者可以說，是符合「現實主義」原則的。至於結構性意味，歷史學家所構思的思想客體是由形式一致的觀念所支配的。

「現實主義」（realism）在此做為一種普遍的術語，意指對於世界的真實反映。我們如果認為一個故事有可能發生，就會以某種特定的方式沉浸其中。有的學者認為，我們如何判斷一個敍事是否真實，實際上也是高度成規化的結果，因為關於現實的一切再現同樣是人為的。Wallce Martin 指出現實主義的原則至少有三。首先是選擇普通的或典型的題材。但經常題材的選擇也必須兼顧典型與獨特。譬如小說中特定的個人經常提供一個反諷的透視角度，由此來對照其他人物的被普遍接受的價值標準與行為（Martin, 1986：60）。其次，現實主義以「客觀」為特點。雖然客觀難有絕對的標準，但在此客觀意味作者克制自我個性以及敍述聲音，讓觀者或讀者透過戲劇式呈現直接體驗。最後，現實主義包含一種關於自然因果關聯的理論（Martin, 1986：60-61）。

Marshall Brown （1981）指出，因果關聯的意義可以與黑格爾所討論的三種現實相對應。在第一階段中，人和物似乎都是偶然的個體，不能透過考察其原因和後果而被理解。在這一類的作品中，雖有對於具體情況的描寫，但生活整體卻是不可理解且不可控制的。在第二階段中，「現實」呈現相互聯繫的因果鏈條。一切都被織入必然的過程。Brown 認為體現這一階段的作品包括「描寫階級衝突的現實主義，當中人物同時是某種歷史演變的動因和主要受害者」。但在一定的距離之外看來明顯的情況對

於當事人來說卻像是偶然的。黑格爾的第三階段係指外部與內部、普遍與個人的融為一體，雖然在「典型的現實主義」（realism of types）中這種對立面的結合也許不被人物自身充分理解。Brown（1981：238）認為這三種不同層次的現實主義是從「有關細節的喜劇現實主義走向有關因果力量的悲劇現實主義和有關典型命運（typological destinies）的鬧劇現實主義」。

　　因果關聯被視為現實主義的一種基本成規。這也就是說我們習慣從自然因果的角度來解釋情節。Jonathan Culler 在其《結構主義詩學》（*Structuralist Poetics: Structuralism, Linguistics and the Study of Literature*）中，全面考察了結構主義者在文學中確認的不同的「逼真性」（verisimilitude）。他首先以 Todorov 對於逼真性的定義表示，「所謂逼真性，是某一具體文本與另一種普遍而散漫的、或許可以稱之為『公論』的文本之間的關係。」（Culler, 1975：162）其次，所謂逼真性，是在某一體裁中受到傳統的認可或期待的東西，「有多少體裁，就有多少逼真性。」最後，「只要一部作品試圖讓我們相信它與現實、而不是與它自身的規律相一致，那麼，我們就可以說這是這部作品的逼真性」（Culler, 1975：162）。

　　Culler（1975：164）也提出劃分逼真性的五個層次，分別為社會造就的文本、一般的文化文本、一種體裁的文本、對於藝術性的符合自然的態度，以及某些互文性產生的比較複雜的逼真。首先，社會造就的逼真是運用一個社會中被認為是符合自然的態度的文本。人們對於這一文本以習以為常，以致不察覺它就是文本。它通常來自世界的結構，譬如我們可以思考、想像、記憶的功能，我們會感覺痛苦或愛恨情仇等等。這一層次具有內在的可理解性，而當它偏離這種話語時，讀者就會將文本的「比喻」轉化，納入這種自然的語言（Culler, 1975：164-165）。第二種逼真性被定義為一系列文化成見或公認的知識。Martin 將 Culler 的第二種逼真性又再區分為兩種：第一種由構成我們社會領域的一切慣常行為所組成；第二種係指文化成見、俗語常言或經驗法則，以及可能出錯的偏見（Martin, 1986：67-68）。Culler 的第三層次是文化成規所創造的自然化，譬如虛構性和進入人物的意識是現實主義敘事賴以建立的基本成

規（Culler, 1975：169-173）。第四層次是所謂「成規化的自然」（the conventionally natural），亦即作者透過揭露敘事作品使用的手法並暴露其人為性，以為自己清出一個空間，或是贏得讀者的信任（Culler, 1975：173-178）。而當第四層次受到更進一步的扭曲或模仿，便成為 Culler 所說的第五層次「滑稽模仿與反諷」（parody and irony），這意味一部文本必須把握原本的某種精神，又仿效它的形式手法稍加變化，以造就原本的逼真性與仿作之間的距離（Culler, 1975：178-186）。

筆者在此略繁瑣地介紹 Culler 對於逼真性的界定，是因為其分類對於我們思考展覽所對應的現實頗具參考性。舉一個基本的例子，博物館的展覽如果訴諸於第一層次的逼真性，我們便可假設，即使是不同文化的觀眾也比較能夠共賞，但如果涉及的是第二種以後的逼真性，便比較具有文化上的排他性。

Culler 認為，在任何一種情況下，逼真性都是一種話語與另一種或若干話語之間結合為一體的準則（Culler, 1975：163）。他的意思是，一部作品與一種體裁的其他文本之間的關係，或與虛構世界之間的關係，與普通話語所表現的人際關係一樣，是同一層次的問題。因而，他進一步認為，逼真性成為互文性（intertextualité）的基礎，有關一部文本與其他文本的關係。他也認為，說明前述不同層次的逼真性，就是在界定一部作品如何與其他文本交流接觸的辦法。做為一種文本，展覽同時是獨特的符號性物件（obejt sémiotique），也是先前其他展覽不斷改寫過程的結果（Culler, 1975：162）。Marie-Sylvie Poli（2011：30）在研究展覽文本時指出，「所有的展覽，即使是那些最不學術或是最令人困惑的，也都交織在博物館領域歷史與制度的網絡之中」。她亦指出，沒有全新的展覽，就如同沒有全新的文本，因為展覽一如任何文本，必須自它先前的同類型的其他符號性裝置之不間歇之多樣性中汲取形式上與主題上之創新（Poli, 2011：30）。惟我們可以借用 Culler 的觀念進一步說，展覽與現實之間的關係，也是不同文本的關係。

使一部文本與其他話語建立關係是所謂的「自然化」，也就是將本來是人為的東

西顯得是自然的或是將奇特的、虛構的成分轉化，使它們被納入我們的視野。Culler
認為，「要把某一事物自然化，就是將它納入由文化造成的結構型態，要實現這一點，
一般就是以被某種文化視為自然的話語形式來談論它。」（Culler, 1975：161）做為
一種文本，展覽因此也可以被視為一種體裁，一種書文，它可以使我們對於我們的世
界去做種種界定。

貳、歷史情境展示的真實性：《斯土斯民：臺灣的故事》

在建立不同文本之間的關係時，話語往往與其用以指涉的對象有所差異。我們無
論如何努力想要再現事物的原本面目，總是很難如願。White 指出，「每一個模仿文
本都從對其對象的描述中漏掉某些東西，或者加入了某些東西。（…）一經分析，就
可表明每一種模仿都是被扭曲了的，因而誘發了對同一現象的另一種描述，這種描述
聲稱更實在更『忠實於現實』。」（White, 1978：3）像這樣將事物之間加以聯繫的
概念，White 稱之為「轉義」（tropic）。這種關聯使事物能用一種話語來表達，但又
能考慮到用其他方式表達的可能性。

透過轉義，原本被視為需要理解的現象領域被同化在那些本質已經被理解的經驗
領域中。White 指出，將原本不熟悉的東西轉變成熟悉的過程就是理解，而此一理解
在性質上是轉義的（White, 1978：5）。Culler 認為古典修辭學對於一系列的闡釋活動
加以界定，包括各種比喻和修辭，使讀者從文本的表現，移向文字所指的意義，是一
種理解文本的方式（Culler, 1975：158）。White 也認為，轉義的過程必須採取一些主
要的比喻型態，包括隱喻、轉喻、提喻和反諷。他同時也對於這些修辭方式如何起作
用提出一個模式，亦即「話語敘事主體『我』必須歷經以下幾個階段：起初是對某個
經驗領域的隱喻的描寫，然後是對其諸因素換喻的解構，接下來是對其表面屬性與其
假定本質之間關係的提喻的再現，最後是對任何對比或對立的再現」（White, 1978：
3）。

在展覽中，我們經常運用相似性的概念連結事物。博物館經常強調收藏或展示的物件的真實性（authenticity），真實性意味物件來自於它所代表的那一個時空或文化，而這樣一種屬性便賦予物件特定的價值（Baudrillard, 1968：107-108）。具有真實性的物件（即「真實物」（the real things）是它所代表的時空或文化的見證，它被視為與指涉的對象之間具有直觀的關係。相對地，複製品或替代品經常被認為無法達成真實物所能具備的功能，或者說在象徵意義上，被視為一種不得不接受的缺憾（Deloche, 2001：185-186）。呂理政（2002b：66）認為：

> 博物館無可避免的只能展示「片斷的」、「部分的」歷史文化，而展示的任務是將代表歷史或文化片斷的標本文物重新脈絡化，詮釋其歷史文化意義，達到與觀眾溝通的目的。

然而，即使是真實物，它依然不能成為它所指涉的對象。也就是說，所有在博物館展示的物件或使用的語彙都應被視為現實的替代品，因為博物館物正是博物館化的事物，已經是此一事物的替代品（張婉真譯，2010：44-46）。就這一點看來，真實物與替代物（模型、蠟像、平面或立體的複製品、或任何具有複製性質的載體所進行的活動或成果）雖然具有一定的緊張關係，但之中的差異其實不如我們一般以為的大。

本節擬探討歷史類型展覽所使用的不同語彙之間以及各種語彙與現實之間的相互關聯性，相關問題包括展覽使用哪些語彙（展品）？它們彼此之間如何相互闡釋、對話？如何思考展品之真實性？如果展品具有一定反映現實的能力，其轉義的過程為何？如何說明什麼東西可以替代什麼、或代表什麼？這當中可否找出一定的規律或原則？國立臺灣歷史博物館（以下簡稱「臺史博館」）位於臺南市安南區，於 2011 年 10 月開幕，是臺灣第一座國家級以保存詮釋臺灣歷史與文化為宗旨的博物館。臺史博館二樓的常設展《斯土斯民：臺灣的故事》（以下簡稱《臺灣的故事》）以呈現「臺灣歷史發展各時期共同的或代表的特色」為主旨（陳銘達，2012：25）。根據館方的網站，該展：

立足於多元詮釋的歷史觀，以歷史的時間軸序列，穿越割裂的統治政權，表現臺灣的文化與生活。同時希望能以這一塊土地為舞台，以人為主角，建構臺灣長時間、多民族與自然環境互動的歷程，展現土地與人民的歷史真貌。展示設計透過四季的時序變化，及由大海向內陸開展的空間，藉由光線、顏色、溫度、角度及人物衣著物件的變化，轉化展場色調，塑造一種氛圍，貫穿整條故事線。觀眾將經歷春、夏、秋、冬四季變化，並由大海、平原、城鎮，走入都市。[25]

有鑑於該展為國內具代表性的大規模歷史展示，以下本節便以該展為個案進行討論。

一、《斯土斯民：臺灣的故事》的展示規劃

20 世紀以降，博物館展示的概念已逐漸發展為一種策展意念與觀眾之間溝通的策略。Michael Belcher（1991）認為，「展覽應定義為一種對觀眾有所企圖的呈現，一個帶有目的的展現，此一展現有意對觀眾產生影響。」又如 Peter Vergo（1989：46）則說：

在大多數的展覽，被聚集在一起的物件並非為了它們單純可見的外型或是它們並置的效果。而是因為這些物件被嵌入一個我們希望它們述說的故事。展覽的脈絡賦予物件一種特別的意義。

展覽做為一種言說方式已經成為一種共識。這樣的言說也預設著觀者的存在與想法，《臺灣的故事》展亦然。導覽手冊是如此介紹的：

「斯土斯民：臺灣的故事」占地廣達 1,324 坪，以年代序列及不同文化進入臺灣的時間，分為七個不同的主題單元，並以人和土地做為主軸，串連成臺灣的故事。（江明珊等編，2012：32）

臺史博館呂理政館長在接受筆者訪談時，多次表達對於展覽如何與觀眾溝通的看

---

[25] 參見國立臺灣歷史博物館官方網站 http://www.nmth.gov.tw/Default.aspx?tabid=64（瀏覽日期：2013 年 8 月 31 日）。

法[26]。他認為,「希望來的人可以和他的自身經驗與記憶相勾連,因此我才能說這是臺灣人的博物館」。為此,「我便想把臺灣人最有共鳴的物件呈現(...),在其中觀眾可以找到自己、看到自己(...)」。從臺史博館的展示規劃中,則可以看出為了引發觀眾共鳴而做的努力。根據導覽手冊:

> 展場以無隔間、高穿透性的空間設計,展現歷史連續性。同時,藉著大量造景、人像及模型,搭配文物、文獻和影像資料等展示,以活潑生動而多元的方式呈現,讓觀眾身歷其境,暢遊在臺灣土地為舞台,臺灣人為主角的歷史故事脈絡當中。(江明珊等編,2012:32)

從此段文字可大致窺出,《臺灣的故事》的展示設計運用了高比例的情境展示做為一種與觀眾溝通的手段。

　　《臺灣的故事》的故事係建構在時間序列之上,但又希望同時兼顧其他不同的角度。有鑑於「歷史是延續的,人民與土地是存續的,人民與土地縱然會因改朝換代而有所變化,但均非斷然改變。」(陳銘達,2012:26)因此展廳雖有明顯的時間序列,但各單元展區係以主題標示,並且刻意以開放的空間營造各單元的延續與交融。C研究員指出館方的策展理念包含兩個重要的角度:其一是能夠從世界的角度看臺灣;其二是著重土地上人的存在。此兩點不僅表現在展場的開端,也貫穿整個展覽。因此我們可見,展覽以介紹臺灣土地的主要特徵開場,在觀眾的入口右側可見三個多媒體銀幕,其前方設置圖文解說與臺灣地形的模型(圖4.1)。文字部分主要分為「多樣的生態與地貌」與「多元的族群」兩個次單元,其說明內容包括圖片與互動裝置,但不涉及情境展示。接續的第二單元「早期的居民」介紹史前時代臺灣土地上的居民的生活方式。展區明顯區分為三個時間帶,並各自介紹其中一個代表性文化,分別為舊石器時代的長濱文化、新石器時代的墾丁遺址以及鐵器時代的淇武蘭遺址。三個文化遺址各自以一個透景畫模型(diorama)為主要展示方式(圖4.2),前方與其周遭搭配圖文說明、多媒體影片與物件展示。物件放置於櫥窗內,但多數標示為「仿製品」。

---

[26] 筆者於2012年11月6日訪談國立臺灣歷史博物館呂理政館長,復於2013年7月4日訪談臺史博館兩位資深研究員(文中分別以C研究員與D研究員稱之),訪談問題參見附錄三。

圖 4.1　《臺灣的故事》入口右側的多媒體銀幕。

圖 4.2　《臺灣的故事》「早期的居民」展示單元的透景畫模型。

　　第三單元「異文化的相遇」旨在介紹「16、17世紀海上貿易興盛時期，位於東亞航線樞紐位置的臺灣，成為各方勢力競相前往之地的故事。」（江明珊等編，2012：44）在此單元出現的民族非常多元，包括西方荷蘭人、西班牙人，亞洲的日本人、中國漢人以及臺灣的原住民等。在展示手法上，除了運用透景畫模型之外，最顯著的是在展區的正中央，以四面大型銀幕圍構成一個環形空間，每一個銀幕前方展示著等身大小的人模型，並搭配圖文、物件，以展示不同的族群各自一段歷史或一個事件（圖4.3）。譬如，在「原住民與外來者」的次單元部分，一個人模型明顯模擬下方圖片人物的姿態。又譬如，在「漢人的反抗與合作」次單元，展示了一對看似漢人夫婦的男女。而在「新舊勢力的矛盾與衝突」次單元，展示一位身穿和服的日本人。最後，在「荷西對抗」的次單元中，展示著一對歐洲人，分別為船長與牧師的打扮。這些人模型的形貌與肢體塑造非常寫實，加上有如劇場一般的燈光效果，非常吸引觀眾。儘管人模型模樣逼真，但並沒有明確的身分標示。其中如「原住民與外來者」做出奔跑姿勢的設計靈感，應是來自圖片；而穿著和服的日本人，應是表現日人濱田彌兵衛之外（圖4.4），其他的人模型便不易推測其身分或設計來源。另外，在圓形空間之外，館方另外展示一艘複製的戎克船，船上有正在忙碌工作的人模型。船旁設置著「戎克船」與「香料」的文字解說（圖4.5）。

　　第四單元「唐山過臺灣」旨在描述「清朝時期中國大陸的漢人，冒著橫渡臺灣海峽的風險，來到臺灣謀生的艱辛過程」（江明珊等編，2012：58）。此單元因應展場空間，明確分為兩個區域。其一與前面展區的空間相連，以「一般在港邊停泊的單桅中式帆船為核心，講述清領時期漢人移民橫渡黑水溝抵達臺灣的歷程與時代背景。」（圖4.6）（江明珊等編，2012：58）相對於前面的敘述口氣，這艘船的說明文字除了介紹之外，也以提問的方式，提醒觀眾注意船上的人物與貨物，甚至將船上人模型的圖片置於圖文解說之中，是整個展覽中較為罕見的作法（圖4.7）。

圖 4.3　《臺灣的故事》「異文化的相遇」展示單元的人模型展示。

圖 4.4　「異文化的相遇」展示單元的日人濱田彌兵衛。

圖 4.5　《臺灣的故事》「異文化的相遇」展示單元的複製戎克船。

圖 4.6　《臺灣的故事》「唐山過臺灣」展場一景。

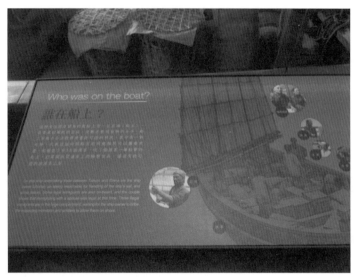

圖 4.7　《臺灣的故事》「唐山過臺灣」的圖文說明。

隨著展區空間的轉向，第四單元也在觀眾步下一個小緩坡後：

> （以）原、漢簽約租地場景為主軸，搭配平埔原住民公廨、村社分布圖、清代地
> 圖等，描繪漢人移民與平埔原住民在臺灣西部平原地區相遇，以及雙方文化衝突
> 與融合的過程。（江明珊等編，2012：58）

一但走入此區域，觀眾可在其左手邊看見一座原尺寸大的公廨以及四位看來正在開會
討論事情的人模型，三位為漢人男性，一位為懷抱嬰孩的原住民女性（圖4.8）。其
旁設置著「原漢相遇」與「簽約租地」的說明牌。沿著牆面，則布置著一系列的圖片、
物件、多媒體與文字說明。針對此展區，C 研究員表示：

> 平埔簽契約書的場景（...）或許這種事情就是一直在發生，但或許他並沒有一個特
> 別明確的歷史事件，（...）我們有點像是挑出其中一個故事去說，透過這樣的場景
> 去呈現。

圖 4.8　《臺灣的故事》「唐山過臺灣」展示單元中的「原漢相遇」。

也就是說，這樣一個場景的設計係基於歷史曾不只一次發生的事件，但具象化的呈現用以廣泛指涉這類事件而非特定日期所發生的事件，甚至也考量到將地主安排為女性，「也符合平埔的邏輯」。D研究員也認為，「就是介入在歷史的合理性下的對話」。

　　第五單元「地域社會與多元文化」的空間與第四單元的後半段相連，占據整個展區相當大比例的面積。本單元：

> 依照臺灣各地不同的地理環境，將展示區分為沿海、平原、丘陵、商業城鎮及後山五個區域，分別呈現不同地區移民因應自然、人文條件發展出來的地域社會特色。（江明珊等編，2012：70）

而在展區中央，展示「臺灣民間信仰中的王爺與媽祖出巡隊伍，象徵臺灣社會跨越時空限制的虔誠信仰。」（江明珊等編，2012：70）本單元不僅空間大，以人模型表現的出巡隊伍更是搶眼（圖4.9）。本單元的牆面貼滿輸出的圖像，搭配前方不同的造景，

詮釋這段時間內發展的不同產業（糖業、農業、漁業、大稻埕茶葉）、社會形態（村落）或習俗信仰（頭城搶孤）。本單元也出現多組建築與建設的縮小模型，如鹿港著名的店鋪「日茂行」、鹿港商店街屋、五溝水聚落等（圖 4.10）。其中較為特別的是詮釋郊商黃祿嫂的人模型設置有錄音系統，會主動說話，有如親身介紹自己的故事。

　　第六單元「鉅變與新秩序」介紹 1895 年至 1945 年半世紀的日本統治時期。展示「從日本接收臺灣之初的臺灣民主國黃虎旗開始，到象徵日本結束統治的『終戰詔書』為止。」（江明珊等編，2012：84）本單元大幅度地運用「1 比 1 仿製的派出所、街屋、電影院等大型造景，說明在日本殖民統治下，臺灣人生活方式面臨的巨大變化。」（江明珊等編，2012：84）本單元所運用的造景同時也是觀眾得以參觀進入的舞台。例如派出所內部、以及「島都臺北」各個店鋪內部都另有展示（圖 4.11）。展區內也運用多組人模型以呈現「社會運動」、「臺灣新女性」、「前往戰場」等主題。排列坐在派出所旁的警察們特別留出一個空位，成了觀眾喜愛與之合照的焦點（圖 4.12）。

圖 4.9　《臺灣的故事》「地域社會與多元文化」展示單元中的繞境。

圖 4.10　《臺灣的故事》「地域社會與多元文化」展示單元中的鹿港日茂行介紹。

圖 4.11　《臺灣的故事》「鉅變與新秩序」展示單元中的島都臺北。

圖 4.12　《臺灣的故事》「鉅變與新秩序」展示單元中的日本警察。

　　第七單元「邁向多元民主社會」旨在介紹臺灣自二次世界大戰結束之後到今日的發展，主軸放在說明戰後臺灣「自蕭條困頓邁向經濟起飛、自反共戒嚴邁向多元民主社會的故事篇章」（江明珊等編，2012：102）。該單元「首先透過一間貼著標語的教室，表現戰後初期政府藉由教育、宣傳來達到反共抗俄的目標，並積極推廣中華文化，來強化中華文化延續性的時代特色」（江明珊等編，2012：102）。在之中，黑板化身為多媒體銀幕，課桌椅也成為展示櫥櫃，可加深觀眾的現場感受（圖 4.13）。其次是以大幅圖片輸出加上造景，呈現「家庭代工」與「街頭抗爭」等臺灣人不會陌生的主題。而在另一面牆，一張從展覽開端便開啟的年表，強調臺灣在現在民主社會的發展。最後，常設展以「展望新世紀」的雙劇場結尾，銀幕出現的是小朋友對於臺灣未來的期許，也為展覽帶出邁向未來的向度（圖 4.14）。

圖 4.13　《臺灣的故事》「邁向多元民主社會」展示單元一景。

圖 4.14　《臺灣的故事》「邁向多元民主社會」展示單元中的雙劇場。

前述館方對於展覽規劃的想法，特別是希望呈現土地與人民的歷史以及重視民眾的記憶等基本原則，明顯左右臺史博館大量採取情境展示的策略。館長在訪談中提到，「我堅持選派出所因為這是『人民的記憶』，（…）對老一輩的記憶他們的政府就是派出所，只有派出所管得到他。」他也提到，「原來觀眾最關心的是自己，因此我便想把臺灣人最有共鳴的物件呈現，畢竟我的目標觀眾是臺灣人民並非外國遊客，像是雙心石滬的鹽田、王爺、媽祖這些與臺灣人最有記憶扣連的東西。」為了使觀眾得以感受到展覽內容與自身的關係，情境展示被視為有效的媒介。過往研究亦顯示，透景畫模型（diorama）、或置於特定場景或風景的原尺寸模型，是各種博物館展示手法中最能將概念活化者（Moser, 1999：95）。C 研究員也提到，「主題若是希望讓大家產生共鳴，在手法上才會採取這麼多人模型在現場，或者是以造景的型態呈現，這是比較希望和觀眾可以對話所做的設計」。館長強調，「我的責任就是想盡辦法讓觀眾找到自己，也特意設計了很多拍照點讓大家可以拍照，而這些場景是具有歷史時代意義的。」

從文本分析可得知，《臺灣的故事》的展示內容規劃是館方與國內臺灣史研究社群長期研議下的成果，但在展示手法上也非常重視觀眾的參與及接受度。而觀眾對於該展的回應是否如館方的期待將在下一章討論。研究者如 Nick Merriman（1991）曾指出，許多觀眾仍對博物館抱持崇敬的態度並以博物館所言為真理；但也有愈來愈多的研究主張觀眾擁有詮釋與解讀展覽的能力及權力（Black, 2005）。惟我們也已認清，博物館面對的是多元的觀眾，其背景、參觀動機與目的、理解展示內容所需要的先備知識皆不相同，臺史博館亦然。由是，情境展示固然可做為博物館與觀眾溝通的有力工具，但觀眾在參觀時與參觀後的想法，值得我們進一步了解。

二、情境展示的定義與特徵

所謂「情境展示」在此為筆者的權宜說法，係指一種運用真實物件或複製品，並將它們置放與布置成有如彼此相互構成一個三度空間的環境，而這個環境是用以指涉一個外在於博物館的原時空環境；且觀眾在參觀時，能夠透過這樣的展示辨識其原

時空環境甚至產生身臨其境的感受的展示方式。Simon James（1999：117-118）在討論「重建」（reconstruction）的定義時認為，「重建」是一個廣泛被接受但很不完美的說法，因為它經常是基於高度破碎的資料所建構的想像性或模擬性的畫面。而「重建」也屬於本文所談論的情境展示之列。事實上，博物館內使用情境展示的手法非常多元，其共同點首先在於其為一個可辨識的「生活／自然景象」。不論這樣一個景象是否為觀眾所熟悉，他依然得以憑藉其生活經驗，想像並捕捉一個外在於博物館的實際環境的樣貌。因此，我們可以說，情境展示的特徵之二，便在於它與它的所指之間的關聯性，係建立在一種型態的相似之上。Charles S. Peirce（1978）的符號學理論中列出的三種事物之間關聯性的類型：「肖像」（Icones）、「表徵」（Indices）、與「象徵」（Symboles）。其中「肖像」的關聯性係建立在相似性之上。Umberto Eco（1992c）則就 Peirce 的概念進一步分析「肖像」與「類比」，並提出「外型相似」（la similitude）、「型態相似」（l'isomorphie）、或「比例尺」（proportionnalité）三種說法。其中「外型相似」係指外表或表象的相近；「型態相似」係指結構或組織的相似；而「比例尺」係指相同結構但不同比例大小。不論何種理論，情境展示與其所指之間的「類比性」足以使觀者建立兩者之間的連結。由此，我們可以再提出情境展示的特徵之三，其能給予觀眾的「現實感」（realism），即所謂身歷其境的臨場感體驗。

從博物館學對於物件的真實性——亦即物件是否來自其所指涉的時空環境且是否完整並未經改造——的觀點思考，情境展示可以有多種可能性。從光譜的一端論起，首先，一個情境展示是直接來自於一個原本完整的整體（Montpetit, 1996：58），亦即博物館將一個環境原封不動地移入博物館內，有如現在已經閉館的法國國立民間藝術與傳統博物館（Musée national des arts et traditions populaires）內的「生態單位」（les unités écologiques）的做法 （Rivière, 1989：267）。其次，由於博物館內的情境展示所運用的物件經常並非來自同一個環境，如此便有許多博物館介入的可能性。譬如一個展示路易十四時代裝飾藝術風格的房間，裡面所展示或所使用的物件或許皆來自路易十四時代，但並非同一個宅邸，或並非同一個物主。由是，我們便可理解，這樣的房間或情境展示其實並沒有其在現實上真正的所指。其所指涉的毋寧是我們心目中一

個典型的或希望營造出的路易十四風格。這又有如，當我們要展示一隻動物的標本，往往是將它布置在一個我們腦海中的典型棲地，而非去模擬一個可指認的、該動物曾經真實生活過的時空環境。

上述二種情況的所指為一個實際可能存在過的某一時空，然而情境展示也有可能展出從未實際存在過的一個場景。譬如，在巴黎重建雨果住所的展示屬於上述的第二種──暫且不論其所使用的物件是否具有真實性──，但倫敦福爾摩斯博物館（The Sherlock Holmes Museum）裡的陳設則是來自一個虛構的所指。又如哈利波特展所呈現的場景只存在於電影裡，從未實際存在於現實過。多年前在法國與加拿大巡迴展出並極受注目的《電影城市》（Cités-cinés）展，以多部影史流傳的電影為主題，在展場裡建構一幕幕影迷耳熟能詳的場景，亦屬此類[27]。同樣是虛構的場景，有的來自於經典的文學作品，有的來自大眾文化產品，當然，已有許多文獻探討的迪士尼樂園現象也屬此類（Droguet, 2005；Chaumier, 2011）。

從上述的分類可看出，情境展示的真實性，既可用以指所使用的展示物件，也指其所指涉的原場景。兩者可能皆具有真實性，可能其一具有，也可能皆不具有。或者我們也可以說，不論哪一種情況，展示本身都已經不再真實。從博物館的角度而言，如何令觀眾體會博物館的使命與宗旨自然是最為重要的課題，此點也可視為現代博物館制度成立以來的不變定律。然而，在複製技術既發達又普及的當代，這樣的課題應如何達成？我們必須思考，真實與否是否還具有重要性？如果從觀眾的立場而言，觀眾在博物館內尋求什麼？如果說博物館希望傳遞特定的訊息，這樣的訊息傳遞是如何形成？而又可以如何評量呢？

Karen Wonders（1993）則以透景畫模型為例，分析此類展示因為其擬真的特性，對於觀眾具有一種魅力與感染力。從前述以虛構場景為主題的情境展示皆極受觀眾歡

---

[27] 關於此巡迴展的介紹，請參見網站 http://www.confino.com/cites-cines/f_dossier.html（瀏覽日期：2013 年 8 月 3 日）。

迎的現象，尚可假設即使物件或原場景皆不具有真實性，觀眾可能也不在乎。關於此點，Raymond Montpetit（1996：59）指出，觀眾對於一件展品是否為「真實物件」的關心程度，遠不如整體構成的真實度。他認為，類比性的展示本身既是一種存在（présence）也是一種再現（representation）（Montpetit, 1996：59）。這類展示藉由許多實際「存在」的物件構成一個「再現」；由是，觀眾對於這類展示的理解與掌握，主要是透過「圖像」（image）的模式達成（Montpetit, 1996：59）。所謂的「圖像」可定義為「一個像其他事物的事物」（Joly, 1994：24）。如果我們將展覽視為一種敘事、一種言說，情境展示就有如在故事中嵌入一張張立體的插圖（illustration），它輔助著故事，提供一種視覺性的觀看。由於插圖與現實相近，所以受到普羅大眾的歡迎。也因此，情境展示呼應博物館希望使其對象拓展至一般社會大眾的企圖（Droguet, 2005：68）。

從文類的角度，情境展示比較接近於描述（description）。描述為了求其可信，必須說明完整，也就是必須加入許多可能無關情節重要，但可以增加說服力的細節。Barthes 在〈現實的效果〉（L'effet de réel）一文中指出，敘事的一般結構是「預示性的」（prédictive），意味情節的未來鋪陳與進展（Barthes, 1968：85）。然而描述不同。它無法預示，也無助於事件的推展，甚至延緩故事的進度，但可以指涉特定的時空（Barthes, 1968：85）。Barthes 認為，在西方的文學發展中，描述並非毫無意義。從修辭的角度看，描述的最大目的在於提供「美學的功能」，特別是從 Flaubert 的時代開始，描述的美學目的受到前所未有的強調（Barthes, 1968：86）。Barthes 以《包法利夫人》（*Madame Bovary*）為例，說明在該部作品中，作家對於盧昂城的描述不僅具有美學的目的－可以減緩過急的敘述速度－也灌注著作家對於「寫實」的考量－可拉近讀者對於書中人事物的距離（Barthes, 1968：87）。

Barthes 也認為，我們的時代非常重視「寫實」，以致於「『明確的寫實』成為說話的足夠正當理由」（Barthes, 1968：87）。箇中代表便是歷史：我們在當中填滿多餘的註腳以使它具有寫實感。Barthes 指出，寫實主義的文學發展與客觀的歷史主義

幾乎同時代並非偶然，且技術的發展也不斷地強化「寫實」的正當性。我們可以進一步說，這些技術正包括了攝影以及運用物件的展示。描述的功能便在於其能製造一種「寫實的效果」，一如情境展示在展示脈絡中所發揮的功能。而一個情境展示要能營造非常寫實的效果以及十足的說服力，便需要加入非常多的元素，以使得「畫面」完整且豐富。而博物館為了使畫面完整，便經常不得不借助替代品已達其效。

情境展示的特殊性，正在於此種物件之間相互扣合所營造的自足性：在一個空間裡各據一地的物件因為共同展示而相互觀照，共同構成一個直接投射向觀眾的畫面。這樣一個畫面被策展者設定為故事的一個有力輔佐，觀眾得以一目了然，幾乎不需文字說明。而其中，觀眾的理解基礎便是他對現實世界的生活經驗與判斷。James（1999：121）在分析視覺型圖像的閱讀過程時指出，觀眾不須刻意努力理解視覺圖像，因此情境展示對於熟悉視覺性媒體的觀眾更是一個有用的溝通工具。

我們也可以從 Eileen Hooper-Greenhill 運用 Michel Foucault 的知識型理論來看情境展示在博物館展示的發展的意義。Foucault（1966）在《詞與物》（*Les Mots et les Choses*）中提出三種知識型，其中第三種係以人為中心而建構。在這樣的架構下，對於物件一一仔細的研究與描述便不比說明它們與人類生活的關聯性或他們的功能作用重要。Hooper-Greenhill（1992：198）則進一步將 Foucault 的理論用以說明現代博物館的發展：

> 在現代，僅將物件用知識表列的方式已不再足夠。（...）人類的歷史、生命、文明遠比辨識物件本身重要。現代的知識型結構在於其整體（一段敘事、一個主題、一段歷史、有機的關係）以及其經驗（...）。重要的主題是去了解人們、他們的歷史、他們的生活以及他們之間活存的關係。

從歷史的視野可看出，情境展示係一種服膺現代知識型的展示手法。這也是為何物件得以在其中因為彼此的相互關係而自給自足，同時又能令觀者有直接理解的效果之原因。情境展示得以用以詮釋人類生活的某一片段、某一時空、或某一種特殊的環

境，同時令觀者產生同感的投射心理。此種展示人類文化或自然生態而非單一物件的取徑，也符合現代以降歷史類與文化類博物館的發展需求。

　　儘管情境展示有著易於溝通的特性，但這不意味情境展示完全不需要其他的說明。研究指出，情境展示如同其他型態的「插圖」，也需要一個語言性的敘事框架，以令觀眾理解展示背後的用意（James, 1999：122）。而觀眾對於展示主題的熟悉度也在其中決定了溝通的模式：觀眾愈熟悉的主題，愈傾向省略文字的閱讀，也愈傾向自我解讀。即便如情境展示這樣一個傳統的展示手法，研究者都已開始思考觀眾參觀的想法（Moser, 1999：111）。研究也已指出，情境展示往往呈現的是典型的、刻板的印象；而儘管博物館往往致力強調展示本身的科學性，但其依然是高度想像性的（Moser, 1999：110）。這些情境展示長期以來被討論的特徵，結合當代對於觀眾解讀博物館展示的研究立場的轉變，將是本文後續討論的基礎。

三、《臺灣的故事》的情境展示手法

　　《臺灣的故事》展覽運用了多種情境展示的手法，包括透景畫模型、博物館群、時代室、城市街景、人模型、環形劇場等。這些不同的手法有其不同的發展脈絡、特色以及訴求觀眾的方式，為求書寫的清晰，以下筆者便依照展覽的參觀順序介紹之：

（一）透景畫模型（diorama）

　　透景畫模型的發展有其漫長的歷史，從 19 世紀初 Jacques Mandé Daguerre 與 Charles-Marie Bonton 共同發明的劇場裝置到 20 世紀流行的展示手法，同樣的稱呼意味不同的事物（Wonders, 1993）。在博物館的脈絡裡，狹義定義的透景畫模型係指一種縮小化的展示手法。在一個櫥窗內，利用帶有弧度、以透視法繪製的畫板為背景，在其前方放置著立體的人模型或動植物標本或複製品，並運用道具掩飾背景的繪畫性，以使從櫥窗外觀眾的角度看來有如一幅綿延不絕、非常寫實的立體風景。這樣的定義至少在 20 世紀 30 年代已經成立（Burns, 1940：8）。此類透景畫模型在博物館內相當普及，《臺灣的故事》的第二單元內便有運用（圖 4.2）。

　　然而，透景畫模型是否一定是縮小化的模型是有討論空間的。有人將上述的作法稱為透景畫模型，而將原尺寸的人模型或動物標本稱之為 "museum group" 或 "habitat group"，或是更為明確的 "ornithological group" 或 "historical and ethnological groups" 等（Montpetit, 1996：64）。這也意味，狹義定義的透景畫模型既然是模型，便無法使用展示博物館的真實物件；它的展示功能便傾向詮釋與說明。它可以幫助博物館在有限的空間內營造寬闊的景象，也能令觀眾享有居高臨下、一覽無遺的愉悅。但也有學者認為透景畫模型只要保有令觀眾享有觀覽前方「遼闊」景象的快意，展品不一定要是縮小的，也可以是等身大的尺寸。由此，我們可以得到一個廣義定義的透景畫模型，亦即在前述的定義之上，依然保有背後的畫板、前方的展品（尺寸不一定縮小）、整體構成一個從觀眾視點望去，具有透視感的立體景象的一種博物館展示手法。

　　透視法的運用對於透景畫模型是最為關鍵的。透景畫模型背景的畫板應是以嚴格透視法所繪製，而這也意味一個透景畫模型設有一個理想的觀看視角，也就是觀眾應該占據的位置。狹義的透景畫模型一般以玻璃櫥窗隔開展示區與觀眾區，而廣義的透景畫模型雖未要求一定要有隔絕性的玻璃，但也認為觀眾應該立身於一個展示區外的理想視點，由是便排除了將觀眾置入展覽區內的情況。Jean Davallon 等（1992：107）認為這樣的展示手法之目的是在博物館的空間裡，將原本獨立的物件或標本置放在一起並使它們相互構成一個情境，以使觀眾可以從中辨識它們之間物理性、時間性或象徵性的關聯性。這也是為何它總是呈現地有如一個櫥窗，以使觀眾享有在裡頭發現一個新的自然般的驚喜。

　　透景畫模型可以出現在不同類型的博物館，包括自然史類、民族誌類或歷史類等等，其中以自然史類型的博物館最常使用前述狹義的透景畫模型。另外，尚有一種透景畫模型的變體，常見於迪士尼樂園等主題公園以及英國的遺產中心（heritage centres），英文稱之為 "ride shows"（Montpetit, 1996：66）。這是一種令觀眾兩兩乘坐電動車輛，參觀途中一系列的透景畫模型的做法。這一系列的透景畫模型會隨著

車輛經過的時間加上燈光與音效的控制，並可隨著展示的主題發展為較完整的敘事。由於觀眾乘坐的車輛受到精確的時間控制，每位觀眾所花費的時間以及所接受的訊息幾乎是一樣的，此點與單一的透景畫模型在觀眾的解讀模式上有很大的差異。

（二）博物館群（museum group）

博物館群與前述的透景畫模型的手法非常相似，也都在於將展示品與背景共構成一個完整的環境。兩者之間的差異在於博物館群一般指的是標本或原尺寸的人或動物的模型，且得以運用博物館本身的收藏。博物館群若出現在自然史類的博物館，又稱之為棲息群（habitat group），是一種可以使博物館同時展出生物標本以及生物與其環境關係的作法（Parr, 1959：108）。

不過，博物館群的使用不限於自然史類的博物館。歷史類或民族誌類的博物館也經常藉由此種手法，表現展品與其環境的關聯性。William Bullock 早在 1812 年，便曾在其「埃及廳」使用相似的手法（Alexander, 1985：123）。此種以人物為主體的博物館群又稱之為「生活群」（life group）。而博物館群從自然史類博物館到歷史類博物館的使用上有兩點與臺史博館的造景特別相關。其一是所謂「半棲息群」（semi-habitat group）的發展。根據 Parr 的說法，半棲息群不使用背景的畫板，也不特別區隔與觀眾的距離。它並不試圖製造一個動物生活環境的幻覺，而是在一個區域內將一組生物布置成相互互動的樣貌，以打破單一標本展示的單調（Parr, 1959：107）。這樣的手法便是我們在臺史博館所看見的，一組一組的人物相互構成一個情境，但周遭不一定有背景的畫板也沒有明顯隔離觀的玻璃櫥窗（圖 4.9）。觀眾可以近距離觀察人物的面容姿態，並仍能夠從中掌握他們被賦予表現的情境。

第二點也與空間的利用有關。在自然史博物館中，如果要忠實呈現一種生物的棲息地，便需要非常廣闊的空間。此點在現實上有困難──特別是許多生物的體型相當龐大──，因此博物館便逐漸發展出一種能展出多種生物在一個更大的地理區域生活的手法，以使動物之間仍有彼此互動的感覺，但在空間的處理上則比較抽象。此點也

類似臺史博館的情境在空間與時間的表現上多是暗示性的，很少明確指涉一個特定時空的做法（Parr, 1959：124-125）。

嚴格說來，博物館群和透景畫模型的邏輯本該相近，但半棲息群不使用畫板背景，也不再強調透視法的權宜作法已經破壞了透景畫模型的基本原則。儘管如此，博物館群——不論其對於原棲息地的指涉是具體或抽象——，也都是建立在類比性的邏輯之上。

（三）時代室（period room）

所謂的時代室係指在一個空間中置放一定數量的物件，並將整體布置成有如一個室內的展示手法。Raymond Montpetit 認為它有三個主要的特徵。首先是，它係以物件為主，不論其為真實物件或是複製品，物件的數量必須多到令人一眼便認同為一個室內的陳設所需。然而這樣一個空間不必然一定是私人的房舍，也可以是商店、工作室或餐廳等公眾出入的場所。其次，它也需要足夠的家具與建築構件，以提供物件陳列布置的框架。關於此點，時代室一般不使用繪製的背景，而是利用立體的建築構件（不論其為建築原本的或複製的）搭建而成，因此它便可以從不同的角度去觀看。第三，時代室顧名思義特別強調其時間的向度，此點與博物館群強調空間的屬性不同（Montpetit, 1996：72-75）。不過，一個時代室所呈現的時代，仍有極大的彈性，可以從一個特定的時間點到一個相對漫長的年代。此點則與其展示的物件之來源與真實性相關。譬如，名人故居內如果原封不動地展示屋主生前的室內景象係屬於前者；但也有可能將這樣一個室內搬移至博物館，甚至將其中的物件替換成複製品或者來自其他來源的物件，如此其真實性便被稀釋了。最後，我們可以想像完全複製一個「本尊」依然存在的室內空間，其中所展示的物件全部是複製的；甚至，一個從未有「本尊」，而是純然想像虛構出的室內，則已經進入了「創作」的範疇。

關於時代室的起源，Dianne H. Pilgrim （1978：5）認為它發展於 19 世紀歐洲，並受到多種展示的影響，包括全景畫（panorama）、透景畫模型、蠟像館、自然史博物館的棲息群以及萬國博覽會。而在這些展示傳統之外，Montpetit 還列舉了 W.

Bullock 的博物館、Alexander Lenoir 在巴黎所創設的法國建築與古蹟城（La cité de l'architecture & du patrimoine）以及 Du Sommerard 在法國克魯尼博物館（Musée de Cluny）所規劃的展示等（Montpetit, 1996：73）。然而，必須指出的是，時代室的展示係以物件與整體環境為主體，不像前述的透景畫模型與博物館群係以人物或生物為主角。然而，時代室的展示不像透景畫模型或博物館群往往刻意製造與觀眾的距離，而是可以令觀眾進入空間內部觀看瀏覽。這種本身沒有人物且觀眾可以進入內部的作法，一般認為有助於觀眾自我投射於該時代的氛圍與想像。在《臺灣的故事》中，我們可見到不少時代室概念的運用，特別是在展示後半部第六與第七單元的商店、學校教室、派出所等皆屬之（圖 4.15）。值得留意的是臺史博館的時代室仍有人模型的布置，可視為一種混合生活群的作法。

圖 4.15　《臺灣的故事》「鉅變與新秩序」展示單元中的雜貨店。

（四）街景展示（streetscape）

相對於時代室展出一個室內空間，所謂的街景展示則展出一個戶外的、特別是一個街區的景觀。這樣的展示需要運用原本環境或複製的建築體、街道家具與物件，並

往往搭配繪製的背景，以呈現一個街區或城市一隅的景象。與時代室相同地，街景展示排除模型展示，可令觀眾進入展區內部繞行參觀。在《臺灣的故事》展覽中的日治時代的街區便是一種結合街景展示與時代室的手法。

在真實性方面，街景展示一樣有極大的範圍變化。所使用的建築構件、街道家具與物件是否來自同一個場所或是不同地區，甚至是複製品、替代品？所呈現的街景是否真有其地，或者是混合式的想像？這些都決定著一個街景展示的性質。加拿大文明博物館（Canadian Museum of Civilization）為了呈現加拿大的歷史，在館內製作了一區的街景展示，其所指涉的並非特定的地區或街道，而是以時間序列歸納性地呈現全國各個地區的風景。根據館方的說法，展示使用不同的建築物、街道外觀、傳統的櫥窗以及多媒體等媒介，但最主要的仍然是建築景觀，後者是用以表現過去最主要的手法。（MacDonald & Alsford, 1989：101-102）

街景展示的方式可在博物館內搭建起巨大的場景，其內容可以是一個過去時代的城鎮風貌或一個特色街區，也可以是一艘漁船的實體或是一個廢棄的廠房。不論這些景象是否「真實」，其類比性便足以令觀眾產生身歷其境的臨場感。加上觀眾可以在其中穿梭觀看，更加強了來到一個不同於自己所習慣的時空的錯覺，可說是一種極大化觀眾的參觀經驗的作法（圖4.11）。

（五）人模型與蠟像

情境展示為了達到恆久展示的目的，如果有展出人類或動植物的需要，勢必要使用其替代品。《臺灣的故事》中，最吸引觀眾目光的，恐怕便是等比例大的人模型了。展區內為數眾多的人模型，面容表情非常擬真，且上色穿衣一如真人。如果細看展區內人模型的樣貌，會發現其在做工上有留意表現東方人的五官，但除了極為少數的例外（如前述的日人濱田彌兵衛），我們無從得知它們的確切身分，只能將其籠統視為臺灣人的代表。

在博物館的脈絡裡，最常展出人模型的當屬蠟像館。蠟像館自 18 世紀的 Philippe Curtius 到杜莎夫人（Madame Tussauds），發展到 19 世紀已是極受歡迎的觀光兼娛樂場所。蠟像館與臺史博館展出最大的不同在於，在其中展出的蠟像都是為了複製一位實際存在的個人。從一開始，蠟像館喜愛表現犯罪或殘酷景象的特點便與博物館的發展方向有歧異，但蠟像館追求真實性的技術卻極吸引著博物館人，特別是為了增加真實度，杜莎夫人尋求或購買名人使用過的物件或穿過的衣物以穿戴在蠟像身上，甚至使用真人的毛髮，抑或是將蠟像置放於如劇場般的場景布置手法等等，都對於 19 世紀後期在北歐國家發展民族誌博物館的先驅者們具有強烈的啟發作用。

另外，在比較嚴格的博物館發展脈絡裡，皮爾博物館（the Peale Museum）的創始者 Charles Wilson Peale 製作了「人類種族對照群像」（a group of contrasting races of mankind）蠟像群。這些人像宣稱根據不同地區的居民特徵所製作，以求與真實相符，並身著當地服飾以及搭配該地區的工藝品一同展示（Kirshenblatt-Gimblett, 1991）。Kirshenblatt-Gimblett 並認為，由於蠟像的質感原本便極近似真人，因此在其發展的初期便被運用於醫學解剖與名人塑像製作。隨著 19 世紀歐洲民族誌與人類學的發展，蠟像更被運用於表現各種異國人種面貌的製作與研究之上，也成為人類學展覽運用蠟像的另一個淵源。《臺灣的故事》雖然並非使用蠟像製作，但不論其人模型著衣的方式、擬真的原則，或是其將人模型與周遭的情境展示一同布置的手法，都與過往博物館的展示傳統有關。

從情境展示手法觀之，學界對使用人模型是否有促使觀眾投入情境的作用有所保留。如果人類或動植物本身為展示的主角（如蠟像館或民族誌博物館展出特定人物或人種，又或如自然史博物館展出特定的動物等）則另當別論，但如果人模型或標本的使用係為了襯托一個情境或氛圍。有學者指出，使用人模型有時反而有損複製場景的擬真度。譬如前述的時代室一般便不置入人物。將場景布置成屋主或使用者前一刻才離開的方式，反而可令觀眾更有產生替代屋主或使用者來到現場，並興起模擬心理的作用（Drouguet, 2005：75）。因此我們可以假設如果在情境展示置入人模型，即使是

為了營造氣氛的目的，也容易使觀眾把人模型視為「在場」的人物，而對展示保持觀看但不去打擾的態度。在此點上，《臺灣的故事》則採取一個頗為特殊的手法，亦即設計觀眾可以與人模型合影的場景，而絕大多數的觀眾對這樣的設計非常感興趣也積極參與，以致有的人模型因而受損。呂館長也表示：「我的責任就是想盡辦法讓觀眾找到自己，也特意設計了很多拍照點（...）這些場景是具有歷史時代意義的。（...）當然仍是有損壞的風險，但這是無可避免的」。這就有如觀眾透過拍照的行為，認同人模型做為特定時代的一部分。

　　整體而言，臺史博館運用多元的情境展示手法。這當中所面臨的挑戰也反映情境展示經過長期發展下所引發學界的討論重點。首先，我們可見在訊息傳遞上，如何使展示內容不要落入刻板印象的窠臼成為館方思考的一環。D 研究員對於當初如何考慮展示臺灣的現代化時，為何不刻意強調劉銘傳與鄭成功時的想法是如此說明的：

> 其實那個時代是對臺灣來說非常重要的，但是要從誰的觀點、誰的主意去看這個事情，（...）我們覺得臺灣現代化的過程是人的現代化，包括身體上、概念上一種對於現代公民的養成，那是一個核心的問題。（...）我們在看板上說劉銘傳做了哪些事情但不想特別去誇張所謂現代化的成果。（...）對於鄭成功的處理，（...）沒有把他神話化。

四、 替代品與意義轉變

　　前述不同的情境展示運用各種複製品或替代品，其中的轉義值得我們進一步探討。其實，替代品在博物館內的存在已然久遠，雖然它往往不被視為核心價值，卻也不可或缺。從古代羅馬人對於希臘雕刻的仿製，到文藝復興以來私人收藏家之間進行的圖像複製等，各式各樣的替代品基於各種理由存在。傳統上，博物館使用替代品的理由一般有二。第一，替代基於保存理由無法被展示的物件或遺址。譬如脆弱的文書以數位化技術複製的副本展出，或是拉斯寇洞穴的複製遺址。第二，替代本身無法搬入博物館成為展示對象的人事物。譬如我們一般無法長期在博物館內展出活著的生物，即便是植物，也有照顧上的一定要求。我們也很難將大尺寸的建築或遺址搬入博

物館展示。有如法國的建築與古蹟城便是展出教堂局部構件的原尺寸模型。也就是說，替代品的基本貢獻在於滿足博物館同時達到保存與展示的雙重功能，但它並不動搖博物館應收藏展出具有「真實性」的物件的根本命題。

根據 André Desvallées（1987）的表列，傳統博物館使用的替代品的範疇可包含，

> 從無法搬移或不能從其他收藏分離的雕塑的模型、從為了使一個系列成為完整所做的複製品或等比例的再製（reconstitution）（如凡爾賽鏡廳的燭台）、從缺少了它就會影響到整體呈現的清晰度的一個物件或元素，到抽象的科學模型的建構（實體物件並不存在時）、或是為了使觀眾可在博物館內看到整體（自然、建築、工業景觀）的縮小模型、乃至於後來重建不一定巨大，但為了便於理解需要加以歸納的整體的模型。

這些替代品不會引起非難，即便它與所謂的真實物件一同展示。但在博物館的領域之內，替代品的概念可以再加以擴大。法國博物館學家 Bernard Deloche 將替代品分成兩大類，分別為類比性與分析性的替代品（Deloche, 2001：190-205）。所謂「類比性」的替代品企圖複製一模一樣的原物件（如蠟像）、或是製造令我們產生感受的表象（如一件畫作的圖片）或體驗（如科學博物館或科學中心的模擬飛行或地震車），其與現實的關聯在於我們認為有一個重點是可以相互比擬，甚至幾近相同的（譬如地震時的晃動感）。

對於替代品概念的認同，便足以動搖當前我們對於博物館的想像（如 André Malraux 的無牆博物館、網路博物館、數位典藏的概念等）。"Google Project" 甚至想要取代我們參觀博物館的體驗。此種虛擬博物館使我們得以超越藩籬，隨心所欲組合我們自己的理想博物館。但這樣的自由度，不能真正增加我們對於原有物件的體驗或更多的理解，至多是達到類似、而非更多的認識。譬如，地震車可以令我們體驗地震的晃動，但無法取代真正地震來臨時的天搖地動以及那種排山倒海而來的威脅感與大自然強大的摧毀力。"Google Project" 也無法給予我們在博物館參觀時與其他觀眾的身體交錯的社交感或感受腳踏在大理石地板或厚重地毯上的觸感與量感。除非我們得以

從虛擬的博物館身上，發展另一套學習的邏輯。虛擬的體驗只會更加強化對於本真性的期盼與嚮往。

　　所謂「分析性的替代品」係指為了凸顯事物的結構或邏輯。本尊與替代品之間並不形似，如化學的週期表，係用以凸顯化學元素之間的排列結構，而非其外型。在博物館的領域裡，Deloche 列舉的例子包括博物館的典藏系統以分類目錄替代博物館的典藏品。這一類的例子在博物館內非常普遍，當代發展迅速的數位典藏系統亦屬之。從典藏目錄尚可延伸至當前發展中的數位典藏的後設語言。在此所涉及的是語言與事物的關係，亦即事物之間轉義的方式。它依需求而定義，可能性是無限的。但此種替代品同樣無法提供藝術品感官或直觀的體驗。線上的典藏目錄，無法提供藝術品或文物本身可提供的感動，但是可以提供必要的資訊。另一方面，分析性的替代品並非純然的表象複製，因此無法比對在相同架構之下，兩個物件造型或外觀上可辨識的差異。

　　物件與物件之間儘管建立特定的關係，但不能百分百成為它所替代的對象。在建立不同文本之間的關係時，話語往往與其用以指涉的對象有所差異。我們無論如何努力想要再現事物的原本面目，總是很難如願。透過 White 所說的轉義，原本被視為需要理解的現象領域，被同化在那些其本質已經被理解的經驗領域中。從修辭的角度觀之，情境展示屬於換喻（metonymy）與提喻（synecdoche）的範疇。Mieke Bal 認為（1996b：78），「透過提喻的閱讀，物件不論其審美品質如何，也只能視為特定文化的一部分。」Roman Jakobson 指出：

> 人們沒有充分理解到，正是換喻的力量統御並有力決定著我們所謂『寫實』的文學潮流。寫實主義的作者循著毗鄰關係的路線，藉由換喻的離題，從情節發展為氛圍，從人物發展為時空框架。（Adam, 1992：53）

而在寫實主義作者的筆下，描述並非毫無意義的離題。研究指出，Balzac 對於情境的描述意在點出人物的性格或某種精神狀態，是一種整體的提喻（Adam, 1992：54）。White 亦進一步闡述換喻（metonymy）與提喻的差異。他認為：

換喻在其運作上是還原的，因此它將提供那種被我稱為機械論的解釋形式，因為
這種解釋模式就是把歷史領域理解為一種複雜的部分與部分的關係，並根據因果
規律把一種現象與另一種現象結合起來。相反，提喻則沿另一方向運動，它將所
有顯然是個別的現象整合為一個整體，這個整體的性質使我們相信，可以將個體
理解為一個宏觀總體的微觀世界，而這恰恰是一切有機論解釋系統的目標所在。
（White, 1978：73；董立河譯，2011：84）

White 的轉義的概念對於歷史展覽的敘事如何參照現實有一定的參考性。另外從展覽
本為現實的替代物的角度出發，我們也有必要思考事物如何得以相互參照之理論。
Foucault 在《詞與物》（*Les Mots et les Choses*）中，對於文藝復興到 17 世紀這段
時期中事物之間的相似性之範式（Foucault, 1966：32-40）。Umberto Eco（1992b：
45-46）則為了研究其「神祕主義符指論」（Hermetic Semiosis）而討論「相似性」
的概念。Eco 指出，兩個事物之間的相似有時因其行為，有時因其形狀，有時則是
因為它們碰巧出現在某個特殊的語境之中。譬如他以一本 16 世紀介紹記憶法的書為
例，說明當時的文化語境將許多不相干的事物組合起來的方法與技巧，其中包括類似
（similitude）、同形（homonymy）、反諷、符號、發音的相近、名字的類似以及更
多在我們的文化已不再普遍認為有效的連結（Eco, 1992b：46-47）。我們固然可以在
更多的文化中找到更多類似的連結方法，但重點在於 Eco 所說的，當我們認為發現了
某種相似性，它都會繼續指向另一種相似性，而這樣的過程永無止息。從替代的本質
出發，我們甚至可以說，文化本身便是概念與用法的一種替代。

參、科學展覽敘事的虛構性：國立自然科學博物館生命科學廳 恐龍廳

對於臺灣眾多的民眾而言，國立自然科學博物館（以下簡稱科博館）是一間可
親可遊，寓教於樂的優質博物館，更是陪伴無數學子度過愉快參訪時光的勝地。在科
博館極為豐富的展出內容中，生命科學廳內的恐龍廳特別受到觀眾的歡迎與喜愛（圖

4.16）。科博館的恐龍展除了恐龍的化石之外，展場大廳中央陳列的機械恐龍，則是所有觀眾目光的焦點。每個人都知道恐龍早已於地球滅絕，僅有挖掘出的化石可供研究，因此科博館展出的長著皮膚、看來活靈活現的恐龍不可能是「真的」（real）。然而，博物館不就是應該展出具有「真實性」的物件嗎？還是說，對於恐龍這樣一種從未有人親眼目睹的特殊主題，自博物館到觀眾，都可能抱持著不同於對於一般博物館展品要求標準的態度？從這樣的疑惑出發，本節擬探討下列問題：一、科學展覽希望達成的核心目標為何？「真實性」列入其中嗎？二、真實性對於恐龍展示重要嗎？又如何界定虛構與真實？第一個問題在於理解以恐龍為主題的科學展覽，可能的展示目標為何？第二個問題承襲前者，以理解在之中所謂的「真實性」應如何界定？又具有何種意義？如果它是有意義的或重要的，又應如何評估？

首先就恐龍廳的文本分析方面，若依照本書第二章第二節 Todorov 與 Bremond 的敘事結構理論分析恐龍廳的敘事策略，可以歸納如下：

一、隱約的時間序列：一開始的「什麼是恐龍？」單元說明了恐龍出現以及滅絕的時間點，以勾勒出主角活動的時間範圍。

二、隱約的邏輯序列：「什麼是恐龍？」單元也說明了恐龍可能滅絕的因素（地球發生大規模災難性變化）以及可能是恐龍後代的生物。

三、明顯的空間序列：接續的「恐龍的多樣性」、「恐龍家族」與各種各具特色的恐龍介紹說明了地球是恐龍主要的活動空間，而幾乎整個展廳也都做為機械恐龍的舞台。

恐龍廳因此可界定為說明性文本，但之中融入許多敘事元素（narrative elements），特別是將恐龍擬人化，以解釋恐龍的行為動機（圖 4.17）。

圖 4.16　科博館生命科學廳恐龍廳。

圖 4.17　科博館生命科學廳恐龍廳中的竊蛋龍介紹。

上列序列中的命題語式除了說明恐龍可能滅絕的因素以及可能是恐龍後代生物的部分之外，皆以直陳式表達，明確地表達了對於陳述內容之確切性（facticity）[28] 的肯定態度。然而，Fleck（1935）在其先驅性的研究中已指出，科學論述遠非對於不可撼動的事實之直白敘述，也開啟了學界對於科學論述本質之思考。Harré（1990：81）指出，科學論述有一種特殊的說話方式，亦即藉由無所偏頗的語氣與明確的風格，達到使受話者採取從作者或說話者觀點看事物的功能。表面上，科學話語由知識所鋪陳，受話者不得不認同，但實際上，科學論述的說服力經常來自一定的成規。根據 Harré 的分析，這些成規包括由說話者積極主動發話。開場白經常見到的「我（我們）知道」或「我（我們）以為」真正意味的是「相信我（我們）」或「請將我（我們）說的當一回事」（Harré, 1990：81）。這裡所涉及的是一種極具意義的言語行為。

言語行為的理論也被學者進一步應用於分析文學的概念，亦即文學可以被設想為對於言語行為的模仿，而非對於現實的模仿。Smith（1979）指出，小說通常是對非小說寫作行為－例如歷史和傳記創作－的模仿。Smith（1979：29）認為，如果「小說的本質上的虛構性不應在被提及的人物、事物、事件的非實在性中尋找，而應在提及行為本身的非實在性中尋找」的話，那麼小說就可以被定義為假裝的言語行為。被表現的事物的非存在性或虛假性並無關緊要，由於作者與讀者的相互認可，語言仍然可以意味著它希望意味的東西。

從上述言語行為的觀點檢視恐龍展的敘事文本，可發現說話者的口氣也多是使用「我們」做為主詞。如「我們人類」、「我們常以為」、「你」（相對與「我」）等，而各種特色不同的恐龍便成為我們相互交流的內容。因而在「恐龍的多樣性」與「恐龍家族」的敘述中，即便「我們」一詞並不經常出現，但已有助觀眾與館方之間形成一種相互交談的默契。

---

[28] 確切性 (facticity) 係指將對象視為一個確切的真理；以與「實在性」(factuality) 相區別，後者係指確切的真實。(Harré, 1990:81)

　　默契的建立有賴彼此的信任。Harré（1990：82）認為，如果科學話語的「言語行為力量」在於「相信我」，其相對的「取效行為」便在於信任（belief）；而信任在科學界可被視為一種道德秩序（moral order），一種用以組織團結網絡的基礎。Martin在談論到人們對於何為可信、何為不可信的看法時，提出三種不同的態度，分別為「輕信」（credulity）、「相信」（credence）與「懷疑」（skepticism）。Martin（1986：59）指出：

> 當我們輕信的時候，我們沉浸於一個故事的表面上的真實，對於其虛構性則沒有絲毫懷疑或批評意識。當我們採取一種更超然的態度時，我們也許會發現某個故事值得相信或信賴。（...）做為懷疑的讀者，我們會發現我們對待人類幻覺的那種毫不留情的態度在眾多寫實小說中被肯定。

從博物館學的角度觀之，博物館的物件或由博物館物做為構成主力的展覽並不等同於現實（reality）。即使博物館的物件具有真實性（authenticity），博物館展覽的論述是否為對於世界的真實反映？或者關於現實的一切再現同樣是人為的？依然是個值得深思的問題。而另一方面，觀眾對於恐龍展的信任是屬於上述的哪一種，也是饒富興味的問題。依照博物館學的諸多研究，博物館做為規訓或儀式化的場域，對於參觀的觀眾具有相當的權威與正當性（Hooper-Greenhill, 1989）。這樣的信任感可說是建立在一種如同父子或師生般的上對下之不對稱關係，又或者有如前述科學群體之間用以篩選「信眾」或「門徒」的「道德秩序」。Lubomir Dolezel（1980：11-12）引 Austin 的理論指出，當「施事行為」是由具有權威的說話者進行，更會對聽者造成極度真實的效力。依此邏輯，觀眾應當對恐龍展採取「輕信」的態度。然而，機械恐龍或許逼真（verisimilitude），也不可能是具有「本真性」的。在此，真實性意指其物件來自於它所代表的時代、文化或文明，它是它所代表的見證物。由是恐龍展的「真實」（truth）或許需要有不同於展品真實性的評斷標準，又或者是觀眾根本不如過往研究以為的將博物館的所有展示「當真」（take it for real）。

　　如果恐龍展的真實性不建立在恐龍的本真性，即便科學論述經常基於一定的成

規，且說話者與聽話者也建立著一定的信任默契，我們還是需要從敘事內容的角度，思考我們所應信任的內容的真實性。科學研究，不論是假說、定律或普遍法則，都是暫時性的。如果科學研究與學說不斷地演化，博物館的展示也當如是。對於畢生投入研究的科學家而言，只有不斷加以驗證與挑戰的假說，沒有所謂的結論與真理。但對於觀眾而言，象徵權威的博物館裡展示的內容就可能等同於絕對的真理。然而事實上，博物館展示的就算是真理，也只是短暫性的真理。

如果展示本身是不斷地演化的，我們要怎麼藉由博物館說故事，以與科學研究所提出的學說相扣合呢？我們不妨從事實與虛構、真實與想像、自然與成規的傳統對立開始思考。Aristote 認為虛構故事比歷史更哲學更莊重，因為它具有普遍性質（姚一葦譯註，1982：86）。它描寫可能發生的事，而非實際發生的事，而後者往往不能根據普遍規律加以解釋。科學家亦然，他們一直試圖尋找已經發生的事件的解釋。自然界生生不息，沒有起點與終點。但是如果要給予一個事件或一個研究課題一種說法，就必須試圖勾勒出一個敘事的邊界。敘事就是說故事。故事意味對於事件的特定整理，並且是有時間序列的整理。然而故事本身可以為真有其事或純屬虛構。

不論哪一種敘事，都涉及組織、文本、讀者之間的故事中的事件。之中必須要描述事件，而非單純描述事物。因為事件本身即具有時間性，將事件予以次序化後，事件因而彼此構成結構，亦即所謂的情節。最後，每一個敘述都有敘述者，不論其為實際存在或隱含文中，同時敘述者必然有其特定的觀點。如此，時間、結構、聲音與觀點，為構成敘事的基本要件。因此，敘事是一種具有特定要件的文本，與其主題或敘述目的無關。敘事既不等同文學，也非文學的專利。文學是一種評價，敘事不是。有些文學－如詩歌－不是敘事；有些敘事－如運動評論－則缺乏文學性。

Martin 分析 Arthur Danto 與 Haydan White 的歷史敘事觀，提出確認歷史敘事的三個先決條件（Martin, 1986：72-73）。筆者並將這三個先決條件直接對照本文的研究案例：

一、被牽涉的事件必須全部與某一主題有關，如一個人、一個地區或一個國家：
　　在本案例，恐龍是唯一主題。

二、它們也必須被為人所關心的某種問題而統一起來，這一關心將說明為什麼需
　　要此敘事：在本案例，所關心的問題或許圍繞在「恐龍是什麼樣的生物」。

三、這一時間系列必然始於和終於它所開始和終結的地方：如同前述，敘事開始
　　與結束的時間點之確立是重要的敘事策略。

　　如此我們將這些成規用來檢視科學敘事也是合宜的。沒有這些成規，面對一大堆
純粹事實（pure facts），科學家將無從下手。但是，敘事本身與真實與否或有無參照
對象無關。敘事可以是關於實際存在的或虛構的人物，而其敘述可以或是本於現實、
或是現實參雜想像（譬如將實際發生的事件以不同於事實的順序組織，也可說是在現
實與虛構之間遊走的歷史的片段化或破碎化）、或是純粹想像。亦即，一個敘事可以
混雜著實際存在的人事物以及虛構的情節。這樣的情況尤其可能出現在科學、歷史或
哲學性的敘事。

　　一般認為，虛構敘事是以虛構人物製造想像的世界，而非以實際存在的人事物談
真實的世界。這當中一個區別在於前者是建構出來的（亦即想像出來的）世界，而後
者是可被發現的（原本就存在、獨立於人的想像的）世界。

　　虛構敘事因而意味著一種想像出來的、發明的、創造的、創作的產物。它表現
「發明」的，而非「發現」的世界。至於何為真實、何為虛構的問題必須要看所參照
的對象為何。Charles Kay Ogden 認為，真實（real）或實體（real entity）是指一個其
存在可以透過我們五感去感知的物體（Ogden, 1951：114）。Peter Lamarque（1990：
138）則對於真實與虛構的關係究竟應如何建立，提出兩種可能的假設：

　　一、虛構的論述與基於事實的論述之終極區別在於後者對應到現實世界存在的某

種事物，而前者沒有。然而，如果我們推翻現實世界存在事物的客觀性，這兩者之區別（亦即有所參照的概念）也站不住腳。從而沒有兩者之間的區別。

二、虛構是人造的，真理也是人造的，因此真實是一種虛構。

上述假設延伸出一個重要的問題，亦即虛構與其參照對象的關係。針對此點，Lubomir Dolezel（1989）提出了極具參考性的分析架構。首先，他區分了「單一世界理論」與「可能世界理論」。他認為「單一世界理論」（one-world theories）光譜的極端可以 Bertrand Arthur William Russel 為代表（Dolezel, 1989：222-223）。Russel 認為真正的事物是指我們所認識的。也就是說，他認為只有一個世界，那就是「現實世界」（real world）。他也認為透過承認只有唯一的「現實世界」，我們便必須宣稱虛構的實體並不存在並且虛構的稱謂不僅缺乏參照，也是錯誤的。相對於 Russel 極端的看法，以現實為原型的「模仿」（mimesis）理論是「單一世界理論」中比較容易為人接受的（Dolezel, 1989：226-227）。所謂的「模仿」意指虛構世界的某一人事物係對應著現實世界的某一人事物。然而，實際上我們不可能針對每一個虛構的人事物都能找到可對應的現實人事物，因而模仿理論的發展便逐漸轉向為將虛構的人事物視為現實世界的再現（譬如一種心理狀態、一種社會階層、一種歷史條件或一種意識型態等）從而，虛構可被解釋為經過分類或梳理後的現實之再現。

由於「單一世界理論」難以區別真實與虛構的概念，學者因而發展出「可能世界理論」（possible worlds theories）。「可能世界理論」中最為重要的特徵便是承認現實不存在的可能性。譬如，雖然哈姆雷特不是真人，他是一個存在於莎士比亞戲劇中的可能個人。因此，「哈姆雷特」之稱呼並不缺乏對應：他對應到那個可能世界。如果虛構人物被視為是可能但不存在的，虛構與真實的區別便比較清楚。狄更斯筆下的倫敦不等同也不對應現實世界的倫敦。虛構的人事物因此並不建立在現實世界的人事物的存在之上。

但是，我們可以假定虛構人事物與現實世界的人事物之間的關係。譬如虛構的

拿破崙與真人拿破崙之間可以建構出特定的關係，成為一部混合真實與虛構的小說。
Dolezel（1989：232）指出，要能從現實世界跨越至虛構世界，必須經過特定的處理。
處理的手法包括建立特定的結構模式或者是將一個虛構的故事掛勾於一個實際發生的
歷史事件等，以便能將現實世界的材料注入虛構世界的架構中。也就是說，如果真實
的拿破崙被賦予了替代的選擇，他便可以從現實世界進入虛構世界。

　　若將上述理論應用於本文的研究案例，可以發現機械恐龍雖然明顯為虛構的物
件－它們不僅裡外皆為現代產物，也無明確證據說明此一現代產物的擬真性，但是它
們被用以指涉科學已經證實的實際存在於地球的恐龍生物，並用以說明特定種類恐龍
的習性與特徵。若再對照前述的科學展覽之目標可知，恐龍廳展示需要思考的問題，
並不在於機械恐龍是真或是假，而在於它是否能對應到當前科學研究的最新假說？又
是否可以成功地引發出觀眾的好奇心與問題。

　　由是，真實與虛構之間的跨界條件，尚不僅止於作者（策展者）的努力，也必須
有賴讀者（觀者）的接受能力。閱讀與詮釋牽涉諸多的變項，譬如讀者的類型、閱讀
的方式或閱讀的目的等。20 世紀的文學理論發展認為寫實或現實主義只是一種成規，
一種寫作方式，而不是一種與現實的關係表達（Lamarque, 1990：137）。當再現的方
式被認可為一種人工的手法時，藝術家自然便會再進一步思考如何提高或轉換這種人
工的手法。

　　虛構敘事的界定原則並不在於所談論的主題。虛構敘事可以包含真實的人事物，
且可以包含特定或普遍性的真理。所謂的虛構性表現在文脈、態度、意圖；在於作者、
文本、讀者之間的受到特定規則支配的關係。換句話說，虛構敘事的定義在於其立足
於一個虛構的想像的立場（fictive stance），這是一種參與者所持的態度，取決於說故
事者的意圖與讀者的回應（Lamarque, 1990：147）。

　　虛構立場也意味邀請特定的回應。要觀眾對於所呈現的內容以及之中所對應的連
結調整出假裝相信（make-believe）而非相信（believe）的態度，所說的內容在文句中

自有其謂語（predicates）。譬如說，謂語定義了一個假想出的事物也定義了觀眾應如何回應的方式。有如在玩一種遊戲。也就是觀眾表現出好像相信話語的內容以及他的對應，然而又同時知道他們不是真的。然而在此必須小心的是，不是說假裝相信內容的真假，而是做出假裝的態度。因為內容極有可能嚴格控制著真理價值（truth-value）與指示意義（denotations）。這種假裝的態度是一種「保持距離」（或者也可以說是無私、無偏見）的方式。

如果一個敘事令人們意識到其虛構性、堅持令觀眾注意到其中的假裝，那麼觀眾也會被迫將注意力置放到真正的話語層次上，意識到一個展覽敘事中的其他可能性，而非如傳統上一向被鼓勵對於展覽投注充分的信任。這一點將特別有助於開拓科學展覽敘事中對於未知事物或者發展中的研究的探索，並鼓勵觀眾選擇不同的閱讀與思考方式（Chittenden et al. 2004）。

第五章、觀眾的閱讀與接受

> 文本不僅可以自由地為其對象所詮釋，也可以由其對象協作產出。這樣一個根本本質指出了一個奠基在靈活的表意系統上，相當特別的溝通策略的問題。（Eco, 1979：3）

1970 年代起，一種傾向強調文本與讀者之間相互補充的關係的批評日益形成潮流，Susan R. Suleiman（1980：4）認為這個現象顯示了人文學科對於文本接受與詮釋的關注以及自我折射性（self-reflexivity）。以讀者為中心的文學批評理論深入探討了讀者的文學能力、期待視野以及先備理解等問題，挖掘了閱讀活動中讀者與文本的雙向交流活動，將文學置於更為深刻寬廣的歷史語境之中。若以這樣一種視野思考展覽，亦可協助我們回答一個重要的問題：亦即觀眾如何透過參觀建構意義。

如同 Jean Davallon（1999）所說的，展覽不僅是一個由各種說明系統（標籤、說明牌、語音導覽等）構成的文本的環境，其本身的特性便構成一個文本。我們經常見到觀眾成為展覽意義生產的犧牲者，亦即不將展覽視為一個文本，而是視為一種安排布置各種展出物件的技術與形式。展覽因此是一種單純的展示脈絡，其活動的最重要目的在於使展出的物件得到最理想的觀看與接受。此種態度也意味觀眾對於展出作品的觀看活動，是一種預先限定的自由。然而，我們應該認可觀眾具有賦予展覽意義的權利與更大自由。正如 Umberto Eco（1992c：64）所言，「只有在讀者揣測的結果下才有可能談論一個文本的意圖」。

如果一個文本必須具備預期被接受（réception）的能力，並且依賴未來的目標對象而產出，它將建立一個「理想讀者」（lecteur modèle）以確保其運作良好。筆者在

此所謂的「理想讀者」乃沿用 Umberto Eco 與 Jonathan Culler 的概念，意指具有對文本做出「恰當反應」能力的讀者。對 Eco（1985：66-72）而言，應將文本視為一個具有溝通性質的主體，它是一個需要被目標對象透過一個詮釋的過程加以實現的機制。由於目標對象不一定具有與訊息發送者一樣的能力，「（文本的）詮釋遭遇必然屬於它生成語法機制的一部分，而生成一個文本意味著使用作者行動中可預期的策略」。Culler 在《結構主義詩學：結構主義、語言學與文學研究》（*Structualist Poetics: Structuralism, Linguistics and the Study of Literature*）中認為「理想讀者」是一種理論建構，是「可接受性」這一概念的化身（Culler, 1985：124）。「理想讀者」的概念再度將我們拉近傳播理論，因為其中亦涉及溝通以及為了保證文本生產與讀者接受之間的相互作用之特性，甚至如何引導接受者之活動策略。我們可以說，因為展覽究竟是一種配置（agencement），其脈絡如何影響觀眾理解與展開溝通活動是極為重要的。

　　在展覽中，關鍵的問題較不在於生產與接受之間的相互作用，而是在於配置本身是否得以成為可預期他者以及理想讀者所提出的行動。觀眾進入一個展場，他的感覺是陌生的，且必須透過展場中的各種元素去建構意義。大部分的展覽都具有至少三重的所指世界：其一是展覽本身的虛構世界，其二是展場物件所來自的現實世界，其三是展覽物件經過重新組合後所指涉的虛構世界。觀眾是否能夠清楚區辨這之間的關係有賴其努力。我們經常見到觀眾無法對於展覽提出回應。然而，我們應該認可觀眾具有賦予一堆「物件」（objets）之布局之意義的權利。而此種意義的成立不全然在於展覽的整體，也不在於不同層次的組成元素；因為在某些時候，展覽的某些部分會脫節，而在某些時候，展覽又似乎漂浮於其各元素之上，無從將各元素緊密結合。這些現象都與所謂的文本的特性相符。正如 Eco（1992c：261）所言，文本是「一系列由一個主題或一個共同的題材所聯繫的合理的提案」。一個文本可能是難以辨讀的，除非接受者（如展覽的觀眾）的活動得以定義其逐條陳述的方式、得以使其組成規律浮現並得以建構共同題材，如此一個文本方能產出。

　　Davallon（1999：16-17）指出，就現存的研究狀態，我們可以歸納出三種可能的

檢驗展覽的態度。第一種並不將展覽視為一個文本，而是將展覽視為一種安排布置各種「能指」元素（展出物件）的技術與形式。展覽因此是一種單純的展示脈絡，其元素以及其活動的最重要目的在於使展出的物件得到最理想的觀看與接受。此種態度也意味展覽的意義生成取決於觀眾對於展出作品的觀看活動。第二種態度將展覽視為一個由各種說明系統（標籤、說明牌、語音導覽等）構成的文本賦予展出的「作品」意義的環境。根據此種普遍被認同的態度，展覽的文本層面存在於各種說明系統中的文字內容以及它們之間可能建構的「文本」。最後第三種——也是本書所支持並採取的——態度主張展覽因為本身的特性便構成一個文本。在此一情況，展覽儘管是一個符號學上嚴密的整體，卻也保留了一定的開放性給予觀眾參與。同時，此一態度也有利於包容各種型態或類別的展覽——從所謂論述型的展覽到強調作品自主性的物件型展覽。譬如科學類的展覽與藝術類的展覽必然訴求不同的溝通策略。而所謂展覽是否為一個文本的問題，也就因而為展覽如何做為不同的溝通策略所取代：正是後者決定了不同的文本。

如同前述，筆者採取的是第三種取徑。筆者認為，將展覽視為一種文本的假設具有促使我們進一步質問使展覽得以嚴密運作溝通功能的因素為何？以及思考展覽做為文本的構成成分以及之中的訊息傳達，如何在發送者與接受者之間產生環環相扣的運作甚至於建構新的意義？為此，本章將以本書前述之宜蘭縣立蘭陽博物館、國立臺灣歷史博物館與國立自然科學博物館等分布北、中、南三地之博物館常設展做為研究對象。研究方法上除了收集做為研究對象的博物館展覽的相關資料以進行脈絡的整體了解與接觸外，也將輔以直接觀察法與深度訪談法等質性研究方法（朱柔若譯，2000；朱光明譯，2007：62；張芬芬譯，2008：11）。

壹、觀眾如何透過參觀建立展覽文本：蘭陽博物館常設展

本節從觀眾如何「閱讀」展覽文本並且如何在參觀過程中建構文本意義的角度，

試圖闡釋展覽的溝通功能或者是媒體功能。在研究方法方面，本文主要以敘事理論與讀者反應理論（reader-response theories）的研究成果為理論基礎，並以宜蘭縣立蘭陽博物館的常設展覽為研究場域，透過館內兩位研究員（curators）以及 15 組觀眾的半結構性訪談，對於本文之研究問題進行探索與思考 [29]。

一、展覽文本如何塑造觀眾

　　一個文本必須具備預期被接受（reception）的能力並且依賴其目標對象而獲得意義。換言之，展覽的運作包括了觀眾理解展覽的活動，並且此種理解的活動是發生在一個溝通的脈絡；在其中，展覽的生產者必然置入一定線索，以使觀眾得以逐漸達到理解的狀態。展覽因此應給予觀眾足夠的標誌符號（indices）以使觀眾辨識他正處於一個展覽的環境並且得以區別不同層次的構成元素、這些元素之間的作用、乃至於展覽建議他採取的建立關係模式（觀看、想像、閱讀、理解或欣賞）等等。文本所設定的讀者，並非一個人格化的對象（any actual reader），而是一個構成物（a construct）；一個「文本轉喻的個性化」（Perry, 1979：43）。正如展覽所設定的觀眾，也不是一個具體的個人，而是一種置身於文本中的、代表各種資料的綜合由文本引發的闡釋過程。

　　展覽一如所有的文本，都期待被閱讀。一般而言，文本會受到兩方面的牽制：為了被閱讀，必須將自身固定在一定的、接受者熟悉的規則與體制中；但另一方面，文本也關切如何延緩接受者的理解過程，以確保其自身的存在。為了達到這樣的目的，文本或者引入接受者所不熟悉的成分，以增加某種困難度，或者推遲有關接受者所期望、感興趣的項目的描述（Rimmon-Kenan, 1983：123）。Culler（1985：161）認為，要使文本成為可理解的，就必須使其各種成分結合成為一個整體：

　　　　在我們的文化所界定的世界中給予文本一定的地位。所謂把某一事物吸收同化，

29　筆者於 2011 年 12 月 9 日至 10 日於蘭陽博物館內進行觀眾訪談，共取樣 15 組觀眾，訪談問題如附錄四。

對它進行闡釋，其實就是將它納入由文化造成的結構型態，要實現這一點，一般就是以被某種文化視為自然的話語形式來談論它。

Culler（1985：206）稱這一過程「復原」（recuperation）或「同化」（naturalization）：

> 「復原」強調回收、付諸實踐的意思。（...）在整個吸收同化過程中，一點一滴也不讓其流失；所以，它是研究的中心內容，它強調文本的有機統一性，強調文本的所有組成部分對文本意義或效果的作用。「同化」強調把一切怪異或非規範因素納入一個推論性的話語結構，使它們變得自然。

Culler這種涉及形式、可理解性與一體化的觀點，也可見諸於Perry的說法。後者認為，「以讀者所熟悉的模式為基礎的閱讀過程，就是一組構架的使用」（Perry, 1979：36）。此所謂的「構架」的原文 "frame" 雖然也指「框架」，但在此意義不是指邊界，而是類似Culler所說的「成規」（convention），一種約定俗成的概念或用法。Perry（1979：43）如此進一步說明：

> 文本的任何一種解讀都是建構一個假設或框架體系的過程；這些假設或框架可以在文本的各種材料之間產生極為密切的關聯，他們可以按照來自「現實」、文學或文化習俗等等的模式而在文本同時出現。每一種這樣的假設都構成關於這類問題的答案的標記：發生了什麼事？事態如何？情況怎樣？這是發生在何處？動機如何？目的何在？說話者的態度如何？反映在文本中的觀念或根據是什麼？如此等等。

蘭陽博物館以宜蘭的縮影自居，其與「現實」之間具有易於參照的關聯。這樣一種參照構架（frame of reference）或「文本之間的構架」（intertextual frames，依照Eco的用語）有助觀眾展開「復原」與「同化」的作用。而在實際的操作面上，正因為無不可入展，以至於在展覽規劃過程中，反而令館方竭盡心思。正如B研究員所說，

> 在宜蘭做關於宜蘭的展覽，不是一兩個人說了算的，而是一再召開會議，談完後下次又推翻的過程。從好處來看，約有一兩年充分討論的時間。因為可以展的主

題非常多，沒有什麼東西不能展的，只是你用什麼方式把它呈現出來而已。

他也提到，「如果這個人對宜蘭的文史很了解，一定會對這展覽很不滿意；對宜蘭越不了解，對展覽的滿意度越高。這也是我們做展覽的難處」。這個觀察所反應的問題在於，對於現實越是理解，越會要求文本的「逼真性」（vraisemblance），越熟悉宜蘭的人，不管是專家或民眾，會覺得他對展覽越有表達意見的資格，因為這是屬於他生活的一部分。這也是為何 Culler 認為逼真性是互文性（intertextuality）概念的基礎（Culler, 1985：163）。

如果對照觀眾對於展覽如何反應現實的意見，可以發現所有受訪觀眾都非常清楚展覽所呈現的主題便是在於介紹宜蘭：

　　—我覺得它整個是在介紹宜蘭的風土人情，把整個宜蘭的特色，在這個展覽館一次呈現。

　　—宜蘭的過去啊、未來啊。

　　—就是介紹宜蘭的文化啊（…）全部：地理啊、風景啊、人文，全部都有。

　　—在講整個宜蘭人和環境互動的過程，其中包含一些像林業、漁業、農業，還有整個歷史、政治、文化的部分。

受訪者當中唯一的宜蘭人女性觀眾則認為展覽與他所認知的宜蘭「大致是相近的」。[30]

從敘事的觀點，最常使用的框架便是事件的時間順序。一個敘事文本不一定依循故事（fabula）的發展敘述，但並不妨礙讀者自身重建時間順序。在展覽中，少見一

---

[30] 在 15 組受訪者中，除了這位受訪者為宜蘭人之外，另外還有兩位女性為嫁到宜蘭。雖然筆者採用質性研究目的不在於呈現觀眾的地區來源，但約為三分之一的觀眾來自本地，與館方所觀察到蘭陽博物館的多數觀眾來自外地的現象吻合。本條列僅止於參考性質，若要了解本地與外地觀眾對於展覽「逼真性」的看法，尚有待進一步的研究。

般書寫文本所運用的顛倒時序的手法，而多是規矩地依照時間發展順序敘述，此點也說明展覽文本一般比起書寫文本更要求敘述的明確性。此點也必須考慮到展覽設計的動線。語言規定了符號的線性表現，這種線性表現不僅支配字與字、句子與句子之間的連接，也賦予文字這樣一個媒介容易發展各種修辭的效果。展覽雖然由各種言語與非言語的語言所交織，但從「故事」的概念以及參觀所意味的時間向度觀之，它依然具有一定的歷時性。尤其，蘭陽博物館的單一動線意味著觀者必須依循固定的時序，而比較沒有任意組合時序的自由。一位受訪者表達了贊同更加限制觀眾動線的意見：

> 比較能加強的部分可能是在一層樓中動線的規劃上。舉例來說，山之層走來走去是比較亂的，比較建議可以有通道式的，大家很明顯知道要這樣繞過來、那樣繞出去。

　　理論上觀眾在每一個樓層可以任意行動建構其參觀的動線。但館方把認為重要的展覽單元放置於特定的位置以吸引觀眾，也意味對於觀眾如何建構意義的暗示。然而，每一位觀眾所觀看的展覽元素以及理解方式仍可以因人而異，展覽不同元素之間對於觀者可以產生加強或對比等不同的效果。歸納而言，「『復原』常常給讀者提供必要的信息，『預測』則激發讀者的期望」（Rimmon-Kenan, 1983：119）。在這樣鼓勵觀眾參與文本意義產生的過程中，展覽得以塑造其觀眾。開館後館方觀察到，有幾個展覽單元扮演了吸引觀眾目光焦點的角色。這幾個單元也在觀眾訪談時經常被提及，故在此先說明如下：

（一）平原層的西門渡口

　　介紹早期位居船運樞紐的西門商街。規劃者運用生態展示手法呈現實境與人模型，此區緊鄰「䈽邊船」模型且位居觀眾進入平原層展區的前區，因此容易吸引觀眾。人模型中的乞丐尤其受歡迎（圖 3.15）。館方 A 研究員表示：

> 乞丐是非常 Cute 非常受歡迎的！因為乞丐的角色動作很吸引人，（...）現在，大家一走進來看到乞丐就被吸引住了，如果沒有解說員帶領，背後的東西很容易就被忽略掉。

（二）平原層的風俗紀事中的搶孤

此單元介紹在蘭陽平原衍生的宗教習俗，位於平原層的中後方，比較容易為匆忙的觀眾所略過。但因為其中介紹的搶孤，綜合運用了影片、搭景、文字、大型輸出等多元媒介，也成功地將觀眾引到該區參觀（圖5.1）。但風俗紀事介紹的其他內容，就容易為觀眾忽略。B研究員表示：

> 有時候牽涉到它所處的位置，像二龍競渡的影片常常會被忽略掉，搶孤因為比較大而且是在路口的位置，很容易被注意到。

圖5.1　蘭陽博物館常設展「平原層」的搶孤。

（三）海之層的南風一號

南風一號是一艘實際出海過的南方澳鏢魚船，在博物館實體展出以見證南方澳漁業的興衰。展示手法上搭配了文字解說、影片以及模型魚，成為整個常設展進入尾聲的又一高潮，特別是觀眾非常喜歡在船內拍照留念（圖3.16）。

　　如前所說，除了文本如何配置「事件」的方式之外，蘭陽博物館的常設展的時間順序雖不被認為是重點，但依然存在。其起點無疑是「宜蘭的誕生」，但展覽文本的終點則顯得模糊。對於展覽的時間框架，B 研究員認為：

> （展覽）其實是一個「戴著現代眼鏡的古代」。在展場上看到的是其實你在當代也看得到的，我在清代、或戰後拿這件事情來講，但這件事情可能在我們現在的宜蘭都還是存在。

　　也就是說，文本終究難以逃避時間的問題。當我們看到人模型穿著復古的衣服時，就會產生時間性的想像。展覽所談的許多內容雖然在當代仍舊存在，但只要在呈現上披掛一件時代的外衣，便會給予觀眾時間性的暗示。而綜合整個展覽，在時間點上好像是在過往的某個時間點、而不是在我們這個時代結束。但在最後的年表又做了統整的編年史，將時間的跨度拉到當前，因此整體顯得模糊。而觀眾也看出了這樣的處理方式：

> ─當然有時間性啊，從很久以前形成一直到現在，整個時間拉得很長。

> ─就是宜蘭從以前剛開始，他們過去來宜蘭到現在的（...）就是介紹他們宜蘭整個地理風情的故事，我覺得是這樣子。

> ─其實二樓跟三樓看起來比較像是以前的部分，對大概四十年代、五十年代的人看起來可能比較有感覺，（...）還有比如鴨賞這個是我們從小生活經驗的一部分，會比較瞭解。

> ─應該算是個小時代、小片段。因為你看它最高的山上（山之層），應該是很早很早時期的臺灣吧。看到平原那段，又好像爸爸媽媽那個時代的事，以我的年齡三十幾歲來看，就是那個時代片段的一些東西，可是不是很現實的現在，但這個地方又有比較現代的感覺。

> ─其實就是在講宜蘭從噶瑪蘭，然後整個殖民的日治時期，國民政府統治光復初期的歷史過程。

　　——一方面是因為它有整個主題導覽的順序，二方面它在層與層之間，或是一層裡面，它的整個規畫都是比較有條理的，所以會讓人家接收訊息的時候是比較順利、容易的。

可以說，整個展覽歷時性的脈絡仍是清楚的，也在某種程度上，使當今的觀眾得以保有一定的觀看距離。

　　綜合館方與觀眾對於文本構架的看法可發現，理想讀者的提出並不在於否定實際觀眾的閱讀自由。觀眾是否參酌理想讀者的模式仍取決於觀眾自身。在此，重點在於觀眾的詮釋雖不應被簡化為確認作者強行提出的意涵，但也不盡然是全然自由或無邊界的。

二、觀眾如何產生展覽文本

　　筆者在訪談觀眾時，特別著重觀眾參觀過程，如何理解展覽並使文本的基本結構在參觀中成為開放的動態意義的生產過程。在參觀的開始，觀眾便從展覽提供的內容加以解釋，而這些見解與觀點會被加以保留，在之後的過程中不斷地拿出來對照與檢視其有效性。參觀的過程就像是一種建立假設與構架的系統，並且被用來與其對於現實的理解與所擁有的文化習俗加以對照。觀眾採取一種假設的原因多是因為它有利於發展其他的假設。

　　筆者根據在展廳觀察，發現觀眾在展覽的開始明顯花費比較長的時間，參觀的速度也比較緩慢。如前所述，觀眾在購票後會先上二樓，欣賞以「宜蘭的誕生」為主題的互動劇場。這個區域的範圍不大，但經常可見觀眾雖不一定觀賞全部的影片內容，但卻依然在該區逗留。之後觀眾必須依循動線的規範，搭乘手扶梯至四樓，進入「山之層」的展區。「山之層」原本便是各樓層中空間最小者，而為了呈現森林豐富生態的面貌，之中的布置也是各樓層中密度最高者。尤其為了要傳遞「迷霧森林」的氛圍，展場會不時噴放煙霧，以令觀眾有置身煙霧飄渺的林中之空間感受。如此多重的手法

與層疊的展示訊息皆令觀眾進入展場後，必須花費時間接收並且努力思索展示的用意（圖5.2）。館方也注意到這個現象：

> 動線上有的地方空間太小，導致那裡很容易塞車。其他樓層因為比較大，一邊塞車還可以走另一邊；但是山層是遊客第一個進來的展區，又是最認真看的時候，就會很容易塞車。山層又沒有適當的替換點，有些樓層你跳過一區走到別區大家不會有特別的感覺，但是山層好像沒有辦法。（B研究員）

圖5.2　蘭陽博物館常設展「山之層」展場一景。

觀眾對於「山之層」所表現出的注意，可以呼應閱讀理論所提出讀者在文本開端往往花費最多時間閱讀的研究成果（Perry, 1979：53）。因而我們可以推論這種對於展覽開端的注意顯示觀者領悟並判斷展覽發展的心理反應。而根據訪談結果顯示，觀眾會針對感興趣的單元閱讀文字，但首先仍然是以視覺挑選想看的單元：

> ─會看文字，可是沒有每個文字都看。比較好奇的才會去看它的文字介紹。比如說樹的紋路啊，它會說它是這樣一年一年形成的。

—我會看文字，像我剛才就看黃春明寫的這個詩，這種感覺很棒耶！

—文字可能比較少，大概看（視覺）就大概知道，除非說有的是真的不知道就會去看（文字），略有知道的話就大概瞄一下這樣。

—先看造型，有興趣再更深入看文字。因為太多了。

—我覺得它既然會把這個東西擺出來，應該就是有它的目的。我們來只是看自己想看的，在（記憶上就會比較片段）。我覺得就一層一層，像是一層布一樣，把它完整地看過一遍，而不是一個一個點的。

在參觀過程裡，觀者在參觀時所受到吸引或挑選的訊息決定了觀者對於展覽意義的建構方向。決定觀者受到特定展覽元素吸引或挑選哪些展覽元素的原因似乎相當複雜，而當被問及有哪些引起興趣的主題或單元時，觀眾的回答不一，但有不少觀眾提及館方觀察到的「亮點」：

—乞丐嘛？！乞丐賺好多錢唷！

—我是想古時候宜蘭他不是有很多廟公還是乞丐啊，那個地方。

—不錯啦，他把整艘船都帶進來。

—搶孤那個，活動很特別。因為你可以看到那個過程，它都有把它做出來。

—我比較喜歡看地理的，比如說它介紹什麼湖什麼湖，因為每個人喜歡的不一樣。

觀眾受到吸引而開始觀看、開始「閱讀」，此時所進行的一個重要的活動我們可以稱之為「空隙填補」（filling gaps）。從理論而言，文本為其讀者重構一個世界或一個故事時所提供的材料，不可能是窮盡的。不管描述多麼詳細，讀者總是可以提出問題，也就是說，空隙依舊存在。Wolfgang Iser（1971：285）認為，

沒有一個故事是講得完整的；正因為不可避免地有遺漏，一個故事才能獲得動力。於是，不管敘述之流何時被打斷，不管我們會被引到哪個意料不到的方向，我們都能找到機會，發揮自己的才能，去建立各種聯繫（填補文本留下的空隙）。

Rimmon-Kenan（1983：123）也認為，讀者之所以能結合分散於文本中的訊息以及填補空隙都是參照構架（frame of reference）的結果。空隙的重要性不等，有的非常重要，有的極小，可以自行填補。空隙在文本某處出現，可能在別處得到填補，但也可能是永久的。在參觀展覽的過程中，觀眾一方面有選擇框架的自由，但也因為無法確定其框架是暫時性或是永久性而困惑。然而不論如何，空隙的存在提高觀者的興趣與好奇心，也使讀者積極地參與文本，進而產生文本。

由於觀眾會以其自我的方式構架文本，他們如何填補空隙因而成為筆者訪談的另一個重點。歸納而言，觀眾主要從過往的生活經驗或所知所學去詮釋文本。以下為幾個訪談的紀錄：

—（看有興趣）而且是經歷過的東西。比如說是押水的水井啊，你們都沒有玩過，我們從小就玩那個東西。所以說我們會去回憶一下（...）

—回憶以前，比如說像那些割稻的，我們會去回味以前的生活。像那個賣東西的、挑擔子的，以前的生活就是那樣。

—三樓的那些以前的30年代以前的東西還蠻懷舊的，因為我們家是務農的。所以看到那些東西會覺得，耶！那個以前我們家也有。

—不過我覺得他那艘船擺在那邊去解釋漁穫，也是蠻有主題性的。而且有魚的標本，那邊就可以跟小孩子談很多。

—我自己比較有興趣的是平原層那邊，因為平原是我們最常會接觸到的地方，像裡面的養鴨和一些農具，平常都有聽到一些長輩在講，所以會特別有感受。

—那個平原那裡，那些人物塑像。有種回到以前，小時候的感覺。

—看了之後感覺身在蘭陽的子弟很幸福。我是宜蘭人，但是在臺南 20 年了。看了
之後，我以蘭陽的子民為榮，好山好水出美女，蘭陽的女孩子是勤儉刻苦、耐勞
又會持家。然後它的建築也很特別。（…）像我看到那個歌仔戲，那些都是蘭陽的
特色啊！如果你沒有生長在這邊，你可能是走馬看花，可是我看了會回味一下童
年，會想到我的媽媽，會想到我在讀書的時候。

對於展覽整體的感受，觀眾咸感滿意：

—基本上來講物超所值，You get what you paid. 綽綽有餘，如果說還想得到更多的
話，有點貪心了啦！

—我們收穫挺豐富的。

—應該差不多，設計都很不錯很先進，沒什麼欠缺的了。

—不錯，我覺得整個來說不錯啦！

—同事有來過，有推薦可以來這裡看看，我們就來了。看完覺得很不錯。

　　或許因為希望儘快結束訪談，觀眾皆未能或未明確分析看完展覽後的心得。這或
許也表示意義建構的過程不是在看完展覽之後結束，有可能會放在心裡持續作用。可
以確定的是，在參觀的最後，觀者會試圖將文本視為一個整體加以理解，會去援引他
的生活經驗並試圖確認他所發展的文本。

　　展覽的文本空間是開放性的，展覽從何開始、在哪結束，對於不同觀眾的意義不
同。影響觀眾解釋文本的方式，牽涉到觀眾的現實模式以及所遵從的約定俗成的看法。
其次，展覽文本存在著多重意義，允許多樣的解釋，不同觀眾在參觀展覽時可以生產
不同的意義。但這並不等於說，展覽文本的意義是任意的。筆者以為，展覽文本可以
是一種具有結構性的客體，觀眾必須具有一套規範和能力才能理解文本，這種展覽文
本與觀眾的規定性限制了文本意義的框架。同時，文本又是一個有著豐富內涵的框架

結構，觀眾也具有充分的創造力。文本與觀眾的相互作用使得文本意義的實現呈現無限的豐富性。

最後，觀眾不會等到展覽最後才去理解文本。在展覽的一開始，他便透過「復原」與「同化」的作用，串連並安排文本、填補空隙、進行假設、確認並修正期望，從而產生文本，達到理解的創新。多數觀眾會對和自己的經驗相連結的展示內容比較有興趣，有時並不一定和展示手法有絕對的關聯。整個參觀展覽是一種動態的過程中，即使結束了參觀，似乎不表示意義建構過程的結束，文本閱讀因此產生了在時間上與意涵上的多義性。

貳、替代品的轉義與觀眾閱讀：《斯土斯民：臺灣的故事》

在展覽中，我們以替代品替代真品，以展覽替代現實。然而，對於觀眾而言，孰為現實孰為虛構卻不易判定。有研究指出，觀眾比較容易被服膺他們腦海中的場景而非不認識的現實感動（Drouguet, 2005：77）。也有研究指出，觀眾對於一件一件展品是否為「真實物件」的關心，遠不如關心整體構成的真實度（Montpetit, 1996：59）。這樣的混淆在博物館內經常存在。

《臺灣的故事》希望傳遞的訊息主要在於說明臺灣土地上人的歷史。其展示運用高比例的情境展示，有包括不同性質的替代品的使用。情境展示的溝通功能以及替代品的使用是否能夠恰當達成被賦予的「任務」？抑或是之中不可避免地會產生意義的轉變？這些本章接續探討的問題都涉及情境展示溝通成效的分析。Stephen Bitgood（1996：39-43）曾就透景畫模型的有效性評量提出以下影響成功與否的因素：

一、強調方式與詮釋

Bitgood（1996：39）指出藉由文字、聲音、互動裝置等不同的說明手法輔助，可

以強調透景畫模型的吸引力，增加觀眾停駐觀賞的時間。此點也與Simon James（1999：122）認為情境展示還是需要有文字說明的輔助才能有效溝通的觀點相呼應。雖然筆者並不認為觀眾必須被動接受展示訊息，但情境展示是否僅靠視覺性便能達到溝通效果仍是值得考慮。另一方面，Bitgood（1996：41）指出互動裝置的輔助效果仍缺乏足夠的研究以便有所定論。

二、美學的效果

Bitgood 以 Peers 未出版的研究為例，認為透景畫模型的樣貌做得再精緻，對於觀眾的吸引力並不會有明顯的影響（Bitgood, 1996：40）。而 James 則是從製作的程序與分工的角度指出，實際上決定一個透景畫模型或是人模型外型的人，往往不是博物館的研究員，而是具有繪畫與雕塑能力的藝術家或模型製作者。這當中美學的因素往往便不一定完全取決於博物館方，也取決於藝術家的想法。《臺灣的故事》的情境展示所製作的替代品與人模型也是委外製作的。特別是原本有意以素模呈現的人模型最後還是決定上色，以求比較貼近真人的效果。臺史博館呂館長說明「上色的人像比較有親近感」；館內 A 研究員也說明「有兩百個人模型，整場都是素模會有點假假的，而且有點可怕」。James（1999：120）指出，「看起來像我們的人像潛意識地有助增加我們對於之前世代的認同與理解，激勵對於早期文化的尊敬感，而非去強迫觀眾接受」。在此可見擬真或外型的形似依然是博物館可能趨向的選擇。

三、透景畫模型的物理性特徵

所謂物理性特徵包括三度空間的空間性、尺寸大小、在展場中的擺放位置以及整體環境因素等。研究指出情境展示的物件之間愈能相互指涉者、模型尺寸愈大者、愈是擺放在展場中央位置者、愈多觀眾容易辨識的環境構成元素（如樹林、石頭、動物等）者愈能吸引觀眾。

筆者依據前述決定情境展示溝通效果的兩種主要判斷要素——展出單元的物質性

與利於觀眾的涉入程度——設計問卷並於 2013 年 7 月 4 日訪談展區內 16 組觀眾，歸納出以下幾點結論[31]：

一、臺史博館希望傳遞的訊息基本上能成功地傳遞予觀眾

所有受訪的觀眾皆很清楚展示的主題，也都能清楚地指出其印象深刻或令其有所聯想的單元，顯示展覽在情感面能成功引發觀眾的共鳴。針對「請問對您而言，展覽最主要在表現什麼或說些什麼？」所有受訪者皆表示為「臺灣的歷史」：

—整個臺灣歷史的演變，唐山過臺灣嘛，早期的一些活動，日據時期的一些演變。

—臺灣的歷史，還有一些殖民的文化。譬如說，日據時期的一些事情。

而針對「請問是否有令您聯想到自己生活經驗的展示單元或是展品？」或「是否有令您印象深刻的展示單元或展品？可否說明哪些？」的問題，受訪者所指出的展示單元不盡相同，但明顯比較偏向較近代的時期的展示：

—柑仔店、日據時代的診所啦比較早期的場景，那個感覺不錯啦，然後戒嚴時期的也不錯。

—應該是說現在臺灣很多老街，就是會模仿當時臺灣早期的感覺，很復古。日本統治臺灣這塊，原住民平埔族到日本。

—那邊那排日據時代的商店的模具，就覺得還滿印象深刻的，因為他的東西是實體的，可以進去看，而且他的東西都做得很仔細。還有販賣交易的部分，有一個大船的地方。還有日治時代的房子。還有類似神明過轎，八家將跟媽祖繞境，我看了非常久，花了十幾分鐘。

—就比較像 228 的地方，像是日本警察那部分，之前賽德克巴萊也有提到。

---

[31] 訪談問題見附錄五。

　　—愛國獎券、家庭裁縫的部分，他們用的輪子是小的，現在我們用的是大的。

有受訪民眾提到有不同於歷史教科書的收穫：

　　—跟歷史課本上的有些不一樣，歷史課本上教得比較平面、一些理所當然的事情，
在這邊看會比較深入。

　　呂館長在受訪時一再強調展示內容的安排是盡量從民眾的角度，而非從政府的角
度。目的在於使觀眾能夠有所共鳴，能夠與觀眾自身經驗與記憶相勾連，讓觀眾找到
自己。為此，館方特意設計許多拍照點，使觀眾得以與有歷史意義的場景互動。這樣
的用意也得到一些觀眾的認同：

　　—我覺得日據時代感覺不錯，因為那邊跟來這裡的遊客會比較有互動的連結。

　　—印象最深刻的就是警察，我女兒有跑去跟警察照相。

並且許多受訪者顯示出對於展示內容的認同，甚至令其追憶過往生活經驗：

　　—覺得我還是很年輕，很懷舊，過去的那些文物自己不曾看過，然後滿有懷舊的
味道。

　　—覺得好像回到過去，回到那個時代。

　　—很熱鬧，很真實，感覺就像在參加遶境一樣。

　　—會想到小時候我們住在安平，過年的時候。

　　—感覺就很懷舊，想起以前的日子很苦。

二、觀眾在吸收訊息上，除了展示的視覺觀看之外，也多會使用其他的說明媒介

在觀眾的認知面部分，對於「您在參觀那個單元時有閱讀說明文字嗎？有看影

片或參考其他的說明方式嗎？還是只看物件？您認為這個單元的展示是否清晰容易理解？」的提問，幾乎所有的受訪者都有使用一種說明的輔助，有的是閱讀文字，有的則觀賞影片，也有的觀眾使用展區設置的互動裝置。但受訪過程可以感受到，觀眾雖會使用其中某一種說明媒介，但不一定會耐心地閱讀或觀賞完畢。有受訪者表示：

　　—應該是說，我如果剛好對這個有興趣的話，我就會看。

甚至提出改進的建議：

　　—因為介紹的非常仔細但是太冗長，但是觀眾可能沒有耐心看完，想要看重點，只看前跟後，可是殊不知重點在中間。

觀眾觀看情境展示的方式也吻合與前述學界的研究結果。

三、面對展區多樣的情境展示手法，受訪觀眾中仍比較傾向採取從旁觀察的態度

在觀眾的涉入程度方面，受訪者對於「您在參觀那個單元的時候，是否覺得自己有參與其中的感受？還是覺得自己是一位旁觀者？」的提問，意見分歧。較多數的受訪者自認保持旁觀者的立場，並未涉入其中。此點與前述觀眾顯示對於展示內容的認同與理解並不衝突，因為觀眾仍可以在閱讀中保持冷靜的心態，而不一定必須透入文本之中。譬如：

　　—應該是置身事外，還沒有辦法融入那個情境。

　　—倒是不會，因為是蠟像所以滿真實的，所以比較可以了解當時後的生活狀況。

　　—比較像旁觀者的感覺。

較少數的受訪者表示有感同身受之感：

　　—覺得他們滿辛苦的，會覺得感同身受，我們以前也是很辛苦。

　　——早期人家生活的型態的部分，會比較有深入其境的感覺，就看了之後好像跟他們生活在一起這樣。

有受訪者認為能不能涉入與時代的遠近有關：

　　——如果是看到當時小時候的狀況，當然就會感同身受，如果是在比較久遠的年代，就覺得自己是個旁觀者。

　　Marianne Foss Mortensen（2012：326）認為觀眾是否能沉浸在營造時空幻覺的展覽中，取決於他們是否認同且接受所展示的世界以及交付予他們的角色。她將觀眾的回應區分為願意沉浸在展示中的「共鳴型」（resonance）、採取旁觀態度的「距離型」（distance）以及無法浸入其中的「拒絕型」（rejection）（Mortensen, 2012：326-327）。她認為觀眾的態度反應了他們是否能夠運用想像力去浸入展覽的內容。其觀點與筆者的研究結果吻合。

四、絕大多數的受訪者不認為替代品的使用妨礙對於展覽的理解與觀看

　　對於「您是否有注意到展覽中有很多模型或是仿製品？您認為使用模型或仿製品對於您參觀展覽有無影響？可否說明原因？」的提問，幾乎所有的受訪者皆有察覺展覽內容運用大量的替代品與複製品，但也幾乎都表達對這樣的做法的認同。受訪者的理由主要是認為情境的塑造有助於展示內容的理解：

　　——那個很重要啊！那些蠟像，如果少了那些蠟像的話，就沒那種氛圍了，就沒有那種情境就塑造不出來，因為那是一個文化的演進嘛，如果只有物品少了那些人物，那是一個很單調的展示，那如果你融入那些蠟像的話，會讓這些人物是動起來的，會有那個情境，那個非常重要。

　　——就是實際的物品會讓人更貼切更融入。因為服裝造型和氛圍會讓你更了解那個時代。

　　——因為這樣可以更了解它當時的狀況，不是這種圖片，立體的東西其實人會比較

印象深刻，視覺上的效果會讓人比較記在心裡面，雖然影片播放當下會讓人很感動，但是久了還是會忘記。

—這樣當然是比較實際一點，比較真實。但不影響對於展出主題的認知。

—我覺得不錯啊，因為如果只有文字的話沒辦法深入其境，現在有這些蠟像會讓你很真實的體驗到人家過去的生活。

—我覺得非常適合，加深你的印象。

—用複製品比較好理解，看文字會比較不懂感覺，比較有互動能理解。

又或者認為替代品可以彌補無法取得真品的缺憾：

—我覺得不管是仿製品或是真的對我們來說，可能就是相當的了解，因為有些靠圖片是沒有辦法知道說它是長什麼樣子，雖然仿製品不是真品，但也仿製的一模模一樣樣，所以那個黃虎旗，我以為是真的結果真品在日本。

—複製品可能現在已經很少看到了，複製品有點回到以前，是可以接受的。

也有人提出類似臺史博館這類歷史性質的博物館比較適合使用替代品：

—基本上這種歷史博物館就是要借助很多早期的，一些早期的先民，一些服裝去慢慢引導，引導這些遊客進入那個情境。

—要看特質，比方說歷史博物館的話，就可以故事來表達發生什麼事，用假人來表示當時發生什麼事才會發生什麼衝突之類的，如果說藝術博物館的話你又不可能放一個假人在那邊，要看性質，歷史博物館比較適合。

最後，對於「如果博物館展出的是原本的，您認為會不會有不一樣的感受與理解？可否說明？」的提問，大多數的受訪者的態度依然是正面的：

　　—如果是真實的不是複製的話，我覺得那是會感動人的，但是重點是整個情境的
　　塑造應該沒有那麼多的早期的物品，它是可以被帶進來，所以你必須還是要有一
　　些（借助）場景的塑造，這是我的看法。應該不會影響理解。

　　—我覺得應該是一樣的，因為仿製品就是模仿真的啊，只是他不是真的，他只是
　　仿它，所以理解的深度都一樣。

　　—大同小異啊，我覺他做的很逼真，只差會不會動而已，沒有差很多，就算是真
　　的假的都可以讓我了解。

　　—原件還好，沒差，因為仿製品容易互動。

不到半數的受訪者表達了這個題項的保留看法：

　　—我覺得原件當然是比較好，但是沒辦法像這裡這麼自由，沒辦法拍照自己很自
　　由去逛，因為如果是原件的話一定會像故宮，一定會有保護，不能拍照之類，這
　　樣跟民眾就比較不親近，我覺得這邊比較自由。

　　—是真的物件會比較具體，假的可以了解但沒有深刻。

就受訪觀眾的回應觀之，觀眾確實對於單件物品是否為「真跡」的關切程度遠不及是
否能整體傳達一個情境重要，但觀眾的回答也同時顯示對於替代品能夠在型態上逼近
「真跡」的重視。在《臺灣的故事》的情境展示的觀眾研究中，筆者也發現所謂的認
知面並不完全在於事實導向，而是認知結果的影響力與認知過程，特別是認知過程如
何與展示方法之間產生關聯性。觀眾的理解需要從語意學的意涵去看待：他是如何與
其自我的生活相互連結？而這樣的連結往往使得展覽對他滋生獨特的價值。這也意味
當代展示應重視個人的小故事與獨特經驗，展示不再是絕對知識的傳遞工具。

　　過往研究皆顯示，情境展示較之圖文的解說對於觀者更有情緒上的感染力，情境
展示往往無法避免不使用替代品，其中有時是復原，有時是詮釋。但是在《臺灣的故

事》展區的觀眾研究顯示至少在歷史類型的博物館，這樣的展示政策受到觀眾的肯定與接納。從複製品、替代品切入，並不至於影響觀眾結合展示與個人經驗。觀眾依然可以在辨識非真品的狀態下，與展示進行情感面的交流。

參、從真實物件到真實體驗：國立自然科學博物館生命科學廳恐龍廳

　　有如《臺灣的故事》的情況，當前一些博物館高比例地運用複製技術做為展覽的主要媒介。科學類型的博物館，由於涉及必須展示已經不存在於現世或非物質性的事物或現象，也有相同的情形。當表達方式越來越視覺化與具象化，再現（representation）與現實（reality）之間的界線也越加模糊（Urry, 1990：85）。有如 Jean Baudrillard（1989）的著名理論所言，我們現在所消費的，愈來愈多是符號或再現，大家都知道是模擬（simulation），卻爭相模仿接受。Umberto Eco（1990）認為在一個 "hyper-reality" 裡，假冒的東西比真貨更加逼真。本節對這樣的現象提出的問題是：真實性對於當代博物館的觀眾而言，依然重要嗎？真實性對於觀眾的博物館經驗又具有何種意義？本節擬延續本書對於國立自然科學博物館（以下簡稱科博館）生命科學廳恐龍廳的展示之討論，探討科學博物館內的觀眾如何思考真實性以及真實性對於獲得博物館經驗具有何種意義。本節透過「經驗」、「博物館經驗」、「真實性」、「體驗經濟」等概念的分析，並佐以筆者在科博館實際進行的觀眾調查[32]，對於這些研究問題提出看法。

　　「經驗」是近年在博物館領域，特別是有關觀眾參觀的相關研究中經常被提出的一個詞彙。「經驗」一詞有其複雜的詞源與意涵，固非本文所能處理。一般而言，「經

---

[32] 筆者於 2011 年 7 月 20 日訪談 11 位恐龍廳展場觀眾。訪談問題如附錄六。

驗」可意味「實際接觸或觀察事實或事件」或者「對某人留下印象的事件或事情」[33]。經驗使置身在某個場合的個人,因為親身經歷的事物而得到某種智識或情感的累積(知識、技能或心得)(劉婉珍,2011:176)。博物館研究對於經驗的重視有其發展的脈絡。John Dewey 的「體驗學習理論」強調學習是經驗不斷的改造與重組之歷程,主張將各種經驗融入傳統教育型態,奠定體驗學習理論之里程碑(Dewey, 1963)。這樣的理論傳統將「經驗轉化」與「意義建構」視為其核心意義與價值,並將體驗學習視為一種整體的(holistic)、社會文化的建構(Jarvis et al., 1998:46)。當 John Falk & Lynn Dierking(1992)將這樣的體驗學習概念置入博物館的場域時,便得以將博物館經驗視為一種全面性且受到社經脈絡影響的學習。Falk & Dierking 在其著作中強調博物館重視每位觀眾個人經驗的必要性。他們認為,「每一位觀眾的學習方式都不一樣,並且會透過其既有的知識、經驗與信仰去詮釋資訊」(Falk & Dierking, 1992:136)。他們也一再呼籲博物館正視觀眾的參觀動機(motivation)、期望(expectations)、先備經驗(precious experience)以及參觀博物館做為一種休閒選擇的價值(leisure values)(Falk & Dierking, 2000:69-89)。這種對於個人經驗的重視在《體驗經濟》(*The Experience Economy*)一書更是受到肯定(Pine II & Gilmore, 1999)。該書作者 B. Joseph Pine II 與 James H. Gilmore 將體驗視為消費者進行消費的關鍵考慮點,也直接主張提供體驗的服務是今後經濟價值之所在。他們的主張點出當代博物館與休閒娛樂事業之間分際的模糊以及觀眾(或消費者)在兩者之間選擇的主動性。

Gilmore & Pine II(2007)進一步地論述,「真實性」已經成為消費者在體驗經濟中追求的關鍵。然而,對於兩位作者而言,體驗真實並不表示做為體驗的對象必然具有真實性。在一篇名為〈博物館與真實性〉(Museums and Authenticity)的文章中,兩位作者明白地指稱「所有的博物館,一如所有的企業,都是假的、假的、假的」(Pine II & Gilmore, 2007:78)。但是,他們也同時強調,正因為我們的世界虛假充斥,博物館一如所有企業,必須盡力「使得」(render)觀眾的感受真實:

---

[33] http://oxforddictionaries.com/definition/english/experience?q=experience(瀏覽日期:2012 年 12 月 25 日)。

　　沒有所謂不真實的經驗因為經驗產出於我們內心。因此，既然我們得以自由地看
　　待任何一個物件、建築、事件是真實或不真實，這也是為何博物館應該努力於創
　　造人們心中真實的感受，這也是為何我們採用「成為」這個詞做為描述這一過程
　　的恰當字眼。（Pine II & Gilmore, 2007：78）

他們也建議，要做到令觀眾的體驗真實，博物館的秘訣不外兩者：一為忠於自我，二
為「成為」你對外宣稱的樣子（Gilmore & Pine II, 2007：96）。也就是說，儘管商品
或服務是非真實的，依然可以令人有真實的感覺。兩位作者稱其為「真實性的矛盾」
（Authenticity Paradox）（Gilmore & Pine II, 2007：92）。而真實性的矛盾的推論之一，
便是「真實性的唯一決定因素是，個人對該產品和服務的感受」（Gilmore & Pine II,
2007：92），但是消費者是可以被影響或被啟發的。兩位作者並舉出所謂的「波洛紐
斯測驗」（Polonius Test），建構出四種真實性的矩陣：「真的真實」（real-real）、
「真的虛假」（real-fake）「假的真實」（fake-real）以及「假的虛假」（fake-fake）
（Gilmore & Pine II, 2007：97）。每種類型各代表一項消費者面對不同商品或服務時，
視為真實或虛假的認知（表四）。兩位作者認為，既然真實性是由個人所認定，消費
者自然會判斷商品或服務是否：一、忠於他自己；二、是否如他對外宣稱的樣子。這
類判斷出於每個人的自我印象，以及這樣的印象如何影響個人對於商品或服務的接受
與解釋（Gilmore & Pine II, 2007：94）。

表四：真實／虛假矩陣

符合自己宣稱的模樣	真的虛假	真的真實
不符合自己宣稱的模樣	假的虛假	假的真實
	不忠於本色	忠於本色

資料來源：Gilmore & Pine II, 2007：97；筆者製表。

　　若將兩位作者的理論應用在博物館場域去思考的話，顯然是極富意義的。傳統
上，博物館將物件的真實性視為其核心價值。物件的真實性決定了它是否具備被收藏

或被展示的價值，也是在具備真實性的基礎之上，博物館展開其研究、典藏、展覽與教育等作業（Desvallées & Mairesse, 2011：570）。Cameron 認為「真實物」（the real thing）是博物館一切活動的核心（Cameron, 1968），而這樣的見解也一直為大多數的博物館學家奉為至高無上的法則。在上一節我們也論述到，在博物館學的討論中，真實物的相對是複製品或替代品，而不一定是仿品。這些詞彙有其意義上的差異。複製品或替代品即便是有不得不的理由或是沒有博物館道德上的問題，我們也必須承認它們並不享有真實物的光環，在 Pine II & Gilmore 的分類中，無法享有「真的真實」的地位。而若是一個運用複製品或替代品的展覽，應如何營造真實的體驗？而這樣的效果是否達到又應該如何評估呢？

經過逐字稿的紀錄分析，筆者主要有以下發現：

一、觀眾對於真實性心中自有一把尺

對於訪題一「您認為恐龍展所展出的內容是真的還是虛構或想像的？（延續上一題）哪些是真的？哪些是虛構的或想像的？」，基本上受訪觀眾對於展品真實與否有其辨識的標準。首先，多數人認為展出的恐龍是很「真實」的「想像」。有的觀眾是基於對恐龍的知識做出推斷，有的則是認為模擬的外觀不夠「真實」：

—滿真實的，可是覺得是假的，因為不可能活那麼久。會覺得真的是因為會動、有聲音，整體做得滿真的。

—虛擬的。（你覺得有哪些是真的？還是都是虛擬的）暴龍還滿真實的。

—假的。（你覺得有哪些比較像真的？哪些比較像假的？）那兩個迅掠龍比較像真的，暴龍比較像假的。

—樣子和聲音應該都是想像的吧！應該只有骨頭比較趨近真實，其他都是假的吧！

—虛構的啦。做得蠻真實的啦，但是明知道就是虛構的。看起來蠻真實的，但是

你打從心底就知道這根本就不是真實的。對小朋友來說應該是蠻真實的。

且真實與虛構可以同時存在，亦即受訪觀眾認為展出的機械恐龍應該是根據化石加以研究所模擬製作的。因此雖然恐龍是人工的，但並不表示它是杜撰的：

　　—真實跟虛構一半一半吧！有一些是考古學家去考古探險挖出來的部分，可是它是不會說話不會動，是靠人類自己去想像、推理而來的。就像暴龍有人說牠是肉食性動物，也有人說牠是素食的。

　　—一半是真的，一半想像的啊。肉跟牠外觀的顏色啊，還有牠的行為模式，覺得應該是想像的。真的是骨頭的部分，挖到就是長這樣子，那肉的部分就是人再貼上去的。

從觀眾的回應中可知，他們主要從「現實主義」（realism）的概念去思考，而非從「真實性」（authenticity）的角度思考。雖然有人相信化石的部分是真的，但所有觀眾都不認為恐龍是真的：

　　—這不是真的嗎？只是它用模型。暴龍比較真實，小孩子喜歡。（哪部分是想像的？）都很真實啊。（包括它們的動作、聲音？）對啊。

　　—當然是真的，因為我們學生科的。恐龍確實存在，只是後面的東西是靠推測的，例如暴龍的聲音是模擬的。化石是真的。動作、聲音可能是虛構幻想的，顏色也是假的。

　　—真的。當然有部分是虛構想像的，真的當然是恐龍曾經存在過；虛構的就是牠的外皮、牠的聲音，這些都是自己想像出來的吧！

　　—我會覺得是真的，因為做得感覺蠻真的。像那個龍（真板頭龍）爬出來我就覺得蠻真的！恐龍的外表那些可能有些是虛構的，也有可能是真的，不知道。

從觀眾訪談可得知，觀眾對於又是晃動身軀、又是發出叫聲的機械恐龍之真實或虛構

的認定，心中自有判定的標準。他們既不至於相信科博館令時光倒流，也對於機械恐龍的詮釋手法抱持一定的保留態度。

二、觀眾對於博物館的展覽有相當的信任度

儘管觀眾可以清楚分辨機械恐龍帶有相當程度的虛構性，但這似乎並不損及觀眾對於博物館展出內容的信任。對於訪題二「您認為真假重要嗎？會影響您對展覽的觀感嗎？」，絕大多數的受訪觀眾不論回答「重要」或「不重要」，咸認為恐龍的真假不影響他們對於博物館展覽的觀感，在此筆者將其解釋為「不影響對於博物館展出內容的信任」。

──不重要，因為它有特色。

──這樣就夠了，不然要多真？真假不會影響對恐龍知識的理解。

──重要，因為小孩會去對照他們之前看的書、錄影帶。（所以會影響對展覽的觀感？）當然是越多動的、越多 DIY 的最好。（是因為覺得會動的比較真實嗎？）應該說小孩子比較喜歡可以操作的，譬如說恐龍也可以用幾個骨頭讓他們拼拼湊湊的，他們也會很開心。

部分觀眾認為博物館的展覽可以做為想像或自我思考的基礎，因而真假並非絕對重要。

──應該只是個參考，其他發揮自己的想法。

──不重要，它是一種理論，展覽只是提出其中一種理論。

──真假我覺得還好，我個人覺得不會影響。因為我是大人了，我會自己分辨。

──不會，我覺得本來就是要想像的。因為如果沒有想像就只是一些骨頭而已，就比較無趣。

　　──不要太離譜就好，比如說肉的顏色，或者如果肉跟骨頭太不貼，違背我們常理的知識的話，就會覺得不太有說服力。

但也有觀眾認為假的恐龍比較「安全」：

　　──重要，因為真的會比較危險。

綜合觀眾的想法，可發現觀眾幾乎不會質疑博物館展出的內容之真實性。受訪觀眾即便不是「輕信」，但也算是「信任」的。

三、觀眾對於恐龍的真假並不十分看重，但動態擬真的機械恐龍具有一定的娛樂性

　　觀眾普遍認為機械恐龍具有一定的娛樂性。對於訪題三「參觀恐龍展後您印象最深刻的展示內容為何？」，除了一位觀眾回答迅猛龍之外，其餘的觀眾都回答是展場中央的親子暴龍。而之所以對暴龍印象深刻的原因，最主要還是因為它的「動態」，而且暴龍對於小朋友特別有吸引力：

　　──暴龍動起來的感覺滿好的，至少不會像以前的機器動起來卡卡的。

　　──我覺得會動的恐龍模型超可愛的，那是新的嗎？我從小學以後就沒有來過了，我覺得很可愛，可是可能會嚇到小朋友吧！那個真的做得很好。

　　──還是那個會動的恐龍。

　　──暴龍，小孩子就一直盯著它看。

　　──會動的恐龍，視覺跟聲音效果不錯，會讓小朋友印象深刻。

由於恐龍的擬真與動態，對於部分觀眾而言，其「寫實性」（realism）依然可以造成一定的心理作用。譬如有的觀眾認為暴龍有些可怕：

　　—現在這個暴龍晚上看到真的會嚇到。

　　—看了很多次，已經不會怕了。

做為一種反應的心情，「害怕」或「恐懼」也是一種居於虛構立場的害怕或恐懼，是一種想像作用。這樣的心情背後仍不脫一種娛樂性：

　　—（真假）不會很重要，只要快樂就好了。

　　—純娛樂吧。

動態擬真的機械恐龍，確實帶給觀眾娛樂的效果，也傳遞觀眾「本展覽帶有娛樂性」的訊息。

四、博物館觀眾的參觀動機與參觀目的各不相同

　　博物館很難要求人人皆抱持著「認真學習」的態度。對於訪題四「您認為參觀展覽後學習到些什麼？」，有一些觀眾便明白表示沒有打算學習什麼：

　　—沒學習到什麼，因為沒仔細看。純粹來散心、吹冷氣。

　　—還好，抱著休閒的心情來看的。

　　—應該沒有學習到什麼，因為都已經來 N 次了，小朋友應該就有心得啦。

　　—好像沒有學習到什麼耶。可能以後如果有小朋友要帶小朋友來。

而比較「認真」參觀的觀眾主要是透過閱讀展場的說明文字，「學習」到一些關於恐龍的知識：

　　—它們（恐龍）的特色和生活狀態。

—恐龍已經滅種了。

—就是一些生物演化、物競天擇嘛，就是這樣子，不必太刻意去強求。

—就是牌子上教的一些知識啊，你就會知道。不過我大部分都不太有感覺。

—有啊，覺得它有一個假說是以前我們比較不知道的，就是牠竟然有羽毛這件事，因為我們都想說牠跟鱷魚一樣啊，怎麼會有毛？迅猛龍也是這樣，然後暴龍的小孩也是這樣，這是以前比較沒看過的。

—對於過去，人類能知道的很有限，要去看更多東西、發現更多東西，讓我們對於過去和未來都有更多了解和發展。

從觀眾的回答觀之，如果沒有解說，單靠機械恐龍的動作與聲響，要令觀眾學習或思考關於恐龍這種生物的特色與生活習性應該是非常困難的。然而，展覽不應是單獨依靠文字來表達的，其視覺與聽覺的效果、各式物件在空間的配置，都應該扮演一定的作用。

如果以 Gilmore & Pine II（2007：102）的分類，筆者將科博館的恐龍展示歸類為「假的真實」之列。「假的真實」或許不符合對外宣稱的，但絕對忠於它自己。它藉由創造假真實（fake reality）掩蓋它的非真實性。它應該掩飾其非真實性（inauthen-ticity），並創造一項內在圓滿的產品或服務。對兩位作者而言，迪士尼樂園是其中最佳的範例。

然而，要成為「假的真實」，必須使產品和服務表現出消費者自願想要相信的真實性，亦即必須「創造信念」（Gilmore & Pine II, 2007：108-110）。依照博物館學的諸多研究，博物館做為規訓或儀式化的場域，對於參觀的觀眾具有相當的權威與正當性（Hooper-Greenhill, 1989）。這樣的信任感可說建立在一種如同父子或師生般的上對下之不對稱關係。依此邏輯，觀眾應當對恐龍展採取「信任」的態度。然而，機械

恐龍或許逼真（verisimilitude），也不可能是具有「真實性」的。在恐龍廳的觀眾訪談則證明了，即使觀眾明知機械恐龍絕非「真的」，也並未減損由博物館與公眾之間建立的相互認可的默契，假恐龍仍然可以令觀眾有真實的體驗，觀眾依然相信博物館所展出的內容的可信度。

然而，儘管體驗是真的，但不意味科學家理想中的博物館教育目的因而可以達成。博物館展示應否走向娛樂化、甚至所謂的「迪士尼化」是學界辯論已久的議題（Chaumier, 2011）。但即使要將一間博物館做成迪士尼樂園，也不是一件簡單的事。這點其實也是當代博物館所需思考的問題。若就本研究案例而言，可以確定的是，機械恐龍的寫實性，在帶出觀眾驚訝或恐懼的情緒之餘，並未能真正有效引導觀眾進入問題的思考與探究層次，除非展覽的整體規劃與說明能夠補強。這也意味，提供觀眾真實體驗在博物館內是應當被視為一種目的或是一種教育的手段，是不一樣的。

最後一點，博物館的觀眾即便在相同的環境與條件之下，所享有的體驗、看待以及回應事物的方式都各不相同。在「學習動機」方面，有些人保持著學習的態度，有些則是隨意逛逛。面對機械恐龍的態度，也是因人而異。每個人運用文化機構所提供的服務的方式自然有著個人如何看待他的生活、如何運用他的資源以及如何塑造他的價值的差異。但是，博物館依然應該提供一種在有趣體驗之下的深度學習的可能性。學者 David Thelen（2003：159）認為，

> 個人從時間、地點與場合所建構的不是他們的行為的決定因素，而是包括他們的關係、壓力與成規等的可能性與限制之見識。而正是在這些見識中個人塑造其選擇並為其選擇負責。

博物館不應排除觀眾依然可能對於博物館的展示內容做出理想回應的可能性，因為博物館也是一個具有刺激且能令個人置身於一個與其他人交換經驗的環境。

雖然科博館的恐龍廳展示的機械恐龍成功令觀眾相信展覽的「真實性」，也能享

有有趣的參觀經驗，但卻未能有效引導觀眾探索恐龍以及古生物學的學習，當中最重要的因素，應是博物館未能區別體驗做為一種目的或體驗做為一種手段的差別，也未能正視博物館觀眾的參觀經驗的本質。

做為一種理解過去的方法，敘事已從僅為「小說／虛構」（fiction）的一個面向之邊緣地位躍升為各種關注「歷史／故事」（history）研究的學科的中心。從敘事理論的觀點，展覽可以是一種敘事，涉及敘述者與其對象之間的關係，對於其接受者可以產生高度的影響力。博物館展覽也具有強烈的「言語行為力量」，對於觀眾能產生強烈的說服作用。這樣的言語行為一方面來自於科學敘事所具有的成規，另一方面來自博物館場域所具有的規訓力量。觀眾進入博物館後，對於博物館會主動採取信任的態度，從而與博物館建立相互認可的默契。如果展示目標在於刺激關鍵問題的思考，而非提供終極答案的話，直陳式的敘述口氣容易形成以告知、說服為主的說明，比較不利觀眾的提問與反思。本章說明了，從觀眾閱讀的角度分析敘事文本的展覽如何同時有利觀眾接受展覽的內容又可表達自己的想法，達成與觀眾的溝通與交流。

在複製品或替代品的運用方面，大多數博物館觀眾在可辨識其為複製的狀況下，對於博物館的展覽內容依然有強烈的信服與接受力。惟過於強調動態與聲光的展示手法雖然不一定會影響學習，但可能帶來具有比較強烈的娛樂性之觀感。「寓教於樂」固然可以是博物館的展覽與教育策略，但如何在趣味中引導觀眾留意背後所欲傳遞的展覽訊息是更為重要的課題。

結語：邁向新階段的展覽敘事概念

　　展覽可以是意念的表述、文化的詮釋或立場的表態，它在當代被賦予高度的公共價值，在當代博物館所具有的社會角色扮演上，占據著極為重要且關鍵的地位。展覽同時也是一種引起我們關注的言語行為，或者也可稱之為文本的活動，因為根本上，展覽無法脫離語言而存在。敘事手法的運用可增進博物館藉由展覽的型態與觀眾乃至社會大眾進行交流溝通的作用，也有助於博物館在當代社會的存在價值之發揮。本書對於展覽所進行的思考主要在於解讀展覽敘事的實踐、分析展覽中話語的資料、探究展覽敘事的表達方式，並且關注意義如何產生。筆者認為這樣的研究取向既屬於博物館學研究，也是一種文化研究，因此筆者是將展覽做為一種獨特的文化實踐去考察。Jonathan Culler 認為，「文化研究就是把文學分析的技巧運用到其他文化材料中才得以發展。它把文化的典型產物做為『文本』解讀，而不僅僅是把它們做為需要清點的物件。」（李平譯，1998：51）在研究的過程中，筆者發現為了研究做為文本的展覽，必須不斷地擴大理論的範疇，將展覽與其他的論述聯繫，使自己處於一個不斷地要去了解並學習重要的新東西的狀態。Culler 說，「理論是跨學科的，是一種具有超出某一原始學科的作用的話語」（李平譯，1998：16）。他也認為，「理論具有反射性，是關於思維的思維，我們用它向文學和其他話語實踐中創造意義的範疇提出質疑。」（李平譯，1998：16）也因此，本書也重視說明敘事理論的文學性，從傳統敘事學的發展到後現代敘事理論的重要觀念皆做了整理，便是希望得以為展覽敘事理論奠定立論基礎。Mieke Bal 也認為，

> 就像符號學一樣，敘述學有效地適用於每一種文化對象。並非一切「是」敘事，而是在實踐上，文化中的一切相對於它具有敘事的層面，或者至少可以做為敘事被感知與闡釋。（譚君強譯，2003：263）

故事具備一種功能，就是教我們認識世界，向我們展現世界是如何運轉。通過不同的視點調節方法，可以讓我們從別的角度觀察事情，並且了解其他人的動機，而我們在例行狀態下通常很難看清這些問題。敘事之所以日益成為博物館展覽所傾向運用的溝通手法，一個最主要的原因可能與「在現代主義危機之後我們構築知識的文化工程的改變」有關（Brockmeier & Harré, 2001：39）。隨著敘事分析的應用範疇的拓展，敘事理論已然成為文化分析的重要工具。這當中也包括展覽研究的發展，展覽的評論不僅關注於展覽的內容，也愈加聚焦在展覽的內容如何呈現的問題，此點亦為展覽之「敘事轉向」（narrative turn）的重要面向。

在這樣的認知之上，本書首先考察了敘事的定義以及展覽敘事成立的要件，但也迅速地揭露展覽可能具備的其他文本類型。在第二章與第三章中，為了理解展覽敘事的可能形式與結構，筆者運用敘事理論對於文本分析的方法，以《文學拿破崙》、《含英咀華》、《蘭陽博物館常設展》等數個展覽為例，分析其敘事與話語等內在結構以及展覽之故事情節構成、敘述交流層次以及當中不同敘述身分等概念。如此的理論運用有助於更細膩分析長期以來將展覽做為一種溝通模式的看法之實際運作方式。但是筆者以為這樣的運用目的並非僅在於證明展覽的敘事性質。Mieke Bal 指出，傳統對於敘事模式的討論已經是一種對於敘事性質的價值的論述方式。重點應該放在將敘事視為一種文化理解方式，因為「文化包含著許多不同的產物與不同的語言、形象、聲音、姿勢等有組織的系統」（譚君強譯，2003：265）。因此我們也必須思考做為一種文化產品的展覽，它具有其獨特的媒介性質與條件，特別是在與其他的媒介相互比較之下，其特性更為明顯。

判斷一種媒體特性的標準之一，在於該媒體運用的符號以及與該媒體所欲表達的現實之間的距離，亦即能指與所指之間存在的距離。根據此距離的遠近可以對媒體進行分類，度量各種媒體的跨符號兼容性（劉云舟譯，2010：221）。而展覽敘事的研究便可有助於我們說明，展覽特殊的構成條件與物質性。這樣的物質性決定的展覽做為敘事的獨特面貌。做為敘事的展覽不僅同時具有模仿與敘述的特性，並且也有

其獨特的閱讀方式。這也就是說，展覽要做為一個完整的敘事，需服膺敘事應有的規範。但若就展覽的特性觀之，展覽也非常可能採取敘事文本之外的文本類型。而如同本書第三章所揭示的，即便做為敘事文本，展覽也經常透過「敘事元素」（narrative elements）的方式，拆解傳統書面敘事的結構。

展覽像舞台一樣建立在具體的表現材料上（布景、物件），但其特有的話語活動使展覽在某種程度也趨向書寫敘事。但是展覽敘事仍不同於書寫敘事。書寫敘事「只」運用言語，而展覽敘事動用各種設備、物件、裝置，有如一個造物者般安排、調節、支配並製造一個多媒介的整體。在當中各種視覺的、口語的、音響的、書寫的和音樂的片段混合並共同產生敘事。但是展覽敘事也不同於電影敘事，展覽具有現場性且做為一個靜態整體將觀眾攝入其中；電影則是透過鏡頭與銀幕，動態展現予觀眾。此外，基本敘述者、第二層次敘述者、演示者等術語的界定對於說明展覽敘事的有用之處：敘事的操作與干預至少與觀眾隔了兩層。因此我們可以說展覽敘事並存著敘述與演示兩種敘事傳播模式，此乃展覽敘事的重要特徵。

Marie-Laure Ryan（2005：347）認為對於敘事的隱喻性或概念性的討論有如無止境的概念旅行，但其最關鍵的意義可能在於可以區分「『為一個敘事』或『具有敘事性』」。筆者在第三章指出，Rimmon-Kenan（2002：11）的「敘事元素」儘管做為敘事的最低標準，卻有助於我們以更寬廣的視野重新挖掘展覽敘事的可能性。她曾為文說明敘事元素的概念如何有助於探討臨床的敘事以及跨越不同領域的疆界。同理亦見諸展覽，特別是類似本書所討論的《失戀博物館》等用以述說生命故事或開放不同意見表達的展示主題，更能透過敘事的手法予以傳達。Lyotard（1986）指出，在包括科學與歷史哲學等的學科，絕對的立場已經退位予相對的立場。Sharon Macdonald & Roger Silverstone（1990：181）則認為，做為其結果，博物館已從展示分類發展至述說故事。而這點也是當代博物館在尋求觀眾參與或與觀眾展開實質對話時值得參考的策略。

　　本書也非常關切展覽敘事與現實之間的關係。第四章討論了展覽敘事的真實與虛構，特別是分析了如何從虛構性的觀點看待現實主義濃厚的歷史類型的展覽，以及博物館展覽如何運用具有不同層次的「逼真性」（vraisemblance）之展品去參照現實。如同前述，展覽本身，當它企圖傳達一個現實時，其本身就已經是現實的替代品。筆者假設展覽中的替代概念之所以能夠成立，也是建立在許多成規之上。從應用性的觀點考慮，這樣的研究對於日後擴大分析其他類型的展覽所使用的展品之「真實性」（authenticity），也具有參考性。本書也刻意選取如國立臺灣歷史博物館《斯土斯民：臺灣的故事》與國立自然科學博物館《生命科學廳恐龍廳》等替代品比例高於真實物件的展覽，以驗證歷史類型與科學類型的展覽之真實與虛構之間的關係。展覽本身已經是一種演示，當中的情境展示更具有強烈的現實主義特性，在博物館的展示脈絡中，特別有助於將想法或概念以非常具象且具體的方式，直接地呈現在觀眾眼前。即便是史前的生物，當使用具象化展示手法加上燈光音效時，觀眾的感受毋寧是超越了現實與虛構的界線，而是一種真實的體驗。本書所呈現的觀眾研究的成果顯示，所謂的真實性並不是僅從物件的角度，而是也要從觀眾經驗的角度去評價。而說故事與情境展示所營造的自然氛圍，往往更能在觀眾身上製造真實的經驗。

　　本書認為，展覽敘事的研究有助我們理解展覽特殊的構成條件與溝通特性，也能另我們更清楚認識到博物館透過展覽在詮釋、再現、溝通當代文化上的重要性。做為一種傳播媒介，展覽的敘事運用強化了與觀眾的交流，但這樣的交流並非單純地你來我往。每位觀眾都帶給敘事一些不同的經驗和期待，它對我們的解釋與行動起著作用，且展覽意義的產生是一種在空間與時間中不斷產生差異與衍生的過程。本書第五章回首《蘭陽博物館常設展》、《斯土斯民：臺灣的故事》與國立自然科學博物館《生命科學廳恐龍廳》三個個案，透過觀眾訪談歸納博物館的觀眾如何回應展覽敘事觀點以及如何建構參觀經驗。筆者以為，製作展覽的博物館方或策展者儘管可以設想其對象觀眾，但觀眾如何看又如何解釋一個展覽依然是觀眾本身的自由。如果我們認為自己能夠看出策展者的意圖與想法時，我們就成為了「理想的觀眾」。這也意味我們可以看出，儘管故事具有真實感，但它依然是一個虛構的作品，甚至可以區分出可信觀點

與不可信觀點。此點也是博物館展覽與文學電影頗為不同之處，後兩者在展現或是明白告知其虛構性甚至荒謬性的空間遠遠大於前者。如果博物館希望觀眾挑戰其展覽，便需要在元敘事層次予以說明。

　　探討展覽的敘事轉向的過程，同時是一種有意識去關照不同的學科領域與不同文化產品類型的過程。這也反應著博物館研究的必然，因為博物館是一個如此交織融合各種學科領域又是如此跨文化的場域。對於博物館場域內的活動之研究，不可避免地是在於凸顯博物館再現之文化與我們所處之世界的關係。這不會是一種單一或絕對，而應是多樣且有不同觀點的研究。筆者本書所提出的，僅是其中一種可能的研究觀點。筆者的論點也必然有許多不成熟與不完善之處，尚祈各界先進予以指正。

附錄

附錄一：本書主要討論的博物館展覽一覽表（依國內外、展覽日期與展覽屬性排列）

一、國內展覽

	展出地點與博物館類型	展覽屬性	展覽日期	其他說明
文學拿破崙－巴爾札克特展	國立臺灣文學館（文學類型）國立臺灣博物館（自然史與人類學類型）	國際合作特展	2010 年 12 月 15 日至 2011 年 2 月 15 日（臺南）2011 年 3 月 4 日至同年 4 月 5 日（臺北）	國立臺灣文學館、國立臺灣博物館與法國巴黎巴爾札克文學館共同策劃
含英咀華－閱讀與書房	國立臺灣藝術大學藝術博物館（大學類型）	特展	2010 年 3 月 23 日至同年 7 月 4 日	筆者所策劃的展覽
斯土斯民：臺灣的故事	國立臺灣歷史博物館（歷史類型）	常設展	開館以來持續展出中	構成臺史博館二樓的展示主軸
生命的史詩－與演化共舞	國立臺灣博物館土銀分館（自然史與歷史類型）	常設展	開館以來持續展出中	
食衣住行文學特展	國立臺灣文學館（同上）	特展	2013 年 6 月 6 日至同年 10 月 27 日	
第 11 屆台新藝術獎	臺北當代藝術館（藝術類型）	特展	2013 年 4 月 27 日至同年 6 月 23 日	
子子孫孫永寶用－清代皇室的文物典藏	國立故宮博物院（藝術類型）	常設展	於 2013 年 8 月 18 日結束	
遇見大未來－地球環境變遷	國立臺灣博物館（同上）	特展	2012 年 4 月 3 日至同年 10 月 14 日	
失戀博物館	華山 1914 文創園區（特展場地）	特展	2013 年 7 月 20 日至同年 9 月 1 日	來自克羅埃西亞同名博物館的臺北巡迴展
聽水的故事	國立臺灣科學教育館（科學類型）	特展	2013 年 1 月 15 日起展出中	由科教館策劃的特展，展期較一般特展為長，且在科教館展出之後，赴科工館與科博館展出

移動中的邊界：跨文化對話	以色列赫茲里亞當代美術館（藝術類型）	特展	2012 年 5 月 18 至同年 8 月 11 日	臺北市立美術館主辦
蘭陽博物館常設展	蘭陽博物館（歷史文化類型）	常設展	開館以來持續展出中	構成蘭陽博物館的展覽主軸
米開朗基羅的當代對話	北師美術館（藝術類型）	特展	2013 年 4 月 25 日至同年 7 月 25 日	為國立臺北教育大學的大學美術館的開館大展
重回「新展望」；北美館當代脈絡的開拓	台北市立美術館（藝術類型）	特展	2013 年 6 月 8 日至同年 9 月 1 日	呈現館方典藏品的特展
生命科學廳恐龍廳	國立自然科學博物館（自然史類型）	常設展	持續展出中	

二、國外展覽

展覽名稱	展出地點與博物館類型	展覽屬性	展覽日期	其他說明
巴塔哥尼亞（Patagonie）	法國布朗利岸博物館（人類學與社會文化類型）	特展	2012 年 3 月 6 日至同年 5 月 13 日	
DYNAMO	法國大皇宮（特展場地，由法國博物館聯合會所主辦）	特展	2013 年 4 月 10 日至同年 7 月 22 日	互動性高的藝術類型展覽
氣候變遷：生命威脅與新未來能源（Climate Change: The Threat to Life and A New Energy Future）	美國自然史博物館（自然史類型）	特展	2008 年 10 月 18 日至 2009 年 8 月 16 日	可參見博物館網站 http://www.amnh.org/exhibitions/past-exhibitions/climate-change
追尋黃金城的蹤跡（Sur les traces des mytérieuses cités d'or）	法國國立吉美亞洲藝術博物館（藝術類型）	特展（與常設展融合）	2013 年 3 月 27 日至同年 5 月 27 日	與法國 TF1 電視台合作之展覽與活動，在美術館的常設展中加入敘事的動線
天啟後你在做什麼？（What are you doing after the apocalypse?）	瑞士紐沙特民族誌博物館（人類學與社會文化類型）	特展	2011 年 11 月 19 日至 2012 年 6 月 24 日	參見博物館網站 http://www.men.ch/expositions_detail.asp/3-0-21617-99-52-4-1/2-11-21617-21617-99-15-3-1-3-0/
雨（La pluie）	法國布朗利岸博物館（人類學與社會文化類型）	特展	2012 年 3 月 6 日至同年 5 月 13 日	
古中國寶藏－梅茵堂收藏青銅禮器（Trésors de la Bronzes rituels de la collection Maiyintang）	法國國立吉美亞洲藝術博物館（藝術類型）	特展	2013 年 3 月 13 日至同年 6 月 10 日	以單一私人收藏家之收藏品為主題之藝術類型展覽

附錄二：宜蘭縣立蘭陽博物館常設展館方訪談問題

一、如何讓觀眾知道這是一個展覽？

二、請說明展覽的策劃過程？可以分為哪些階段？

三、如何設定展覽的開始、發展與結尾？

四、是否在當中設定故事與情節發展？

五、如何決定展覽的論述？誰做的決定？其取決標準為何？

六、展覽論述的依據為何？有沒有任何引導原則？

七、如何決定論述的表現方式？如何決定哪些部分以文字或是以展品表現？

八、如何看待文字的力量？

九、您認為展覽的故事是否從特定觀點述說？如果是的話，是誰的觀點？

十、展覽規劃與展覽論述成立之際，有無特別期待觀眾理解或體會或回應之處？如果有，可否說明或舉例？

十一、有無設定理想觀眾？如果有，是怎麼樣的觀眾？

十二、館方如何收集觀眾的回應？如何看待觀眾的回應？與原先的設定相較有無任何結果？

附錄三：國立臺灣歷史博物館《斯土斯民：台灣的故事》博物館館方訪談問
　　　　題

一、請說明展覽的策劃過程？可以分為哪些階段？

二、如何決定展覽的論述？誰決定展覽的論述？

三、您認為展覽的故事是否從特定觀點述說？如果是的話，是誰的觀點？

四、如何設定展覽的開始、發展與結尾？

五、如何選取要呈現的歷史事件？標準為何？

六、是否在當中設定故事與情節發展？是否有意識地串連所選取的事件並且將其編織為一
　　個故事？

七、如何決定論述的表現方式？

八、如何決定哪些部分以文字或是以展品表現？

九、展覽規劃與展覽論述成立之際，有無特別期待觀眾理解或體會或回應之處？如果有，
　　可否說明？

十、館方如何看待觀眾的回應？與原先的設定相較有無任何結果？

十一、如何決定展品？

十二、為何出現大量的仿製品？仿製的原則為何？

十三、如何製作仿製品？

十四、如何呈現展品對於現實的忠實度？

十五、是否認為博物館可以完全以仿製品展出？

附錄四：宜蘭縣立蘭陽博物館常設展觀眾訪談問題

一、請問您覺得蘭陽博物館的展覽從哪裡開始（館外、賣票口、一樓上樓梯處、二樓上電梯處、三樓展場）？在哪裡結束（海洋層、年表區、館外）？

二、您可否先簡要說出你認為展覽在說些什麼？

三、您過去有無參觀類似展覽的經驗？可否說明？

四、您認為這樣的展覽有沒有在說故事？如果有，是說什麼樣的故事？如果沒有，為什麼？那您覺得要如何做才有在說故事？

五、您如何看出這個展覽在說什麼？在參觀的哪一個階段看出？如何看出？

六、您在參觀前是否有預期展覽會展出什麼？如果有，是否與實際參觀看到的內容符合？可否說明？

七、您在參觀過程是否有哪些地方引起您的好奇或興趣？或是自己覺得可以補充的？可否說明為什麼？

八、您在這一區（即觀眾所稱的引起好奇或興趣的區域）參觀時主要看了些什麼（譬如說明文字、影片、圖片或標本模型等）？

九、感到好奇或有興趣的地方是否在參觀過程中有得到回答？或者您希望館方未來可以加強說明的？

附錄五：國立臺灣歷史博物館《斯土斯民：台灣的故事》觀眾訪談問題

一、請問對您而言，展覽最主要在表現什麼或說些什麼？

二、請問是否有令您聯想到自己生活經驗的展示單元或是展品？可否說明是哪些？（如果沒有的話，改問）：

　　二a、是否有令您印象深刻的展示單元或展品？可否說明哪些？

三、您看到 xx（亦即受訪者提出最主要的單元或展品）有什麼樣的感覺？

四、您在參觀那個單元時有閱讀說明文字嗎？有看影片嗎？還是只看物件？您認為這個單元的展示是否清晰容易理解？

五、您在參觀那個單元的時候，是否覺得自己有參與其中的感受？還是覺得自己是一位旁觀者？

六、您是否有注意到展覽中有很多模型或是仿製品？您認為使用模型或仿製品對於您參觀展覽有無影響？可否說明原因？

七、您認為博物館使用模型或是複製品、仿製品有無限制或是原則？可否說明？

八、以您方才所提到的（xx）為例，如果博物館展出的是原本的（xx），您認為會不會有不一樣的感受與理解？可否說明？

附錄六：國立自然科學博物館《生命科學廳恐龍廳》觀眾訪談問題

一、您認為恐龍廳所展出的內容是真的還是虛構或想像的？哪些是真的？哪些是虛構的或想像的？

二、您認為真假重要嗎？會影響您對展覽的觀感嗎？

三、參觀恐龍廳後您印象最深刻的展示內容為何？

四、您認為參觀展覽後學習到些什麼？

參考文獻

中文文獻

王文融譯，弗朗西斯・瓦努瓦著（2012）。《書面敘事・電影敘事》。北京：北京大學出版社。

王嵩山（2003）。《差異、多樣性與博物館》。臺北：稻鄉出版社。

王嵩山（2012）。《博物館與文化》，臺北市：國立臺北藝術大學。

申丹（2003）。〈敘事學〉，《外國文學》，3：60-65。

申丹、王麗亞（2010）。《西方敘事學：經典與後經典》。北京：北京大學出版社。

田禾譯，安東尼・吉登斯著（2000）。《現代性的後果》。南京：譯林出版社。

伍曉明譯，華萊士・馬丁著（2005）。《當代敘事學》。北京：北京大學出版社。

江明珊、蕭軒竹、趙小菁編（2012）。《斯土斯民：臺灣的故事：國立臺灣歷史博物館導覽手冊》。臺南市：臺灣歷史博物館。

朱光明譯，約瑟夫・馬克斯威爾著（2007）。《質的研究設計：一種互動的取向》。重慶：重慶大學出版社。

朱柔若譯，紐曼原著（2000）。《社會研究方法：質化與量化的取向》。臺北：揚智文化事業。

呂理政（2002a）。《博物館展示的傳統與展望》。臺北：南天。

呂理政（2002b）。〈博物館與社區互動——以宜蘭博物館家族為例〉，《博物館學季刊》，16（1）：35-45。

李平譯，卡勒著（1998）。《文學理論》。香港：牛津大學出版社。

李幼蒸譯，羅蘭・巴爾特著（2008）。〈敘事結構分析導論〉，《羅蘭・巴爾特文集。符號學歷險》，頁102-144。北京：中國人民大學出版社。

邵煒譯，米歇爾・德・塞爾托著（2010）。《歷史與心理分析：科學與虛構之間》。北京：中國人民大學出版社。

里蒙—凱南（2004）。〈一個全面的敘述理論——熱奈特的《體格之三》與小說的結構主義研究〉，收錄於趙毅衡（編選），《符號學文學論文集》，頁439-477。天津：百花文藝出版社。

何兆武等譯，柯林武德著（2010）。《歷史的觀念》。北京：北京大學出版社。

車槿山譯，讓－弗朗索瓦・利奧塔爾著（2011）。《後現代狀態》。南京：南京大學出版社。

胡亞敏（2004）。《敘事學》。武漢：華中師範大學出版社。

姚一葦譯註，亞里士多德著（1982）。《詩學箋註》。臺北：臺灣中華書局。

馬海良譯，戴衛・赫爾曼主編（2002）。《新敘事學》。北京：北京大學出版社。

翁振盛（2010）。〈敘事學導論〉，《敘事學・風格學》，頁 25-100。臺北：行政院文化建設委員會。

陳銘達（2012）。〈斯土斯民：臺灣的故事。常設展的設計概念〉，收錄於江明珊、蕭軒竹、趙小菁編（2012）。《斯土斯民：臺灣的故事：國立臺灣歷史博物館導覽手冊》，頁 24-29。臺南市：臺灣歷史博物館。

張廷琛等（1989）。〈文學接受理論述評〉，收錄於張廷琛編，《接受理論》，頁 25-47。成都：四川文藝出版社。

張芬芬譯，Miles, Matthew B. & Huberman, A. Michael 著（2008）。《質性資料的分析：方法與實踐》。重慶：重慶大學出版社。

張婉真（2001）。〈如何分析博物館展示——研究方法旨趣〉，《博物館學季刊》。15（3）：13-24。

張婉真（2011）。〈做為文本的展覽敘事結構分析研究〉，收錄於王嵩山主編，《博物館展示的景觀》，頁 31-55。臺北：國立臺灣博物館。

張婉真譯，安德烈・德瓦雷等（2010）。《博物館學關鍵概念》。巴黎：Armand Colin.

張譽騰（2003）。《博物館大勢觀察》。臺北：五觀。

黃怡芬等編（2010）。《蘭博嬉遊曲——宜蘭縣立蘭陽博物館中文導覽手冊－常設展》。宜蘭市：宜蘭蘭陽博物館。

許毅璿等（2012）。《遇見大未來——地球環境變遷》。臺北：國立臺灣博物館。

屠友祥譯，巴特著（2000）。《S/Z》。上海：上海人民出版社。

屠友祥、溫晉儀譯，巴特著（2009）。《神話修辭術：批評與真實》。上海：上海人民出版社。

傅修延（2004）。《文本學——文本主義文論系統研究》。北京：北京大學出版社。

華明等譯，W. C. 布斯著（1987）。《小說修辭學》。北京：北京大學出版社。

廖素珊、楊恩祖譯，傑哈・簡奈特著（2003）。《辭格 III》。臺北：時報文化。

漢寶德（2010）。《漢寶德談文化》。臺北：典藏藝術家庭。

董立河譯，海登・懷特著（2011）。《話語的轉義——文化批評文集》。北京：大象出版社。

劉云舟譯，安德烈・戈德羅、弗朗索瓦・若斯特著（2007）。《什麼是電影敘事學》。北京：商務印書館。

劉云舟譯，安德烈・戈德羅著（2010）。《從文學到影片》。北京：商務印書館。

劉康（1995）。《對話的喧聲——巴赫汀文化理論述評》。臺北：麥田。

劉婉珍（2011）。《博物館觀眾研究》。臺北：三民書局。

劉婉珍（2007）。《博物館就是劇場》。臺北：南天書局。

劉德祥（2013）。〈科學博物館作為科學溝通的媒介：災難議題的展示〉，《博物館與文化》。5：49-64。

劉儒庭譯，艾柯著（2005）。《開放的作品》。北京：新星出版社。

簡政珍編（2010）。《讀者反應閱讀法》。臺北：行政院文化建設委員會。

羅欣怡（2002）。〈新時代地方博物館運動——從蘭陽博物館及宜蘭縣博物館家族談起〉，《博物館學季刊》。16（1）：47-52。

譚君強（2003）。〈文化研究語境下的敘事理論〉，《文學評論》。1:100-107。

譚君強（2008）。《敘事學導論》。北京：高等教育出版社。

譚君強譯，巴爾著（2003）。《敘述學：敘事理論導論》。北京：中國社會科學出版社。

蕭翔鴻譯，大衛・迪恩著（2006）。《展覽複合體：博物館展覽的理論與實務》。臺北：藝術家。

顧曰國（2002）。〈導讀〉，in: *How to Do Things with Words*《如何以言行事》，頁 23-36。北京：外語研究與教學出版社。

外文文獻

Adam, Jean-Michel (1992). *Le texte descriptif.* Paris: Editions Nathan.

Adam, Jean-Michel (1994). *Le texte narratif.* Paris: Editions Nathan.

Adam, Jean-Michel (2011). *Les textes: types et prototypes* (3e édition). Paris: Armand Colin.

Alexander, Edward P. (1985). "William Bullock: Little-remembered museologist and showman", *Curator*, 28(2): 117-147.

Alpers, Svetlana (1991). "The Museum as a Way of Seeing", in: I. Karp & S. D. Lavine (Ed.). *Exhibiting Cultures. The Poetics and Politics of Museum Display,* pp. 25-32. Washington and London: Smithsonian Institution Press.

Alphen, Ernst Van (2003). "Exhibition as a narrative work of art", in: Ydessa. Hendeles (et al.) (Ed.). *Partners*, pp. 166-185. Munich: Haus der Kunst, and Cologne: Verlag der Buchhandlung Walther König.

Aristote (1980). *La Poétique*, traduction de R. Dupont-Roc et J. Lallot. Paris: Le Livre de Poche.

Austin, John Langshaw (2002). *How to Do Things with Words*《如何以言行事》。北京：外語研究與教學出版社。

Bal, Mieke (1977). *Essai sur la signification narrative dans quatre romans moderns.* Paris: Klincksieck.

Bal, Mieke (1991). *On Story-telling*. California: Sonoma.

Bal, Mieke (1992). "Telling, Showing, Showing Off", *Critical Inquiry*, 18(3): 556-594.

Bal, Mieke (1996a). "The Discourse of the Museum", in: R. Greenberg (et al.) (Ed.). *Thinking about Exhibitions*. pp. 201-218. New York: Routledge.

Bal, Mieke (1996b). *The Double Exposures*. New York: Routledge.

Bal, Mieke (1997). *Narratology: Introduction to the Theory of Narrative*. Toronto, Buffalo, London: University of Toronto Press.

Bal, Mieke (1999). "Introduction", in: M. Bal (Ed.). *The Practice of Cultural Analysis*, pp. 1-14. Stanford: Stanford University Press.

Bal, Mieke (2002). *Travelling Concepts in the Humanities: A Rough Guide*. Toronto, Buffalo, London: University of Toronto Press.

Bal, Mieke (2008). "Exhibition as Film", in: Sharon Macdonald and Paul Basu (Ed.). *Exhibition Experiments*, pp. 71-93. Blackwell Publishing.

Bakhtin, Mikhail M. (1986). *Speech Genres and Other Late Essays*. Austin: University of Texas Press.

Basu, Paul & Macdonald, Sharon (2008). "Introduction: Experiments in Exhibitionm Ethnography, Art, and Science", in: Sharon Macdonald and P. Basu (Ed.). *Exhibition Experiments*. pp. 1-24. Blackwell Publishing.

Bataut, Bérardier de (1776). *Essai sur le récit ou entretiens sur la manière de raconter*. Paris: Charles-Pierre Breton.

Barthes, Roland (1966). "Introduction à l'an alyse structurale des récits", *Communications*, 8: 7-33.

Barthes, Roland (1968). "L'effet de réel", *Communications*, 11: 84-89.

Barthes, Roland (1971). "De l'oeuvre au texte", *Le Bruissement de la langue. Essais critiques IV*, pp. 71-80. Paris : Seuil.

Bardin, Laurence (1975). "Le texte et l'image", *Communication et langages,* 26 : 98-112.

Baudrillard, Jean (1968). *Le système des objets*. Paris: Gallimard.

Baudrillard, Jean (1981). *Simulacres et simulation*. Paris: Galilée.

Baudrillard, Jean (1989). *Selected Writings*. Cambridge: Polity.

Bauman, Zygmunt (2007). *Liquid times: Living in an age of uncertainty*. London: Pollity.

Beck, Ulrich (1998). *World Risk Society*. Cambridge: Polity Press.

Bedford, Leslie (2001). "Storytelling: The Real Work of Museums", *Curator*, 44(1): 27-34.

Belcher, Michael (1991). *Exhibitions in Museums*. Leicester: Leiester University Press/Washington: Smithsonian Institution Press.

Bennett, Andrew (Ed.) (1999). *Readers & Reading*. London & New York: Longman.

Bennett, Tony (1985). "Texts in History: The Determinations of Readings and Their Texts", *Midwest Modern Language Association*, 18(1): 1-16.

Bennett, Tony (1995). *The Birth of the Museum: History, theory, politics*. New York and London: Routledge.

Benveniste, Émile (1974). *Problèmes de linguistique générale*, 2. Paris: Gallimard.

Bérardier de Bataut, Abbé (1776). *Essai sur le récit, ou Entretiens sur la manière de raconter, par M. l'abbé Bérardier de Bataut*. Paris : C.-P. Berton.

Bitgood, Stephen (1996). "Les méthodes d'évaluation de l'efficacité des dioramas", *Publics et musées*, 9 : 37-53.

Black, Graham (2005). *The Engaging Museum: Developing Museums for Visitor Involvement*. New York: Routledge.

Bloom, Harold (1975). *A Map of Misreading*. New York: Oxford University.

Booth, Wayne C. (1961). *The Rhetoric of Fiction*. Chicago: University of Chicago Press.

Bourdieu, Pierre & Darbel, Alain (1991). *The love of art: European art museums and their public*. Cambridge, UK : Polity Press.

Boyd, Willard L. (1999). "Museums as Centers for Controversy", *Daedalus Journal of the American Academy of Arts and Sciences*, 128(3): 185-228.

Bremond, Claude (1964). "Le message narratif", *Communications*, 4: 4-32.

Bremond, Claude (1966). "La logique des possible narratifs", *Communications*, 8: 66-82.

Bremond, Claude (1973). *Logique du récit*. Paris: Seuil.

Brockmeier, Jens & Harré, Rom (2001)."Narrative: Problems and Promises of an Alternative Paradigm", in: Jens Brockmeier & Donald Carbaugh (Eds.). *Narrative Identity: Studies in Autobiography, Self and Culture*, pp. 39-58. Amsterdam & Philadelphia: John Benjamins.

Brooks, Peter (1984). *Reading for the Plot: Design and Intention in Narrative*. New York: Alfred A. Knopf.

Brooks, Peter (1996). "The Law as Narrative and Rhetoric", in: Peter Brooks & Paul Gewirtz (Ed.). *Law's Stories: Narrative and Rhetoric in the Law*. New Haven: Yale University Press.

Brown, Marshall (1981). "The Logic of Realism: A Hegelian Approach", *PMLA*, 96(2): 224-241.

Bruner, Jerome (1986). *Actual Minds, Possible Worlds*. Cambridge & London: Harvard University Press.

Bruner, Jerome (1987). "Life as Narrative", *Social Research*, 54: 11-32.

Bruner, Jerome (1991). "The Narrative Construction of Reality", *Critical Inquiry*, 18(1): 1-21.

Bunch, L. (1995). "Fighting the Good Fight: Museums in an Age of Uncertainty", *Museum News*, March/April: 32-35.

Burns, N. –J. (1940). "The history of dioramas", *Museum News*, 17: 8-12

Butler, Shelly Ruth (2008). *Contested representation: Revisiting into the heart of Africa*. Peterborough, Ontario: Broadview Press.

Cameron, Duncan (1968). "A viewpoint: The Museum as a communication system and implications for museum education", *Curator*, 11, pp. 33-40.

Cameron, Duncan (1971). "The Museum, A Temple or the Forum", *Curator*, 19(1): 11-24.

Cameron, Duncan (1971). "Problème de langage en interprétation", in: André Desvallées (Ed.). *Vagues. Une anthologie de la nouvelle muséologie*, pp. 271-288. Mâcon: Edition: W, M.N.E.S., 1992.

Cameron, Fiona (2006a). "Editor's introduction: Criticality and Contention – museums, contemporary societies, civic roles and responsibilities in the 21st Century", *Open museum journal*, 8. http://hosting.collectionsaustralia.net/omj/vol8/cameron.html (accessed 20 August 2012)

Cameron, Fiona (2006b). "Beyond Surface Representations: Museums, 'Edgy' Topics, Civic Responsibilities and Modes of Engagement", *Open museum journal*, 8. http://hosting.collectionsaustralia.net/omj/vol8/cameron.html (accessed 20 August 2012)

Chakrabarty, Dipesh (2002). "Museum in Late Democracies", *Humanities Research*, 9(1): 5-12.

Chambers, Ross (1984). *Story and Situation*. Minneapolis : University of Minnesota Press.

Chatman, Seymour (1978). *Story and Discourse: Narrative Structure in Fiction and Film*. Ithaca: Cornell University Press.

Chaumier, Serge (dir.) (2011). *Expoland. Ce que le pacr fait au musée: ambivalence des forms de l'exposition*. Paris: Editions Complicités.

Chittenden David, Farmelo, Graham, & Lewenstein, Bruce V. (2004). *Creating Connections. Museum and the Public Understanding of Current Research*. Altamira Press.

Clark, David (2003). "Jewish Museums: From Jewish Icons to Jewish Narratives", *European Judaism*, 36(2): 4-17.

Crawley, Greer (2012). "Staging exhibitions: atmospheres of imagination", in: Suzanne MacLeod et al. (Ed.). *Museum Making. Narratives, Architectures, Exhibitions*, pp. 12-20. London: Routledge.

Crew, Spencer & Sims, James E. (1991). "Locating Authenticity: Fragments of a Dialogue", in: Ivan Karp and Steven D. Levine (Ed.). *Exhibiting Cultures: The Politics and Poetics of Museum Display*, pp. 159-175. Washington DC: Smithsonian Institution.

Crouch, Tom (1997). "Risky Business: some thoughts on controversial exhibitions", *Museum International*, 49(3): 8-13.

Culler, Jonathan (1985). *Structuralist Poetics: Structuralism, Linguistics and the Study of Literature*. London: Routledge & Kegan Paul.

Currie, Mark (1998). *Postmodern Narrative Theory*. Houndmills: Palgrave.

Dana, John Cotton (1921). "The Story", *Museum Work*, 3: 185-186.

Davallon, Jean (1986). *Claquemurer pour ainsi dire tout l'univers : La mise en exposition*. Paris: Centre Georges Pompidou.

Davallon, Jean (1992). "Le musée est-il vraiment un média?", *Publics et Musées*, 2: 99-123.

Davallon, Jean; Grandmont, Gérald; Schiele, Bernard (1992). *L'Environnement entre au musée*. Lyon: Presses Universitaires de Lyon/Québec: musée de la Civilisation.

Davallon, Jean (1999). *L'Exposition à l'oeuvre*. Paris: Harmattan.

Davison, Graeme (2006). "Museums and the Culture Wars: In Defence of Civic Pluralism", *Open museum journal*, 8. http://hosting.collectionsaustralia.net/omj/vol8/davison.html (accessed 20 August 2013)

Delarge, Alexandre (1992). "L'exposition: Un voyage dans le sens", *Publics et Musées*, 2: 150-161.

Deloche, Bernard (2001). *Le musée virtuel*. Paris: Presses universitaires de France.

Desvallées, André (1987). "Un tournant de la muséologie", *Brises*, 10: 5-12.

Desvallées, André & Mairesse, François (dir.) (2011). *Dictionnaire encyclopédique de muséologie*. Paris: Armand Colin.

Dewey, John (1963). *Experience and Education*. New York: Collier Books.

Dolezel, Lubomir (1980). "Truth and Authenticity in Narrative", *Poetics Today*, 1(3): 7-25.

Dolezel, Lubomir (1989). "Possible Worlds and Literary Fictions", in: Sture Allen (Ed.). *Possible Worlds in Humanitiesm Arts and Sciences. Proceedings of Nobel Symposium 65*, pp. 221-242. Berlin: Walter de Gruyter & Co., Berlin 30 and the Nobel Foundation.

Dolezel, Lubomir (1998). *Heterocosmica: Fiction and Possible Worlds*. Baltimore: John Hopkins

University Press.

Drouguet, Noémie & Gob, André (2003). "La conception d'une exposition: du schéma programmatique à sa mise en espace", *Culture & Musées*, 2: 147-157.

Drouguet, Noémie (2005). "Succès et revers des expositions-spectacles", *Culture & Musées*, 5: 65-90.

Dubin, Steven (1999). *Displays of Power: Controversy in the American Museum from the Enola Gay to Sensation*. New York: New York University Press.

Ducrot, Oswald & Shaeffer, Jean-Marie (1995). *Nouveau dictionnaire encyclopédique des sciences du langage*. Paris: Seuil.

Duncan, Carol (1991). "Art museums and the ritual of citizenship", in: Ivan karp & Steven. D. Lavine (Ed.). *Exhibiting cultures: The poetics and politics of museum display*, pp. 88-103. Washington D. C.: Smithsonian Institution Press.

Eagleton, Terry (2003). *After theory*. New York: Basic Books.

Edson, Gary & Dean, David (1996). *The Handbook for Museums*. London & New York: Routledge.

Eco, Umberto (1979). *The Role of the Reader. Explorations in the Semiotics of Texts*. Indiana University Press.

Eco, Umberto (1985). *Lector in fibula: Ou la coopération interprétative dans les textes narratifs*. Paris: Grasset & Fasquelle.

Eco, Umberto (1990). *Travels in Hyper Reality*. Harvest.

Eco, Umberto (1992a). *La production des signes*. Paris: Ed. Poche- Biblio-essais.

Eco, Umberto (1992b). "Overinterpreting texts", in: Stefan Collini (Ed.). *Interpretation and overinterpretation*, pp. 45-66. Cambridge, Cambridge University Press.

Eco, Umberto (1992c). *Les limites de l'interprétation*. Paris: Grasset & Fasquelle.

Eco, Umberto et al. (1994). "Innovation et repetition: entre esthétique moderne et post-moderne", *Réseaux*, 12(68): 9-26.

Falk, John H. & Dierking, Lynn D. (1992). *The Museum Experience*. Washington: Whalesback Books.

Falk, John H. & Dierking, Lynn D. (2000). *Learning from Museums*. Altamira.

Fehr, Michael (2000). "A museum and its memory: the art of recovering history", in: Susan A. Crane (Ed.). *Museums and memory*. Stanford: Stanford University Press.

Ferguson, Bruce Willis (1996). "Exhibition rhetorics: material speech and utter sense", in: R. Greenberg (et al.) (Ed.). *Thinking about Exhibitions*, pp. 175-190. London and New York: Routledge.

Ferguson, Linda (2006). "Pushing buttons: controversial topics in museums", *Open museum journal*, 8. http://hosting.collectionsaustralia.net/omj/vol8/ferguson.html (accessed 20 August 2012)

Fisher, Matthew et al. (2008). "The *Art of Storytelling*: Enriching Art Museum Exhibits and Education through Visitor Narratives", *Museums and the Web 2008. The International conference for culture and heritage on-line*, April 9-12, 2008, Montréal; Québec; Canada. http://www.museum-sandtheweb.com/mw2008/papers/fisher/fisher.html (accessed 20 August 2013)

Fleck, Ludwik (1935). *Genesis and Development of a Scientific Fact*. Chicago: Chicago University Press.

Fludernik, Monika (1993). *The Fictions of Language and the Languages of Fiction*. London and New York: Routledge.

Fludernik, Monika (1996). *Towards a 'Natural' Narratology*. London and New York: Routledge.

Fludernik, Monika (2009). *An Introduction to Narratology*. London and New York: Routledge.

Foucault, Michel (1966). *Les mots et les choses*. Paris: Gallimard.

Frye, Northrop (1957). *Anatomy of Criticism*. Princeton: Princeton University Press.

Gay, Peter (1974). *Style in History*. New York: Basic Books.

Genette, Gérard (1966). "Frontières du récit", *Communications*, 8: 152-163.

Genette, Gérard (1972). *Narrative Discourse*. New York: Cornell University Press.

Genette, Gérard (1978). *Narrative discourse*. New York: Cornell University Press.

Genette, Gérard (1983). *Nouveau discours du récit*. Paris: Seuil.

Genette, Gérard (1987). *Seuils*. Paris: Seuil.

Genette, Gérard (1997). *Palimpsests : literature in the second degree*. Lincoln: University of Nebraska Press.

Genette, Gérard (2007). *Discours du récit*. Paris: Editions du Seuil.

Gibson, Andrew (1996). *Towards a Postmodern Theory of Narrative*. Edinburgh: Edinburgh University Press.

Gilman, Benjamin Ives (1916). "Museum Fatigue", *The Scientifique Monthly*, 2(1): 62-74.

Gilmore, James H. & Pine II, B. Joseph (2007). *Authenticity: What Consumers Really Want*. Boston: Harvard Business School Press.

Glicenstein, Jérôme (2009). *L'art: une histoire d'exposition*. Paris: Presses Universitaires de France.

Gob, André (2004). *La muséologie*. Paris: Armand Colin.

Goffman, Irving (1974). *Frame analysis: An essay on the organization of experience.* London: Harper and Row.

Gonseth, Marc-Olivier, et al. (2011). *What are you doing after the apocalypse?* Neuchâtel: Musée d'ethnographie de Neuchâtel.

Greetham, David. C. (1999). *Theories of Text.* Oxford & New York: Oxford University Press.

Greimas, Algirdas Julien (1971). "Narrative Grammer: Units and Levels", *Comparative Literature*, 86(6): 793-806.

Grigely, Joseph (1994). "Textual Criticism and the Arts: The Problem of Textual Space", *Text*, 7: 25-60.

Grize, Jean-Blaise (1981). "Logique naturelle et explication", *Revue européenne des sciences sociqles*, 56: 7-14.

Hardy, Barbara (1968). "Towards a Poetics of Fiction: An Approach through Narrative", *Novel: A Forum on Fiction*, 2: 5-14.

Harré, Rom (1990). "Some Narrative Conventions of Scientific Discourse", in: Cristopher Nash (Ed.). *Narrative in Culture. The Uses of Storytelling in the Sciences, Philosophy, and Literature*, pp. 81-101. London & New York: Routledge.

Harris, Neil (1999). "The Divided House of the American Art Museum", *Daedalus Journal of the American Academy of Arts and Sciences*, 128(3): 33-56.

Herman, David (Ed.) (1999). *Narratologies: New Perspectives on Narrative Analysis.* Columbus: Ohio State University Press.

Herman, David (2005). "Histories of Narrative Theory (I): A Genealogy of Early Developments", in: James Phelan & Peter J. Rabinowitz (Ed.). *A Companion to Narrative Theory*, pp. 19-35. Malden: Blackwell.

Herman, David (Ed.) (2007). *The Cambridge Companion to Narrative.* Cambridge: Cambridge University Press.

Heumann-Gurian, Elaine (1995). "A Blurring of the Boundaries", *Curator*, 38(1): 31-37.

Hermann-Gurian, Elaine (2006). "Along the Continuum, Museums and Possibilites", *Open museum journal*, 8. http://hosting.collectionsaustralia.net/omj/vol8/gurian.html (accessed 20 August 2013)

Hirzy, Ellen (2002). *Mastering Civic Engagement: A Challenge for Museums.* Washington D.C.: American Association of Museums.

Hooper-Greenhill, Eilean (1989). "The museum in the disciplinary society", in: Susan M. Pearce (Ed.). *Museum Studies in Material Culture*, pp. 61-72. Leicester and London: Leicester University

Press; Washington, DC: Smithsonian University Press.

Hooper-Greenhill, Eilean (1992). *Museums and the shaping of knowledge*. London: Routledge.

Hooper-Greenhill, Eilean (1994). *Museum and their visitors*. London: Routledge.

Hooper-Greenhill, Eilean (Ed.) (1995). *Museum, Media, Message*. London and New York: Routlegde.

Hooper-Greenhill, Eilean (2000). *Museum and the Interpretation of Visual Culture*. New York & London: Routledge.

Hooper-Greenhill, Eilean (2004). "Changing Value in the Art Museum: Rethinking Communication and Learning", in: Bettina Messias Carbonell (Ed.). *Museum Studies. An Anthology of Contexts*, pp. 556-575. Blackwell Publishing.

Hoskins, Janet (1998). *Biographical Objects: How Things Tell the Stories of People's Lives*. New York and London: Routledge.

Hyvärinen, Matti (2006). "An Introduction to Narrative Travels", *Collegium*, 1: 3-9. (Retrieved July 11, 2013 from https://helda.helsinki.fi/bitstream/handle/10138/25749/001_02_hyvarinen.pdf?sequence=1)

Iser, Wolfgang (1971). "The reading process: a phenomenological approach", *New Literary History*, 3: 279-299.

Iser, Wolfgang (1978). *The Act of Reading: A Theory of Aesthetic Response*. Baltimore: Johns Hopkins University Press.

Jacobi, Daniel (1988). "Notes sur les structures narratives dans un document destine à populariser une découverte scientifique", *Protée*, 16(3): 17-25.

Jacobi, Daniel (1999). "Récit et popularisation d'une découverte scientifique", *La communication scientifique. Discours, figures, modèles*, pp. 55-80. Grenoble: Presses universitaires de Grenoble.

Jakobson, Roman. (1963). *Linguistique et poétique, Essais de linguistique générale*. Paris: Minuit.

James, Simon (1999). "Imag(in)ing the Past: The Politics and Practicalities of Reconstructions in the Museum Gallery", in: Nick Merriman (Ed.). *Making Early Histories in Museums*, pp. 117-135. London and New York: Leicester University Press.

Jameson, Frederic (1991). *Postmodernism, or, the cultural logic of late capitalism*. Durham NC: Duke University Press.

Jarvis, Peter; Holford, John & Griffin, Colin (1998). *The Theory & Practice of Learning*. London: Routledge.

Joly, Martine (1994). *Introduction à l'analyse de l'image*. Paris: Nathan.

Karp, Ivan (1991). "Cultural and representation", in: Ivan karp & Steven. D. Lavine (Ed.). *Exhibiting cultures: The poetics and politics of museum display*, pp. 11-24. Washington D. C.: Smithsonian Institution Press.

Kavanagh, Gaynor (1991). *Museum Languages: Objects and Texts*. Leicester: Leicester University Press.

Keene, Suzanna (2006). "All that is solid? – Museums and the postmodern", *Public Archaeology*, 5(3): 185-198.

Kibédi Varga, Aron (1990). "Le récit postmoderne", *Littérature*, 77: 3-22.

Kirshenblatt-Gimblett, Barbara (1991). "Objects of Ethnography", in: Ivan Karp and Steven D. Lavine (Ed.). *Exhibiting Cultures: The Poetics and Politics of Museum Display*, pp. 386-443. Washington: Smithsonian.

Kreiswirth, Martin (1992). "Trusting the Tale: The Narrative Turn in the Human Sciences", *New Literary History*, 23(3): 629-657.

Kreiswirth, Martin (2000). "Merely Telling Stories? Narrative and Knowledge in the Human Sciences", *Peotics Today*, 21(2): 293-318.

Kreiswirth, Martin (2005). "Narrative Turn in the Humanities", in: David Herman, et al (Ed.). *Routledge Encyclopedia of Narrative Theory*, pp. 377-382. New York: Routledge.

Kuhn, Thomas S. (2012). *The Structure of Scientific Revolutions*. Chicago: University of Chicago Press (4th edition).

Laffay, Albert (1964). *Logique du cinéma*. Paris: Masson.

Lamarque, Peter (1990). "Narrative and Invention: The Limits of Fictionality", in: Cristopher Nash (Ed.). *Narrative in Culture. The Uses of Storytelling in the Sciences, Philosophy, and Literature*, pp. 131-153. London & New York: Routledge.

Lanser, Susan S. (1992). *Fictions of Authority: Women Writers and Narrative Voice*. London: Cornell University Press.

Lévi-Strauss, Claude (1966). *The Savage Mind*. Chicago: University of Chicago Press.

Lodge, David (1996). "Analysis and Interpretation of the Realist Text", in: Philip Rice & Patricia Waugh (Ed.). *Modern Literary Theory: A Reader (3rd edition)*, pp. 24-41. London Arnold.

Lotman, Iouri (1973). *La structure du texte artistique*. Paris: Editions Gallimard.

Lotman, Yuri M. (2000). *Universe of the Mind. A Semiotic Theory of Culture*. Bloomington: Indiana University Press.

Love, Nigel (Ed.) (2006). *Language and History. Integrationist perspectives*. London & New York: Routledge.

Lyon, David (1999). *Postmodernity*. Buckingham: Open University Press.

Lyotard, François (1986). *The postmodern condition: A report on knowledge*. Manchester: Manchester University Press.

MacDonald, George-F. Phillips, Robert Arthur John & Alsford, Stephen (1989). *Un musée pour le village global*. Hull: musée canadien des Civilisations.

Macdonald, Robert (1996). "Museum and Controversy: What Can We Handle?", *Curator*, 39(3): 167-169.

Macdonald, Sharon & Silverstone, Roger (1990). "Rewriting the museums' fictions: taxonomies, stories and readers", *Cultural Studies*, 4(2): 176-191.

Macdonald, Sharon (2005). "Accessing audiences: visiting visitor books", *Museum and Society*, 3(3): 119-136.

McIntyre, Alasdair (1981). *After Virtue, a Study in Moral Theory*. London: Duckworth.

Mackinnon, Catharine A. (1996). "Law's Stories and Reality and Politics", in: Peter Brooks & Paul Gewirtz (Ed.). *Law's Stories: Narrative and Rhetoric in the Law*. New Haven: Yale University Press.

MacLeod, Suzanne, Hanks, Laura Hourston, & Hale, Jonathan (Ed.) (2012). *Museum Making. Narratives, Architectures, Exhibitions*. New York: Routledge.

McLuhan, Marshall (1964). *Understanding media: the extensions of man*. New York: Mentor.

McLuhan, Marshall, Parker, Harley & Barzun, Jacques (1969). *Le musée non linéaire. Exploration des méthodes, moyens et valeurs de la communication avec le public par le musée*, tr. fr. par B. Deloche et F. Mairesse avec la coll. de S. Nash, Lyon, Aléas, 2008.

Maingueneau, Dominique (1999). *L'énonciation en linguistique française*. Paris: Hachette.

Maroevic, Ivo (1995). "The museum message: between the document and information", in: Eilean Hooper-Greenhill (Ed.). *Museum, Media, Message*, pp. 24-36. London and New York: Routledge.

Martin, Wallace (1986). *Recent Theories of Narrative*. Ithaca and London: Cornell University Press.

Merriman, Nick (1991). *Beyond the Glass Case. The Past, the Heritage and the Public in Britain, Leicester*. London and New York: Leicester University Press.

Merriman, Nick (2000). *Beyond the glass case*. London : Institute of Archaeology.

Metz, Christian (1964). "Le cinéma : langue ou langage ?", *Communications*, 4: 52-90.

Metz, Christian (1968). *Essais sur la signification au cinéma, tome I*. Paris: Klincksieck.

Mezei, Kathy (Ed.) (1996). *Ambiguous Discourse: Feminist Narratology and British Women Writers*. Chapel Hill: University of North Carolina Press.

Mink, Louis O. (1970). "History and Fiction as Modes of Comprehension", *New Literary History*, 1(3): 541-558.

Mitchell, William John Thomas (1981). *On Narrative*. Chicago: University of Chicago Press.

Montpetit, Raymond (1996). "Une logique d'exposition populaires: les images de la muséographie analogique", *Publics et Musées*, 9: 55-103.

Mortensen, Marianne Foss (2012). "Designing immersion exhibits as border-crossing environments", *Museum Management and Curatorship*, 25(3): 323-336.

Moser, Stephanie (1999). "The Dilemma of Didactic Displays: Habitat Dioramas, Life-groups and Reconstructions of the Past", in: Nick Merriman (Ed.), *Making Early Histories in Museums*, pp. 95-116. London and New York: Leicester University Press.

Newton, Adam Z. (1995). *Narrative Ethics*. Cambridge: Harvard University Press.

Noble, Joseph V. (1995). "Controversial Exhibitions and Censorship", *Curator*, 38(2): 75-77.

Ogden, Charles Kay (1951). *Bentham's Theory of Fictions*. London: Routledge & Kegan Paul.

O'Neill, Patrick (1994). *Fictions of Discourse: Reading Narrative Theory*. Toronto: University of Toronto Press.

Parker, Harley W. (1963). "The Museum as a Communication System", *Curator*, 6(4): 350-360.

Parr, Alfred E. (1959). "The Habitat Group", *Curator*, 2(2): 107-128.

Parr, Alfred. E. (1961). "Mass Medium of Individualism", *Curator*, 4(1): 39-48.

Pavel, Thomas G. (1973). "Some Remarks on Narrative Grammars", *Poetics*, 8: 5-30.

Pearce, Susan M. (1992). *Museum objects and collections: A cultural study*. Leicester: Leicester University Press.

Peirce, Charles Sanders (1978). *Ecrits sur le signe*. Paris: Seuil.

Perry, Menakhem (1979). "Literary Dynamics: How the Order of a Text Creates Its Meanings [With an Analysis of Faulkner's " A Rose for Emily"]", *Poetics Today*, 1(1-2): 35-64+311-361.

Phelan, James (2005). *Living to Tell about It: A Rhetoric and Ethics of Character Narration*. Ithaca: Cornell University Press.

Pilgrim, Dianne H. (1978). "Inherited from the Past. The American period room", *American Art Journal*, 10(1): 4-23.

Pine II, B. Joseph & Gilmore, James H. (1999). *Experience Economy: Work is Theatre & Every Business a Stage*. Boston: Harvard Business School Press.

Pine II, B. Joseph & Gilmore, James H. (2007). "Museums and Authenticity", *Museum News*, May/June: 76-93.

Poe, Edgar A. (1951). "La Genèse d'un poème", *Histoires grotesques et sérieuses, Oeuvres en prose*. Paris: Bibliothèque de La Pléiade, Gallimard.

Poli, Marie-Sylvie (2011). *Le texte au musée : Une approche sémiotique*. Paris: L'Harmattan.

Polletta, Francesca (2006). *Il Was Like a Fever. Storytelling in Protest and Politics*. Chicago: The University of Chicago Press.

Pracontal, Michel De (1982). *L'Emetteur en vulgarisation scientifique: étude du système Science te Vie*, thèse de 3e cycle. Paris 7.

Prince, Gerald (1982). *Narratology : the form and functioning of narrative*. New York: Mouton.

Prince, Gerald (1987). *A Dictionary of Narratology*. Lincoln: University of Nebraska Press.

Prince, Gerald (1992). *Narrative as Theme: Studies in French Fiction*. Lincoln: University of Nebraska Press.

Propp, Vladimir (1968). *Morphology of the Folktale*. Austin: University of Texas Press.

Propp, Vladimir (1970). *Morphologie du conte*. Paris: Seuil.

Rabinowitz, Peter (1987). *Before Reading*. Ithaca: Cornell University Press.

Ravelli, Louise J. (2006). *Museum Texts. Communication Frameworks*. London and New York: Routledge.

Ricoeur, Paul (1986). *Temps et récits*, volumes I, II, III. Paris: Seuil.

Ricoeur, Paul (1992). *Oneself as Another*. Chicago: The University of Chicago Press.

Rimmon-Kenan, Shlomith (1983). *Narrative Fiction: Contemporary Poetics*. London and New York: Methuen.

Rimmon-Kenan, Shlomith (1989). "How the Model Neglects the Medium: Linguistics, Language, and the Crisis of Narratology", *The Journal of Narrative Technique*, 19(1): 157-166.

Rimmon-Kenan, Shlomith (2002). "The Story of "I": Illness and Narrtive Identity", *Narrative*, 10: 9-27.

Rimmon-Kenan, Shlomith (2006). "Concepts of Narrative", *Collegium*, 1: 10-19. (Retrieved July

11, 2013 from https://helda.helsinki.fi/bitstream/handle/10138/25747/001_03_rimmon_kenan. pdf?sequence=1)

Richardson, Brian (2000). "Recent Concepts of Narrative and the Narratives of Narrative Theory", *Style*, 34: 168-175.

Rivière, Georges-Henri (1989). *La muséologie selon Georges-Henri Rivière*. Paris: Dunod.

Roberts, Lisa C. (1997). "Changing Practices of Interpretation", in: G. Anderson (Ed.). *Reinventing the Museum. Historical and Contemporary Perspectives on the Paradigm Shift*, pp. 212-232. Altamira Press, 2004.

Roumette, Sylvain (1974). "Images de texts, texts en images", *Langue française*, 24 : 55-63.

Ryan, Marie-Laure (1991). *Possible Worlds, Artificial Intelligence, and Narrative Theory*. Bloomington: Indiana University Press.

Ryan, Marie-Laure (2005). "Narrative", in: David Herman, Manfred Jahn & Marie-Laure Ryan (Ed.). Routledge Encyclopedia of Narrative Theory, pp. 344-348. London & New York: Routledge.

Said, Edward W. (1975). *Beginnings. Intention and Method*. New York: Basic Books, Inc., Publishers.

Salmon, Christian (2007). *Storytelling, la machine à fabriquer des histories et à formater les esprits*. Paris: La Découverte.

Sartre, Jean-Paul (1947). "Explication de L'Etranger". *Situations* I. Paris: Gallimard.

Saussure, Ferdinand De (1974). *Course in general Linguistics*. London: Fontana.

Schärer, Martin. R. (2000). "Le musée et l'exposition: variation de langages, variation de signes", *Museology Study Series*, 8: 9-10.

Schärer, Martin. R. (2003). *Die Ausstellung – Theorie und Exempel*. München: Müller-Straten.

Schiele, Bernard (1986). "Vulgarisation et télévision", *Information sur les sciences sociales*, 25(1): 189-206.

Schiele, Bernard (1992). "L'invention simultanée du visiteur et de l'exposition", *Publics et Musées*, 2: 71-97.

Scholes, Robert (1992). "Canonicity and Textuality", in: Joseph Gibaldi (Ed.). *Introduction to Scholarship in Modern languages and Literatures*. New York: MLA.

Shelton, Anthony A. (1990). "In the lair of the monkey: notes towards a post-modernist museography", in: Susan M. Pearce (Ed.). *Objects of Knowledge*, pp. 78-102. London: The Athlone Press.

Skinner, Quentin (1988). "Language and Social Change", in: James Tully (Ed.). *Meaning & Context: Quentin Skinner and His Critics*, pp. 119-132. Princeton: Princeton University Press.

Skinner, Quentin (1989). "Language and Political Change", in: Terence Ball et al. (Ed.). *Political Innovation and Conceptual Change*, pp. 6-23. Cambridge: Cambridge University Press.

Smart, Berry (1993). *Postmodernity*. London & New York: Routledge.

Smith, Barbara H. (1979). *On the Margins of Discours: The Relation of Literature to Language*. Chicago: University of Chicago Press.

Stanitzek, Georg (2005). "Texts and Paratexts in Media", *Critical Inquiry*, 32(1): 27-42.

Stransky, Zbynek. Z. (1993). *Muséologie: Introduction à l'étude destinée aux étudiants de l'Ecole Internationale d'Eté de Muséologie*. Brno: l'Ecole Internationale d'Eté de Muséologie.

Strawson, Galen (2004, 15 October). "A Fallacy of Our Age", *Times Literary Supplement*, pp. 13-15.

Suleiman, Susan R. (1980). "Introduction: Varieties of Audience-Oriented Criticism", in: Susan R. Suleiman and Inge Crosman (Ed.). *The Reader in the Text*. Princeton: Princeton University Press, 1980.

Sunier, Sandra (1997). "Le scénario d'une exposition", *Publics et Musées*, 11-12: 195-211.

Talens, Jenaro & Company, Juan M. (1984). "The Textual Space: On the Notions of Text", *Midwest Modern Language Association*, 17(2): 24-36.

Thelen, David (2003). "Learning from the Past: Individual Experience and Re-Enactment", *Indiana Magazine of History*, 99(2):155-165.

Tilden, Freeman (1957). *Interpreting Our Heritage*. Chapel Hill: The University of North Carolina Press.

Todorov, Tzvetan (1966). "Les catétogies du récit littéraire", *Communication*, 8: 125-151.

Todorov, Tzvetan (1968). "La grammaire du récit", *Langages*, 3e année, 12: 94-102.

Todorov, Tzvetan (1981). *Mikhaïl Bakhtine, le principe dialogique*. Paris: Seuil.

Triquet, Eric (2012). "Introduction", *Culture & Musées*, 18: 13-22.

Urry, John (1990). *The Tourist Gaze: Leisure and Travel in Contempporary Societies*. London: Sage Publications.

Van Mensch, Peter (1991). "The language of exhibitions", *Museology and Languages*, ICOFOM 91 Symposium: 11-13.

Van Mensch, Peter (1992). *Toward a Methodology of Museology*. Ph D thesis. University of Zagreb.

Vergo, Peter (1989). "The Reticent Object", in: Peter Vergo (Ed.). *The New Museology*, pp. 41-59. London: Reaktion Books.

White, Hayden (1978). *Tropics of Discourse: Essays in Cultural Criticism.* Baltimore and London: The John Hopkins University Press.

White, Hayden (1980). "The Value of Narrativity in the Representation of Reality", *Critical Inquiry*, 7(1): 5-27.

White, Hayden (1992). "Historical Emplotment and the Problem of Truth", in: Saul Friedlander (Ed.). *Probing the Limits of Presentation: Nazism and the "Final Solution".* Cambridge: Harvard University Press.

Weil, Stephen E. (1999). "From being about something to being for somebody: The ongoing transformation of the American Museum", *Daedalus*, 128: 229-258.

Witcomb, Andrea (2003). *Re-imaging the museum: Beyond the mausoleum.* New York & London: Routledge.

Wonders, Karen (1993). *Habitat Dioramas. Illusions of Wilderness in Museums of Natural History.* Uppsala: Acta Universitatis Upsaliensis.

網路資料

2013 Annual Meeting Highlights。瀏覽日期：2013 年 8 月 26 日，檢自：http://www.aam-us.org/events/annual-meeting/annual-meeting-highlights。

Art of remembering: That was then, *The Economist.* 25 November 2010 。瀏覽日期：2013 年 8 月 26 日，檢自：http://www.economist.com/node/17572434。

Center for the Future of Museums: Stories in the Art Museum。瀏覽日期：2013 年 8 月 26 日，檢自：http://futureofmuseums.blogspot.tw/2013/05/stories-in-art-museum.html。

Cités-Cinés, Exposition itinérante, 1987-90, Conception de la Muséographie et de la Scénographie。瀏覽日期：2013 年 8 月 3 日，檢自：http://www.confino.com/cites-cines/f_dossier.html。

Climate Change。瀏覽日期：2013 年 8 月 21 日，檢自：http://www.amnh.org/exhibitions/past-exhibitions/climate-change。

Exhibitions as Contested Sites —— Australian Museum。瀏覽日期：2013 年 8 月 29 日，檢自：http://australianmuseum.net.au/research/Exhibitions-as-Contested-Sites。

Experience: definition of experience in Oxford dictionary（British & World English）。瀏覽日期：2012 年 12 月 25 日，檢自：http://oxforddictionaries.com/definition/english/experience?q=experience。

Museum Definition- ICOM。瀏覽日期：2013 年 9 月 2 日，檢自：http://icom.museum/the-vision/museum-definition。

Museum of Broken Relationships。瀏覽日期：2013 年 8 月 26 日，檢自：http://brokenships.com。

子子孫孫永寶用──清代皇室的文物典藏。瀏覽日期：2013 年 8 月 21 日，檢自：http://www.npm.gov.tw/exh96/imperial_collection。

文學拿破崙──巴爾札克特展。瀏覽日期：2013 年 8 月 23 日，檢自：http://xdcm.nmtl.gov.tw/balzac。

移動中的邊界：跨文化對話。瀏覽日期：2013 年 8 月 21 日，檢自： http://www.tfam.museum/TFAM_Exhibition/exhibitionDetail.aspx?PMN=2&ExhibitionId=427&PMId=427。

蘭陽博物館全球資訊網──認識蘭博──建築景觀特色。瀏覽日期：2013 年 8 月 27 日，檢自：http://www.lym.gov.tw/ch/About/architecture.asp。

蘭陽博物館全球資訊網──認識蘭博──蘭博使命。瀏覽日期：2013 年 8 月 27 日，檢自：http://www.lym.gov.tw/ch/About/mission.asp。

國家圖書館出版品預行編目（CIP）資料

當代博物館展覽的敘事轉向 = The narrative turn
of contemporary museum exhibition / 張婉眞著.
-- 二版 . -- 臺北市：國立臺北藝術大學；遠流
出版事業股份有限公司 , 2024.04
　面；　公分
ISBN 978-626-7232-37-8（平裝）

1.CST: 博物館展覽　2.CST: 說故事

069.7　　　　　　　　　　　　　113003396

當代博物館展覽的敘事轉向
The Narrative Turn of Contemporary Museum Exhibition

作　　者：張婉眞
執行編輯：汪瑜菁、詹慧君
文字編輯：陳雯鈺
美術設計：上承設計有限公司
攝　　影：張婉眞
校　　對：張婉眞、陳雯鈺

出 版 者：國立臺北藝術大學
發 行 人：陳愷璜
地　　址：臺北市北投區學園路 1 號
電　　話：(02) 28961000（代表號）
網　　址：https://w3.tnua.edu.tw

共同出版：遠流出版事業股份有限公司
地　　址：臺北市中山北路一段 11 號 13 樓
電　　話：(02) 25710297
傳　　眞：(02) 25710197
劃撥帳號：0189456-1
網　　址：https://www.ylib.com E-mail: ylib@ylib.com

出版日期：2024 年 4 月 二版一刷
　　　　　2014 年 3 月 初版一刷
定　　價：新台幣 380 元